文春文庫

敗者の嘘

アナザーフェイス 2

堂場瞬一

敗者の嘘

アナザーフェイス2 ◎目次

敗者の嘘

アナザーフェイス2

第一部　名乗り出た女

1

「さあ、盛り上がってますか！」柴克志《しばかつし》がジョッキを高々と掲げる。返ってきたのは失笑だった。

本当に空気の読めない男だな、と大友鉄《おおともてつ》は苦笑を漏らした。そこそこお洒落なインテリアのダイニングバー。料理と酒は何でも揃い、ＢＧＭにはアシッドジャズという気取った店では、柴のような乗りは浮いてしまう。あいつは気楽な居酒屋にでもいるつもりなんだろうけど、空気が読めてないな、と大友は白けた気分になった。

「テツ、呑んでるか？」

大友はジョッキを小さく掲げてみせた。最初に頼んだビールは、まだ半分も減っていない。始まってから一時間も経つのだが……盛り上がっているのは柴だけだ。

それにしても、どうしてあいつの誘いに乗ってしまったのだろう。三対三の合コン。

柴は気を利かせてくれたのだろうし、あわよくば自分も相手を見つけようという魂胆だったのかもしれないが、場は冷たく白け切ったままだった。人数合わせのために彼が連れて来た捜査一課の後輩も、何の役にも立っていない。

大友はグラスを置き、そっと立ち上がった。柴が鋭く見咎める。

「どこへ行くんだ、テツ？」

「ああ、ちょっとトイレ」

「さっさと戻って来い。お前がいないとご婦人方が寂しがる！」

またもや失笑。何だか自分が笑われているような気になって、大友はそそくさとトイレに逃げこんだ。

用を済ませたが、柴が一人で空回りしている個室に戻る気にはなれない。カウンターにつくと、バーテンがすかさずおしぼりを出してくれたので、礼を言って受け取る。両手を丁寧に拭き、ついでに顔も拭って人心地ついた。まあ、あいつの気持ちも分かるんだが……もう少し僕たちに適した相手、適した場所があったのではないか。

ワイシャツの胸ポケットから、交換した名刺を取り出す。どういう伝《つて》で集めたメンバーなのか、職種はばらばらでそれぞれの脈絡はなかった。銀行員、商社員、セレクトショップの店長。名刺の名前と一人一人の顔を突き合わせる。メンバー的には、柴にしては上出来、と言えるかもしれない。ただし、彼本人の態度が上滑りしていて話が盛り上がらないために、三人の性格までは摑めなかった。ゆっくり話ができる雰囲気を作ればいいのに……ただ一つ、三人ともこの会に乗り気でないことだけははっきりしている。三人にすれば、警察官——刑事など、得体の知れない怖い存在にしか思えないだろう。そもそもよく出席する気になったものだ、と感心する。

目の前に並んだ棚のボトルに視線を投げる。棚の奥は磨き上げたアルミの壁になっており、少し歪んでいるものの、ボトルの隙間に自分の顔が写っている。刑事らしくない顔だろうな、と思う。特に猛者《もさ》揃いの捜査一課の中では、子羊のようなものだ。

「飽きちゃったんですか？」

顔を上げると、鈴木絵里子《すずきえりこ》——確かこの娘《こ》は商社のＯＬだ——がにこやかな表情を浮かべて立っていた。妙に恥ずかしそうに、胸のところで組み合わせた両手を捻っている。

「あなたもそうじゃないんですか」

「うーん」絵里子が顎に人差し指を当てる。困ったような表情を浮かべると、年齢不詳になった。二十代前半ぐらいにも見えるのだが、服装が落ち着いた感じだから、実際は三十歳ぐらいだろうか。いや、最近の女性は、服装やメイクに関してはエージレスだ。迂闊なことは口にしないように、と自分に忠告する。

「何だか、申し訳ないですね」大友はスツールを少し横にどかし、彼女が座りやすいようにしてやった。絵里子がさっと頭を下げて、隣に腰を下ろす。

「申し訳ないって、何がですか？」

「何だか変な集まりになっちゃって」

絵里子が声を上げて笑う。綺麗な喉が覗いた。

「確かに、ちょっと雰囲気が変ですよね。柴さんって、独身でしたよね」

「独身どころか、今まで女性とつき合ったことがあるかどうかも疑問だ」

「大友さんは、本当に独身なんですか？　何か、いかにももてそうに見えるのに」絵里子が悪戯《いたずら》っぽい口調で聞いた。

「まさか」

「まさか、じゃないです」絵里子の瞳に熱っぽい色が浮かぶ。「でも何か、落ち着いた感じがしますよね」

「実は――ええと、バツ一、子持ちです」

「そうなんですか」絵里子の表情が微妙に歪んだ。変な男に声をかけてしまった、と後悔しているのかもしれない。

「妻は三年前に交通事故で亡くなりました。それ以来ずっと、一人で子育て中なんです」

「ああ」絵里子がきゅっと唇をすぼめた。口の横に深い皺ができる。「ごめんなさい、変なこと聞いちゃって」

「とんでもない」大友は顔の前で手を振った。「柴がね、自分は独身の癖にやけに世話を焼くんですよ。早く再婚しないと、息子のためにもよくないって」

「それで今回の合コンなんですか」

「すいませんね。本当は僕が盛り上げないといけないんだろうけど、どうも、こういう場は苦手で。所詮公務員ですから、芸もないですし」

「でも、大友さんなら、観賞用で全然ＯＫですよ」

「観賞用って……」大友は思わず苦笑した。「絵じゃないんですから」

「うーん、実物の方がいいですけどね」きゅっと目を閉じるように絵里子が笑った。

「子どもさんの写真とか、持ってないんですか？」

「ありますよ」大友はスーツの内ポケットから定期入れを取り出し、開いて見せた。親子三人で撮った写真だと気づき、かすかに後悔する。

「やだ、奥さん、すごい綺麗な人だったんですね」

「ええ、まあ」これは否定できない事実だ。それどころか、もっと大声で自慢してもいい。

「この子？　可愛い！」

絵里子が右手を拳にして頬に当てた。犬か猫を「可愛い」と愛でるような言い方だな、と大友は苦笑した。

「何年生ですか？」

「もうすぐ三年生です。この写真はずいぶん前だから、結構変わってますよ」

「子どもって、一年経つと顔が変わりますからね」

「親でも驚くぐらいですよ」

何だかほのぼのしてしまったな、と大友は妙な気分になった。この辺で話を切り上げて戻らないと、柴がかりかりし始めるかもしれない。

「でも、こんな子が子どもだったらいいな」うっとりした目つきで、絵里子が大友を見詰める。

「いやあ、男の子は大変ですよ。一般的に女性は、娘の方がいいんじゃないですか？着せ替え人形みたいに遊べるから」

「私、男の子の方が好きなんですよ。今度、会わせてもらえますか？」

「ああ、ええと、それは彼のスケジュールを確認してみないと」

絵里子が小さく微笑む。おいおい、と大友は気を引き締めた。今夜は、柴が「どうしても」と頼んだから参加しただけなんだぞ。大友自身、今は再婚など考えてもいない──義母の矢島聖子《やじませいこ》が勧めてくる見合いも何とか断り続けている──し、仕事が立てこんで少しへばっており、ゆっくり休みたい気持ちも強かった。単に友人の頼みは断れなかっただけだ。

「面白いですね、大友さん」

「そうかな」

「イケメンで気の利いた冗談言うのって、ポイント高いですよ」

大友は両手で思い切り顔を擦った。どうも、話がややこしい方向に進みつつある。彼女に嫌な思いをさせずに幕引きにするのは──席に戻りましょう、と提案するのが一番だろう。そうすれば、リスクは減るはずだ。

　だがその言葉を口に出そうとした瞬間、思いも寄らぬ援軍が現れた――携帯電話の着信音。「失礼」と断って携帯電話を引き抜く。着信表示を見て、援軍どころか地獄の使者だと気づいて目の前が暗くなったが、反射的に「通話」ボタンを押してしまう。「上司です」と絵里子に告げて席を離れ、店のドアを押し開けた。途端に、まだ冷たい三月の風が体を襲う。思わず肩をすくめながら、電話を耳に押しつけた。

「お楽しみ中か？」上司というには上過ぎる存在――福原聡介《ふくはらそうすけ》だった。刑事部特別指導官。序列としては部内ナンバースリーに当たる。本当なら、大友のような刑事総務課勤務の巡査部長レベルでは、直接話はできない。

「ええ、まあ」

「悪いが、そこまでだ」

「どういうことですか」大友は思わず額を揉んだ。

　福原は時折、「リハビリ」と称して、大友にややこしい事件の捜査を押しつけてくる。妻が亡くなった後、自分一人で子育てをするために捜査一課から刑事総務課への異動を志望した大友の腕と勘が錆つかないよう、気を遣っているつもりなのだ。だが大友自身が捜査一課に戻るべきかどうか決めかねている状態で、こういう命令はありがた迷惑になることもある。福原は当該部署には「特別の応援だ」と筋を通すのだが、選挙の落下傘候補のようにいきなり捜査に参加すると、満面の笑みと拍手で迎えられるとは限らない。むしろ、自分たちのヘマを探すスパイではないかと、疑いの目で見られることもしばしばだった。

「あの事件は終わっていない」

「あの事件って……」大友は目を細めた。「どの事件ですか」

「今動いている事件といえば、神田の放火殺人に決まってるじゃないか」じれたように福原が言った。

「あれは、容疑者が自殺したはずです」

「犯人が名乗り出てきた」

「はい？」

「真犯人だと名乗る人物が、特捜本部に出頭した」福原が、自分の説明を補完するようにゆっくりと言った。

「いや、しかし、容疑者は自殺しているんですよ」大友は繰り返した。その時点で、「容疑者」から実質的に「犯人」に格上げされている。罪の意識に苛《さいな》まれて自ら命を絶ったのだ、と。「いずれ被疑者死亡で送検して、それで終わりじゃないんですか」

「それほど簡単じゃないようだな、この一件は」福原が淡々とした口調で言った。「向こうの言い分は筋が通っているようだ。特捜本部でも対応に困っている」

「それはそうでしょうけど……」なんで僕なんですか、という質問を大友は呑みこんだ。いくら何でも、この件はややこし過ぎる。

「名乗り出てきたのはな、女なんだよ」

「女性？」

「お前、女の相手は得意だろうが」

「そんなことはありません」

「お前ならできる。困難な事件ほど、お前が取り組まなくてはいけないものだ」

容疑者が女性というだけなら、さほど難しい話ではない。女性の扱いが上手い刑事はいくらでもいるし、それこそ女性刑事を取り調べに当たらせてもいいのだ。

「相手が女性だということ以外に、何がそんなに困難なんですか」

「弁護士だ」

「はい？」

「聞こえなかったのか？　弁護士だ。弁護士がわざわざ、『自分がやった』と名乗り出てきたんだぞ。困難さは最高レベルだ。だがな、中山素平《なかやまそへい》も言っている。問題は解決されるためにあるんだ。さあ、さっさと行け。神田署の特捜本部だ」

電話が切れた。まさかこの男は、僕の動きを全て監視しているのだろうか。今呑んでいる店は、神田署とは目と鼻の先である。歩いて十分、少しアルコールが入っている今の状態でも、無理して走れば五分で着くだろう。まあ、ノリが悪く、少しばかり気が重い合コンを途中で抜け出せると思えば……あまり気は晴れなかった。

2

神田署は、地下鉄神保町駅、淡路町駅、竹橋駅のどこからもほぼ等距離にある。本の街とあって、周辺には小さな出版社、誰が利用するのか分からないような専門書店も多い。隣は東京電機大の校舎。アカデミックな街の中にあって、茶色くごついデザインの建物は、不気味な威圧感を放っていた。道路側の正面は細く、奥に長い直方体の造りは、誰かが「レンガ」あるいは「外付けハードディスク」と呼んでいたが、まさにそんな感じである。

大友を出迎えたのは、特捜本部の実質的な責任者である捜査一課の岩永《いわなが》管理官だった。大友は少しだけ面識があるのだが、笑った顔を見たことがない。警部補時代までは公安部にいた、いわば「外様《とざま》」的な存在で、捜査一課の中では未だに浮いた感じがある。そのためか、ともすれば強引な捜査をしがちな男だった。小柄だがみっちりと肉のついた体。濃い髭が顔の下半分を黒く染め、一日に二回、髭剃りをしなければならないタイプだ。今日は、二回目をしている暇もなかったようである。

大友を鬱陶しく思う気持ちを隠そうともせず、いきなり鼻をひくつかせる。

「呑んでたのか」

「はい」合コンで、という説明は省略する。この男の前では、余計なことは言わない方がいい、と直感が告げていた。

「まあ、いい」一瞬顔を背けたが、再び大友の顔を見た時には、何とも情けない表情を浮かべていた。「話は聞いてるか？」

「簡単に、ですが」

「指導官も……」

岩永が舌打ちをした。その不満は福原に対するものなのか、それとも自分にぶつけたのか？　思わず確認しかけて口を閉ざす。余計なことは言うな。自分をきつく戒めた。刑事総務課の人間である大友は、福原が直接指示した時だけ、現場を手伝う。それを快く思わない人間が少なくないのは分かっていた。誰も逆らえない福原の権威を借りて、好き勝手に現場を荒し回っているように見えるだろう。同じ立場だったら僕だって苛つく、と大友は常々自覚していた。人の評判を極端に気にするタイプではないと思っているが、嫌われて平気な顔をしていられるほど図太くはない。

「説明は若いのにさせる……おい、上野《うえの》！」

上野と呼ばれた若い刑事が、特捜本部の隅で立ち上がり、尻に火が点いたような勢いで走って来た。小柄で小太り……見覚えがある。確か神田署の刑事課で、普段は盗犯の捜査をしている男だ。特捜本部事件なので、直接の担当でなくても召し上げられたのだろう。

「こちらの大友先生に状況を説明して差し上げろ……ここじゃなくて、別の場所でな」

岩永の皮肉な言い方が引っかかった。あくまで、僕を戦力として認めないつもりか。もちろん彼も、そういう乱暴な言い方が摩擦の原因になると気づいたようで、「ここではいろいろ忙しいからな」と素早くつけ加えるのを忘れなかった。ここ——特捜本部が置かれた神田署の会議室には、電話番の人間も含めて数人がいるだけで、全員が手持ち無沙汰にしていたのだが。

「分かりました」大友は一切反論しなかった。無用な争いは非効率を産む——いかにも福原が言いそうな台詞《せりふ》だな、と思った。

「こちらへどうぞ」上野が緊張しきった様子で、出入り口に向かって右手をさっと差し出す。刑事ではなくホテルのコンシェルジュをやらせた方が似合いそうだ、と大友は皮肉な印象を抱いた。

上野の後について廊下に出る。

「お茶でも飲まないか？」

「はい？」上野が引き攣《つ》った声で言い、振り返った。「お茶って……」

「問題の女性は逮捕されてるのか」

「いえ、まだです。時間の問題だと思いますが」上野が、自分の手柄であるかのように胸を張った。

「そうか。だったらまだ、そんなに切羽詰まった状況じゃないんだね。お茶を飲む時間ぐらいはあるだろう」

「自分はいいですけど……」

「実は、さっきまでちょっと酒を呑んでてね」大友は口元で杯を傾ける真似をした。「酒臭いと嫌がる人も多いから」

「そうですね」上野が大袈裟に顔をしかめる。

「一階の自動販売機でいいよ。ブラックで一杯飲めば、しゃきっとするから」

「了解です」

今にも敬礼しそうな威勢のいい声で言って、上野が階段に大友を誘導した。自販機で百円のコーヒーを奢ってやり、一階のベンチに腰かける。夜間の警戒をしている制服警官の姿が、ガラス越しに見えた。コートは着ているものの、三月初旬の寒さは身に染みるはずだ。しかし微動だにせず、ぴしりと背筋を伸ばしている。

「飲み会は、刑事総務課の人とですか」

上野がいきなり訊ねてきた。大友は一瞬躊躇《ためら》った後、「いや、合コンで」と答えた。

「合コンっすか……羨ましいです」上野が溜息をついた。「自分、女性には縁がないんで」

「そんなこともないだろう」ジャガイモのようなタイプの顔が好きな女性ならば、飛びつくかもしれない。「それで、出頭してきたのは女性弁護士なんだって？」

「はい」

「顔、見たか？」

「見ました」上野が苦笑した。「何か、いかにも若い突っ張った弁護士って感じで……きつそうなタイプですね」

「なるほど」

「名前は篠崎優《しのざきゆう》」

「優しそうな名前だね」

「名前で性格が決まるわけでもないですし……」上野が手帳を開いた。「二十八歳。勤務先は新神田弁護士事務所。ここのすぐ近くです」

「若いな。弁護士になりたてのイソ弁、という感じじゃないか?」

「弁護士事務所の人が摑まらないんで、まだ確認できてません。でも、そうだと思いますよ。あそこの事務所は確か、結構なベテランの弁護士さんがやってましたから」

「妙な話だ」

「そうですか? 弁護士が人を殺しても、おかしくはありません。もっとひどいことをしている弁護士も少なくないでしょう」

「まあね」大友はコーヒーを一口飲んだ。やけに苦い味が喉に引っかかり、胃を刺激して、かすかに残っていたアルコールが一気に吹っ飛ぶ。「それで、言い分は?」

「渋谷博己《しぶたにひろみ》は無実だと。やったのは自分だと言っています」

「どんな様子なんだ?」

「冷静ですね。何ていうか……こっちを馬鹿にしたような感じもします」

「なるほど」

　女性も人を殺す。しかし二人も刺殺したうえで家に火を点けるという乱暴な手口は、どちらかというと男性の専売特許だと言っていい。過去にこのような事件はほとんど例がないはずだ。

　自殺した容疑者の無実を訴え、「自分がやった」と言い張る弁護士……何かおかしい。重大事件が起きると、警察には時々、「自分が犯人だ」と名乗り出てくる人間がいる。その心理状態は大友には計り知れないが、何故か「自首しなくてはいけない」という切迫感に駆られるらしい。ベテランの警察官なら、そういう人間の顔を見ただけで、「虚言だ」と見抜いてしまう。刑事が話を聴かず、窓口である地域課の判断で追い返してしまうこともままあるが、それで本物の犯人を取り逃がしたケースはほとんどない。

　弁護士が殺人を告白。

　どう判断していいのか分からない。大友は取り敢えず、上野に話を聴いて事件の記憶を補完した。自分ではまったく捜査にかかわっていなかったのに、案外詳細を覚えていたことに驚く。それほど残忍で、忘れようがない事件だったのだ。

　事件発生は一月ほど前、一月の終わりだった。現場は、神田署とは目と鼻の先にあるマンション。被害者は資産家の老夫婦で、二人とも七十八歳だった。午前一時頃、マンション一階の自宅から出火し、部屋はほぼ全焼。焼け跡から死体が見つかっていた。死体にはそれぞれ刺し傷が認められ、解剖の結果、死因については夫は失血死、妻は刺された後に煙に巻かれて一酸化炭素中毒になったためと分かった。犯人は二人を刺した後、部屋に火を放ったのである。

夫婦はもともと、神田界隈の何か所かに土地を持っていた。バブルの時期に上手く切り売りして財産を増やし、元々住んでいたしもた屋——それでも現在の感覚ではかなり広い家だ——をマンションに建て替え、二階から上を賃貸に回して自分たちは一階に住んでいた。年金とマンションの家賃収入で、悠々自適どころか、かなり優雅な生活をしていたらしい。夫の趣味は車。それもイギリス車が好みで、近くに借りたガレージに、レーシンググリーンのジャガーのコンバーチブルを預けていた。その車に被害はなかったが、今はどうなっているだろう。夫婦には子どもがなく、遺産として受け取る人間もいないはずだ。

そう、遺産相続者がいないことが、捜査の一つのネックになっていた。この夫婦がどれだけ金を貯めこんでいたか、はっきりしたことが分からない。銀行には、普通、定期合わせて二千五百万円の預金があったが、近所の人たちの話では、あまり金融機関を信用せず、自宅にかなり現金を貯めていたらしい。タンス預金の額がどれほどだったかは、誰も知らなかった。ただ、金庫が開いていたので、そこにあった金は奪われたはずだ、と特捜本部では結論づけていた。

現場の手がかりはほぼゼロ。犯人は凶器も含め、証拠を何も残していかなかった。だが犯人――容疑者の段階で死んでしまったが――の渋谷は、意外なところで警察の網にひっかかってきたのである。事件から二週間後、夫のキャッシュカードを使って銀行ATMから金を引き下ろした人間の姿が防犯カメラに映っていたのだが、それが窃盗の前科のある渋谷にそっくりだったのだ。

渋谷の周辺捜査が始まった。最近金遣いが荒くなっていないか、銀行口座の残高に変化はないか、周囲に犯行を吹聴していないか――裏づけ捜査の結果は全て「否」。それでも防犯カメラの映像は、渋谷を追及する強力な材料になった。

完全自供は時間の問題だろうと思われたのだが、渋谷は意外に粘り、すぐには自供へ持ちこめなかった。

そして一週間に及ぶ任意取り調べの後の、突然の自殺。

この事実は、マスコミには伏せられている。渋谷を呼んでいることを極秘扱いしていたので、マスコミの間には「容疑者」の存在がまだ知られていなかったのが幸いだった。それなら何も、自殺を明らかにする必要はない――警察的には当然の判断だ。何しろ渋谷は、警察が宿舎に用意したホテルの一室で、監視の目をすり抜けて死を選んだのである。「失態」「怠慢」と非難されても仕方のない状況だ。

「逃げ切れないと諦めて自殺したんだ」と強がる刑事もいたが、そんなことを言っても後の祭りである。しっかりした物証がなく、本人の明白な自供も得られていない状態では、あくまで「渋谷＝犯人」説は警察側の印象に過ぎない。

ベッドに横たわる渋谷の写真は、大友も参考までに見ていた。睡眠薬とアルコールを多量摂取しての自殺で、枕元の嘔吐の跡を除いては、眠っているようにしか見えなかった。

「それで、彼女の言い分は？」

「自分がやった、の一点張りです」上野が強い口調で言った。

「弁護士らしくないな。もう少し論理的に説明しそうなものだけど」

「でも本当に、そんな感じだそうですよ」上野が口を尖らせる。「自分は取り調べを見ていないんで何とも言えませんが……今は、もう少しはっきり喋っているかもしれません」

「こっちを馬鹿にしたような感じがするって言ったね？　具体的には、どういうことなんだろう」

「言葉の端々に、って感じですね」

それでは分からない。大友は首を振った。この男は一つ一つの言葉の意味合い、動作の裏に隠された本音を探り出すには若い——鈍いのかもしれない。

「その弁護士と渋谷の関係は？」

「本人曰く、昔からの知り合い、ということです」

「今回の事件について、渋谷から何か相談を受けていたんじゃないかな」

「今のところ、そういう話は聞いていません」

可能性はあるな、と大友は考えた。渋谷に対する任意の取り調べが始まったのは、先々週の土曜日。日曜日も続けられ、木曜日までは終了次第、帰宅が許されていた。逆に言えば、夜間はフリー。電話なり電子メールなりで、弁護士と接触することはできたはずだ。その辺は記録を調べればすぐに分かる。

金曜日になって状況が微妙に変わり始め——渋谷が犯行をほのめかし始めたので——神田署近くのホテルに缶詰にすることにした。

これはよくあるやり方である。容疑者の段階で一晩中署に留め置くわけにはいかないから、警察の方で宿を提供する。これが昔なら、旅館を取って、刑事が二人ほど一緒に泊まったものだが、最近は都心部で旅館を見つけるのは難しい。ホテルが使われるケースが多いのだが、今回はそれが裏目に出た。両隣の部屋を取った刑事は、徹夜で警戒を続けていたのだが、実際には壁に耳を押し当てて異音に気をつける程度しかできなかった。渋谷は一人静かに、酒で大量の睡眠薬をゆっくり飲み下し、ベッドに横になるだけ。気づけ、と言われても無理だ。いくつかのミスもあった。そもそもツインの部屋にして同宿しなかったのは何故か。部屋からアルコールは取り除いておくべきだったのに、それも見逃されていた。土曜日の朝、渋谷の死体を見つけた刑事たちの慌てぶりは想像に難《かた》くない。

「何らかの相談は受けていたと思う」

「そうかもしれません」

「そうじゃなければ、こんなことはしないはずだよ」

「ええと、犯人は篠崎、としますよね」

「ああ」大友はうなずき、先を促した。

「そうすると、渋谷が容疑者扱いされようが、死のうが、関係ないんじゃないですか？この段階では、黙っていれば分からないわけですよね。もしかしたら逃げ切れるかもしれない」

「それは無理だよ」大友はわざと強気に言った。「重大事件の時効はなくなってるんだから。犯人は、絶対に逃げ切れない」

「いや、でも、実際に逮捕できるかどうかは——」

「罪を犯した人間は、永遠にその意識に捕われるんだ」大友はコーヒーを飲み干し、立ち上がった。「人を刺したり、殴り殺したりした時の手の感触は絶対に消えない。記憶は永遠に残る。逮捕されるとかされないとか、そういう問題じゃないんだ」

「そんなもんですかねえ」上野がゆっくりと首を振った。

「そう考えないと、やりきれないじゃないか。たとえ逮捕されなくても、毎晩うなされてもらわないと、死んだ人が浮かばれない……それより取り敢えず、彼女の顔を拝んでおこうか」

「ご案内します」上野も立ち上がった。大友の分の紙コップも受け取り、ゴミ箱に捨ててからズボンを引っ張り上げる。サイズが合っていないようで、放っておくと自然にずり下がってしまうようだ。

「君、ウエストのサイズは？」

意味が分からないと言いたげに、上野が首を捻る。

「三十四インチですけど」

「三十二を試してみるといいよ。ズボンが太過ぎるんだ」

「服装がそんなに重要ですか」説教されたとでも思ったのか、上野が頰を膨らませる。

「見た目は大事だからね。相手に与える印象が違う」

「だったらどんな格好がいいんですか」

「体に合った、普通の背広」そう言う大友自身、今日は刑事の標準装備といっていい地味なグレイのスーツである。ワイシャツは白、ネクタイは濃紺。刑事には、自然にどこにでも溶けこめる服装が重要なのだ。合コンだからといって、気合の入った服装というわけにはいかない。「刑事は目立っちゃ駄目だからね」

「だけど大友さんは、目立つじゃないですか。男性ファッション誌のモデルに誘われたって話、本当ですか？」

「そんな話、誰から聞いた？」

「誰でも知ってますよ」

「否定しておく。できたら、君も周りにそう言っておいてくれ」

溜息をつき、大友は階段に向かった。刑事は噂が大好きで、時には根拠のない話を平然と言いふらす。冗談じゃない。三十過ぎた子持ちの男に、モデルの誘いがあるわけないじゃないか。だが上野の表情を見た限り、大友の言葉を思い切り疑っている。

「彼女か……」大友はマジックミラー越しに、篠崎優を観察した。斜め前から眺める格好になるので顔全部が見えているわけではないのだが、それでも凛とした雰囲気は伝わってきた。濃紺のスーツの襟元には弁護士バッジ。白いブラウスの胸元は大きく開いていたが、淫靡な感じはまったくしない。肩のところで切りそろえた髪。化粧っ気はほとんどなく、アクセサリーの類いといえば、右手の薬指にはめている指輪だけだった。大きな目、少し丸い鼻、ふっくらとした唇。美人ではなく「可愛い」と言われるようなタイプだった。しかし今は、マジックミラー越しにさえ、冷たく硬い気配が伝わってくる。

「どうですか？」上野が訊ねてきた。

「どうって……確かに、いかにもやり手の若手弁護士って感じだね」

「それだけですか」

不満そうに上野が唇を尖らせる。この男は……僕のことを何だと思っているのだろう。超能力者？　一目見ただけで、相手の心の中を見透かしてしまうとでも？　どうも僕に関しては様々な誤解が激し過ぎる。だが、そういう誤解を解くのは本当に面倒だ。そんなことをしているぐらいなら、優斗《ゆうと》に今晩何を食べさせるかを考えている方が、よほど生産的である。

「調べてるのは？」

「捜査一課の宇田《うだ》さんです」

「ああ」

宇田なら昔からの顔見知りだ。四十五歳、警部補。「落としの宇田」の異名を取っている。百八十センチを超える長身にいかつい大きな顔、丸刈りにした髪型のせいもあって、座っているだけで一種異様な迫力が生じる。どれだけ乱暴な人間でも、それが子どもの遊びのようなものだと自覚させる容貌だ。だが、女性に対しては……優の態度を見る限り、その迫力は通用していない感じだった。座っているので正確な身長は分からないが、優はひどく小柄で、百五十センチもないだろう。それなのに、背筋をピンと伸ばして、宇田の攻撃を易々と撥ね返しているようであった。それも変な話である。彼女は自供してきたのだ。だったら、素直に取り調べに応じてもよさそうなのに、まるで挑発するような態度を取るとは。

大友は、少し離れた場所にあるモニターの前に移動した。取調室内の様子を映し出すもので、容疑者の顔、取調官の顔それぞれを正面から見ることができる。案の定、宇田はうんざりした様子で腕組みをし、顔をしかめていた。皺の中に目が埋まり、今にも溜息を零《こぼ》しそうな雰囲気である。質問も止まっているようだった。淀んだ取調室の空気を、大友ははっきり感じ取った。

やがて宇田が立ち上がり、髪を短く刈りこんだ頭を掻きながら、カメラに背中を向けた。すぐにドアが開く。優の前ではできなかったのだろう、外へ出ると思い切り深く溜息をついた。

刑事課で待機していた刑事たちが一斉に彼を取り囲む。取調室の前では話せないと思ったのか、宇田はそのまま、同じフロアにある特捜本部へ向かった。刑事たちを引き連れて歩く様は、総理大臣のぶら下がり取材のようにも見えたが、彼は落ち着くまで口を開く様子はなかった。

特捜本部に入ると、宇田が一番前方にあるデスクの前に立つ。刑事たちが集まると、一人一人の顔を見渡してから、もう一度、大きな溜息をついた。

それを見ただけで、大友は、この事件が訳の分からない方向に動き出しそうな予感を感じていた。

3

「容疑者――容疑者と言っていいかどうか分からんが、篠崎優、二十八歳は、今回の資産家夫婦殺人・放火事件について、自分の犯行だと証言している。事件当時のアリバイもない」

宇田の報告を受け、刑事たちの間から溜息が漏れた。普通、犯人が自首してくれば、

「儲け物だ」とばかりに歓声が上がるものだが。

「篠崎は二人を刺した後、玄関から居間に続く廊下に灯油を撒いて、居間の入り口付近に火を点けた、と供述している。灯油は五百ミリリットル入りのペットボトルに入れて持ちこんだそうだ」

ざわめきが一気に大きくなり、大友も緊張を覚えた。マスコミに対しては、「出火場所はマンション玄関付近」としか伝えていない。どうやって火を点けたかは、「犯人しか知り得ない事実」として伏せられたのだ。それをあっさり供述し、しかも消防と鑑識の鑑定通りの内容……もしかしたら本当に犯人かもしれない。

「この件について、渋谷が曖昧な供述をしていたのは、諸君らもご存じの通りだ。ここを詰められれば、篠崎の逮捕に持っていけるかもしれない」

大友は、上野に確かめた渋谷の供述を思い出していた。

『被害者夫妻の家の近くには行った』

『近所なので昔から顔見知りだった』

『金を借りる約束になっていた』

『そんなもん、すぐに捨てられる物を使ったんでしょう』

『ペットボトル？　それは言えません』

「そんなもん」とは、宇田が「灯油はどうやって家まで持って行った？」と突っこんだ時の答えである。完全に認めたわけではないが、ぎりぎりの線をかすって答えた印象だ。

もう一押しすれば、「灯油を五百ミリリットル入りのペットボトルに入れて持ちこみ、玄関付近に撒いて火を点けた」などと、具体的でしっかりした自供が得られたかもしれない。だが宇田は、強面の風貌とは違い、決して無理な取り調べをしないのだ。容疑者は最初、いかつい顔を前に恐怖を感じるが、そのうちこの男の本領は、粘り強さだと気づく。同じ質問を、相手が忘れた頃に再びぶつけ、矛盾点を引き出していく——時間はかかるが、論理的に犯人を追い詰めるやり方が彼の十八番《おはこ》なのだ。

「残念ながら、ペットボトルに関しては、現段階では発見されていない。その辺でゴミに出してしまったとすれば、これからも発見は難しいだろう。だが、この線を押す必要はある。身柄の拘束を要求しますが……」

宇田が助けを求めるように岩永を見た。岩永が腕組みをしたままうなずく。

「動機は」

「金が欲しかった、としか言っていません」

「弁護士なのに?」

「ええ」

「盗んだ額は」

「それに関しては証言拒否ですね」

「しかし、一種の秘密の暴露はあるわけか……火を点けた場所は合っている」

岩永が二本の指で顎を撫でる。さぞかし髭で痛いだろう、と大友は余計な同情をした。

「よし、思い切って身柄を取る方向で行こう。容疑者が死んだ後で犯人が名乗り出てくるのは異常なケースだが、このチャンスを逃すわけにはいかない」

「ちょっと待って下さい」大友は思わず声を張り上げた。刑事たちの輪に割って入り、少し距離を置いて岩永と対峙する。

「何だ、大友」岩永がうんざりした表情を浮かべる。

「ペットボトルの件、篠崎が渋谷から聞いたとは考えられませんか？」

「どういうことだ？」

「彼女は弁護士で、しかも渋谷とは知り合いだったわけですよね？　渋谷が取り調べを受けるようになってから、接触している可能性もあります。その際、渋谷の方から秘密の暴露があったとは考えられませんか？」

「それは――」岩永が反論しかけたが、すぐに口を閉ざした。次に出てきた言葉は、大友が予想した通りのものだった。「仮定の話に過ぎん」

「今の段階では、管理官の仰る通りです。でも、電話や電子メールの記録を調べれば、その辺ははっきりするんじゃないですか。こっちの監視の目をかいくぐって、どこかで会っていた可能性はあります」

「お前、俺たちの捜査に漏れがあったと言いたいのか」

岩永の突っこみに、刑事たちの間にざわめきが広がった。刑事というのは単純な人種で、上司が「黒」と言い出せば、その場で全員口を揃えて「黒！」と復唱してしまう。

大友に対する岩永の黒い感情を、全員が一瞬にして共有してしまっただろう。

「漏れではありません。知り得なかった事実という意味です」

「それは、まあ……」振り上げた拳の下ろし先に困ったように、岩永がもごもごと言葉を濁した。

大友は一歩前に出て申し出た。

「この段階で逮捕状を取るのは、まだ無理があると思います。本人がやったと自首してきたんですから、身柄を押さえなくても逃亡の恐れはないんじゃないですか？　取り敢えず、今夜は帰してもいいと思います。その前に、彼女と話をさせていただければ」

「お前が？」岩永が疑わしそうに目を細める。

「そうです」大友は広げた右手を胸に当てた。「感触を確かめさせて下さい」

「お前、俺の取り調べに何か不満でもあるのか」低い声で宇田が脅しにかかる。

「とんでもない」大友は柔らかい笑みを浮かべて否定した。「取り調べで、宇田先輩に敵うわけがありませんから。少し目先を変えた方がいいんじゃないかと思っただけです」

「なるほど、イケメンは女相手なら自信があるわけだ」

宇田が唇を引き攣らせながら、皮肉を飛ばす。大友は敢えて否定しなかった。福原も、こういう展開を望んでいるはずである。僕は別に、指導官の操り人形というわけじゃないんだがな――苦笑しながら、大友は取調室に向かった。

「選手交代ですか」優の第一声には皮肉がまぶされていた。耳に心地好い、少し高い声なのだが、ぶっきらぼうな喋り方のせいで、台無しになってしまっている。

「そういうことです。私、大友鉄と申します。所属は刑事総務課」

「総務課？」優の声に今度は疑念が混じった。「刑事総務課は、統計業務や研修なんかが仕事だと思いますけど」

「仰る通りですね」大友は笑みを浮かべたままうなずいた。

「そんな人が、どうしてここにいるんですか？」

「代打。スーパーサブ。雑用係。お好きな言葉を選んでいただければ」

「取り調べのスペシャリストということですか？」優が小首を傾げた。小柄なせいもあり、子どものように見える。

「そういう呼び方をされると、面映《おもはゆ》いですね。決してそういうわけじゃありません」

「だったらどうして？　あなたの得意技は何なんですか」

「敢えて言えば変装でしょうか」

優がゆっくりと首を振り、掌を上に向けて両手を広げた。

「それが本当だとしたら、警視庁は人材豊富なんですね」

「昔芝居をやっていましたから、メイクは得意なんですよ」

「まさか、本当に俳優さんなんじゃないでしょうね」馬鹿にしたように言って、優がそっぽを向く。

「俳優は俳優ですけど、あくまで学生時代の趣味です。趣味という割には、入れこみ過ぎましたが……最初に伺いますが、渋谷さんとはどういうご関係ですか」

大友はいきなりギアを入れ替えて、本題に入った。予想もしていなかった質問をされた時、人の反応は大まかに三種類に分かれる。聞き直す者、無視する者、慌てて喋り出して的外れな答えを返す者。優は非常に稀な第四のタイプだった。迷いもせず、正確な答えを打ち返してくる——予《あらかじ》めこの質問を予想していたように。

「中学、高校と一緒でした」

「同級生、ですか。仲が良かったんですか?」

「変なことを想像しているなら否定します」

口調は強かったが、顔は笑っている。その余裕が、大友には奇妙に思えた。

「いや、正確を期したいだけです。同級生というだけの関係ですか?」

「それ以上でもそれ以下でもないです」

「あなたは弁護士。渋谷さんには前科があります。高校を卒業してからほぼ十年で、ずいぶん立場が変わりましたね」

「亡くなった人を冒瀆するような言い方はやめて下さい」

「事実関係を確認しているだけです」

一筋縄ではいかない、と大友は覚悟した。優は自首してきている。それは罪を反省し、刑に服す覚悟を決めたからだ。そういう人間は大抵、毅然としながらもどこか魂が削れたように元気がないものである。苦しみながら胸に秘めていた隠し事を打ち明けられる安堵感と、これから世間と隔絶する孤独感の両方がせめぎ合うからだ。なのに優は、まさに弁護士が、逮捕された容疑者の扱いが悪い、と抗議するような物言いを続けている。若い割に経験豊富なのか、よほど度胸が据わっているのだろう、と大友は踏んだ。

「我々は渋谷さんを調べていました。それはご存じですね」

「知りません」

「本当に？」

「嘘をついてどうするんですか。あの事件の犯人は私です。渋谷君は何も関係ありません。彼が容疑者だったことは、ここへ来て初めて知りました。驚きましたよ」

「ところで、人を殺して家に火を点けるのはどんな気分ですか」大友は再度、いきなり質問を変えた。本当にやったとしたら、その悪夢からまだ逃れられていないはずである。

「それに関しては、申し上げることはありません」

やっていないのでは——疑いが、大友の中で次第に膨れ上がってきた。犯人にしては堂々とし過ぎている。まるで舞台上の名優を見るようだった。説得力はあり、その場の出来事が完全にリアルなものだと観客に思わせてしまうが、実は全てが嘘。ならば何故、この女は名乗り出てきたのだ？　もしかしたら、大きな事件がある度に「自分がやった」と出頭してくる人間たちの仲間なのだろうか。その心理状態は大友には理解不能だが、とにかくそういう人間が一定数いて、警察を悩ませているのは事実である。

「動機を伺います」

「お金に決まってるじゃないですか」

「弁護士のあなたが？　お金に困っていると？」

「おかしいですか？」優の挑発的な視線が、大友の顔を舐めた。「お金が必要だったんです」

「何のために」

「独立です。いつまでも、イソ弁をやっているわけにはいきませんから。人の事務所で働くだけでは儲からないし、顧客の信用も得られません。自分の事務所を構えてこそ、弁護士は一人前なんです」

「そういうものですか？」

「そうです。そんなこともご存じないんですか？」

「しかし、弁護士さんが金に困っているとはね……」

大友は腕組みをした。それが気に食わなかったのか、優がいきなり嚙みついてくる。

「弁護士だから金を持っているというのは、世間の勝手な思いこみですよ。最近は特に、サラリーマンの平均年収よりもずっと低い額しか稼いでいない弁護士も、珍しくないんです」

「あなたもそういう一人ですか？」

「一人で事務所を構えるほどには稼いでいません」惨めさからか怒りからか、優の耳が赤くなった。

「銀行からでもどこからでも、お金を借りればよかったじゃないですか。弁護士さんほど信用度が高い商売もないでしょう」

「相手にされませんよ」優が鼻を鳴らした。「確かに最初はそんな風に考えましたよ。でも、実際に申し込みをすると、審査が通らないんです。よほど信用がないんでしょうね……お金という信用が」

何か変だ……大友は静かに額を揉んだ。確かに、僕が知らない弁護士の世界もあるだろう。しかし彼女の言い分は、あまりにも短絡的ではないか。金がない。それでも独立したい。銀行に融資を申しこんだら断られた。だから金のありそうなところを襲う——もしも本当に殺したのだとしても、彼女は重大な説明を敢えて無視してしまっているのではないか、と疑問に思う。幅広い川を一気に飛び越し、向こう岸に着地するようなものだ。しかし川の中にこそ、重大な問題がある。

「一つ、聞いていいですか」優がわずかにデスクの上に身を乗り出した。

「私に答えられることなら」

「渋谷君、どうして自殺したんですか。無理な取り調べがあったんじゃないんですか」

「それについては説明できる立場にありません。私はついさっき、呼ばれてここへ来たんですから」

「刑事総務課には、いろいろな情報が集まるはずですよね」

「そうでもないですよ」自殺については、刑事部内でも機密扱いだった。課長は詳しく知っているはずだが、大友たちは「自殺した」という事実、それに現場の様子しか知らされていない。

「無責任ですね」

「そう感じるかもしれませんが、警察官全員が、あらゆる事件の情報を共有しているわけではありませんから」

優が不満気に鼻に皺を寄せた瞬間、取調室のドアが開いて宇田が顔を覗かせる。室内の気温が一気に数度、下がったように感じた。大友は立ち上がって外へ出、後ろ手にドアを閉めた。ふっと溜息を漏らす。

「どうだ、お前の感触は」

「やっていないと思います」

「だったらあいつは何なんだ？　警察を引っ掻き回してやろうという愉快犯か？」

「動機は分かりませんが、その可能性も捨て切れません」

「冗談じゃない」宇田が吐き捨てる。しかし次の瞬間には表情を引き締め、真面目な口調で告げた。「やはり今日は帰すことにした。ただし、明日から毎日呼ぶ」

「そうですか……」大友は拳を顎に当てた。「宇田さん、彼女、調べにくくないですか」

宇田の耳がみるみる赤くなる。よほど不快な思いをしたのだろう。しかし素早くうなずいて認めるだけの素直さは失っていなかった。

「確かに、俺にとっては苦手なタイプだな。どうも俺の魅力は、乱暴な男の容疑者にしか通じないようだ。むしろお前の方が向いてるだろう。あの女、うっとりしてなかったか？」

「残念ながら僕は、彼女の好みのタイプではないようですね……宇田さん、失礼を承知で、一つ提案していいですか」

煩《うるさ》い、と怒鳴り声が飛び出してくるかと思った。しかし宇田は怒りを抑え、大友の言葉を受け入れるだけの冷静さを保っていた。

「何だ」

「こういう時こそ、上手くやれる人間がいると思います」

「誰だ」

「捜査共助課の高畑《たかはた》ですよ」

「高畑敦美《あつみ》か？」宇田の顔が奇妙に歪んだ。後輩の、しかも女性刑事の応援などを貰ったら、「落としの宇田」の立場がなくなると思ったのかもしれない。しかし、敦美の実力は素直に認めた。「まあ、それは確かにあいつなら、女の扱いは得意かもしれん。同じ女として、な」

「検討に値すると思いますよ。捜査共助課も、こういうことなら協力してくれるでしょう」

「外からの応援は、お前一人で十分なんだがな」

「取り調べに関しては、私は役に立てそうにありませんから。専門家を呼んだ方がいいと思います」

「……分かった。上に話してみる。ところでお前、高畑とは知り合いなのか」

「同期です」

「ああ」宇田の口が奇妙に歪んだ。「ろくな同期がいないな。高畑、柴……」

「とんでもない。二人とも頼りになりますよ」

「それはお前の主観だろうが」

「帰すなら、僕が彼女を家まで送ります」下らない会話を打ち切るために、大友は素早く頭を下げて引き下がった。取調室の中で対峙しても答えを引き出せるとは思えなかったが、もっとリラックスした環境なら、新しい情報が聞けるかもしれない、という狙いもある。基本的に大友は、人の口を割らせるのは得意なのだ。ただ、今回の優のケースに関しては、まったく自信が持てない。

「送ったら、一度ここへ戻って来い。その頃には高畑を使えるかどうか、結論が出てるだろう」

「ありがとうございます」素直に頭を下げた。

「おい」

低い声の呼びかけに顔を上げると、それまでと一変した、宇田の険しい表情が待っていた。

「俺をコケにするなよ。お前が指導官の肝いりでここに来てるのは分かるが、分をわきまえろ」

「仰る通りです。理解しています」

本当か？　その台詞は辛うじて呑みこんだようだが、宇田が疑っているのは明らかだった。盛んに首を振りながら去り行く様は、さながら首振り人形《ボブルヘッド》のようだった。


歩いて帰る、という優の言葉に、大友は抗わなかった。何しろ彼女の家は、署から歩いても十分ほどである。わざわざ車を出して、狭い一方通行を右往左往するよりは、歩いた方が間違いなく早い。時刻は午後十時。昼間人口の多い神田は、この時刻になると不気味に静まり返る。ＪＲの神田駅近くは、安く気さくな呑み屋が軒を連ねるオヤジの桃源郷なのだが、少し離れると、自分の足音が聞こえそうなほどの静けさが支配的になる。

優は歩くのが早かった。背が低いから歩幅は狭いはずなのに、足の回転を速めて、背筋を伸ばし、ひたすら真っ直ぐ歩いている。大友が彼女の横を歩き、上野が背後を守っていた。

優が急に立ち止まる。振り返って上野の顔を見て、嫌そうな表情を浮かべた。

「容疑者扱いは不愉快ですか」大友は少しだけ皮肉をこめた。自分で名乗り出てきたくせに、という思いがある。

「不愉快というか、何だか気に入らないだけです」

「我々は、あなたを守っているのだということもお忘れなく。こんな夜道に、女性の一人歩きは危ないですよ」

「ご心配なく。この辺のことなら、子どもの頃からよく知ってますから」

「そうか、ここはあなたの街なんですね」

東京の真ん中、神田で生まれ育つのはどんな気分なのだろう。周りにほとんど同年代の人間がいない子ども時代だったのではないか、と思った。もはやここも人の住む街ではなくなっており、わずかに残っていた下町らしい雰囲気も、バブルの時代に決定的な打撃を受けて、ほぼ消滅したはずだ。

「そうです。だから、何も心配いりませんから」

「仮に容疑者と刑事じゃなくても、送りますよ」

「あらあら。そうやっていつもナンパしてるんですか」首を振りながら、優が固い笑みを浮かべた。

「とんでもない、ナンパなんかしませんよ」

「されることはあっても?」

「そういう経験もありませんね」

「そうですか?　刑事さん、相当女の子を泣かせてるでしょう」呆れたように優が言った。

「まさか」

肩をすくめると、急に優が黙りこんだ。歩みを速め、赤信号に変わりかけた交差点を無理に渡り切り、細い路地に入る。そこまで来てようやくスピードを落とし、大き目の革のトートバッグに手を突っこんで、鍵を取り出した。

「そこですから」

立ち止まり、見上げた先には三階建ての建物があった。両隣のビルとの間にはほとんど隙間がない。「古書買い入れ　篠崎書店」と書かれた緑色の看板があったが、白い文字はかすれかけ、看板自体の深い緑色も色褪せている。モルタル造りの壁にはあちこちに亀裂が入っていた。明らかにバブル時代の地上げ攻勢をしぶとく生き残ってきた建物である。

「もう商売はしてないんです」優がぽつりと打ち明けた。

「そうなんですか」

「母親が十年前に、父親が五年前に亡くなって。こんなぼろ家なのに、ちゃんと住んで税金を払うのは大変なんですね」

そこまで金に困っているわけか……彼女の生活の一端を知って、大友は思わずうなずいた。

「明朝、九時に迎えに参ります」

「あなたが？」

「それは分かりません」

「そうですか……」

一つ溜息をつき、優が看板の右側のドアに手をかけた。狭く急な階段が顔を出す。そこから二階に上がるのだろう。寒々とした、待つ人もいない部屋に。一礼してドアを閉めると、すぐに鍵をかける音が聞こえた。続いて、やや忙《せわ》しなく階段を駆け上がる音。やがて、看板の上の窓に灯りが点った。

「このまま放っておいて大丈夫ですかね」それまで黙っていた上野が口を開いた。

「大丈夫だと思うよ。渋谷さんの時とは状況が違うだろう」

「だけど、何か変ですよね」灯りの点った窓を見上げながら、上野が首を傾げる。

「ああ、変だ」大友も同調した。「何がどう変なのかも分からないけど。今回は、面倒だぞ」

「ですよねえ」

舌打ちして、上野が踵《きびす》を返す。その背中を追おうとした瞬間、携帯電話が鳴り出した。盛り上がらない合コンが終わった柴だろうか……謝っておかないとな、と思いながら電話に出ると、今は彼よりも話したくない人物の声が耳に突き刺さった。

「ずいぶん遅いじゃない」義母の聖子だった。

「ああ」つい気の抜けた声を出してしまった。九時半には戻る、と朝方連絡を入れて、息子の優斗を預かってもらっていたのだ。「どうもすいません。急に仕事が入りまして」

「あら」からかうような、非難するような口調だった。「別に、そんな嘘をつかなくていいわよ。盛り上がってるなら、今夜は帰って来なくてもいいし」

「残念ながら、会合は途中で抜け出しました。仕事で呼び出されたんです。隣に同僚がいますから、何だったらお話ししますか？」

「結構よ」聖子が鼻を鳴らした。「刑事さんと話すのは好きじゃないから」

「僕も刑事なんですけど」

「あら、そうだったかしら」

この人は……大友は思わずうつむき、額を右手で抑えた。この世にどうしても頭の上がらない人間が二人いる。一人は福原で、一人が聖子だ。亡き妻、菜緒《なお》の母親で、大友は現在、町田にある彼女の家のすぐ近くに住んでいる。基本的に一人で子育てをする気概は持っているのだが、仕事などでどうしようもない時は、優斗を預かってもらうことも多い。何かと口出しが多いのが悩みの種だ。

「とにかく、今夜は優斗をお願いします。もう少しかかりそうですから」

「明日の朝御飯は？」

「できれば、そちらでお願いします」

「朝御飯ぐらい、一緒に食べないと。親子のコミュニケーションは朝御飯からよ」押しつけがましく言って、聖子が電話を切ってしまった。

電話を畳み、一つ溜息をつくと、上野が怪訝そうな表情で見咎めた。

「誰ですか?」

「義理の母親。息子を預かってもらってるんだ。今日は帰れないかもしれないし」

「それでチェックが入ったんですね」

「そういうこと」

電話を背広の内ポケットに落としこんで、大友は振り返った。優の家の二階の窓で、誰かの——彼女しかいないはずだが——影が動く。窓には錆びついた小さな手すりがついており、鉢植えなどを置けばそれなりに和む光景になるはずだが、彼女は何もしていなかった。そんなものを育てている余裕などないということか。

いきなり窓が開く。大友は慌てて電柱の陰に身を隠したが、上野は逃げ遅れた。スーツからカーディガンに着替えた優が気づき、険しい視線を向けてくる。

どうも、何かがおかしい。せっかく自首してきたのに逮捕されなかったことを不満に思っている?

そんな人間がいるとは思えなかった。


「何だ、テツか……こんな時間に呼び出さないでよ」神田署の正面入り口でたまたま一緒になった敦美が、いきなり不満をぶつけてきた。彼女の声はよく響き、ぶつかるような勢いで大友の耳を打った。

「悪い」大友は反射的に、顔の前で右手を立てた。同期だし、取り調べ技術の確かさは分かっているのだが、つき合う相手としては苦手な部類に入る。何しろ、大友とほぼ体格が変わらないのだ。つまり女性としてはかなり大柄で、横幅も広い。しかし脂肪で太ったわけではなく、全身これ筋肉の塊である。高校時代にはハンマー投げでインターハイの上位に入賞した実力者で、大学では体格と運動神経を見こまれて女子ラグビーで活躍していた。純粋な肉体的能力なら、間違いなく自分より上だろう、と大友は常々思っていた。しかし顔立ちは妙に可愛いので、アンバランスさが際立つ。からかい半分で、「アイドル系女子レスラー」と呼ぶ同僚もいた。

「呑んでたのか」

「当然」

「それにしては早かったね」大友は手首を持ち上げて腕時計を見た。彼女を呼ぶように提案したのは、ほんの三十分ほど前である。

「近くにいたから」

「今日はどこで？」

「岩本町」

「岩本町？　あんなところに、君の好みの店があったかな」

「最近開拓したのよ」

敦美が大友の肩を叩いた。大友にすれば、ほぼ「殴られた」感じである。思わず肩をさすりながら、階段へ向かう。

「相変わらずバーボン一本やり？」

「もちろん」

「少しは自重したら？　三十代になると、胃粘膜も弱ってくるよ」

「元気にお酒を呑めるのは、若い証拠じゃない」敦美が豪快に笑う。邪気の感じられない、やけに爽やかな笑い声だった。

　何度か彼女の酒につき合ったことがあるが、その都度、大友の方の被害は甚大だった。何しろ敦美は、ショットグラスの中身を喉の奥へ直《じか》に放りこむような呑み方をする。チェイサーもなし。そのペースにつき合うと、大して酒の強くない大友は、てきめんに悪酔いする。一方敦美はほとんどアルコールの影響を受けず、半分気を失った大友を残して、次の店へ向かってしまうのが常だった。基本的にほぼ毎日飲んでおり、週に二回は始発電車まで粘って、そのまま出勤しているらしい。

　特捜本部に顔を出すという上野に「お疲れ」と声をかけ、二人は静かに話せる場所として取調室を選んだ。普段容疑者が座る奥の椅子に腰を下ろすと、敦美が何故「落としの高畑」と呼ばれているかが実感できる。体格のせいもあるが、宇田と同じで、正対すると異常な圧迫感を感じるのだ。

「詳しい事情はまだ聞いてないんだけど、どういうこと？」

　大友は、自分が感じた優の印象も含めて、事細かに説明した。敦美は腕組みをしたまま、相槌も打たずに聞いていたが、大友が話し終えたとみるや、「それは、彼氏を庇《かば》ってるのね」とあっさり言い切った。

「二人がつき合ってたっていうのか？」

「あのねえ、そうでもなければ、わざわざ名乗り出てくるわけがないでしょう？」呆れたように、敦美が両腕を広げた。「これは、自殺した恋人の弔い合戦みたいなものよ、きっと」

「弁護士なのに？」

「弁護士か、女か」敦美が右の掌をひらひらと宙に舞わせた。「どっちの立場を取るかは、状況次第じゃないかしら。恨みを晴らそうと思ったら、自分のキャリアでも何でも捨てる――それも不自然じゃないわよ」

「驚いた」大友は大袈裟に両手を広げて見せた。「君にそんな情熱的な面があるとは思わなかった」

「下手な芝居はやめなさいよ、ヘボ役者」敦美がにやりと笑う。「一般論よ、一般論。その娘《こ》――娘なんて言っちゃ悪いか。何歳だっけ？」

「二十八」

「微妙な年齢よね。恋にすべてを投げ出すほど無謀にもなれないし、かといって静かに見送るほど冷静にもなれない」

「そもそも、その前提は間違っていると思う」

「何が？　二人が恋人同士だったっていうこと？」

「ああ。もしも本当に彼女が渋谷とつき合っていたら、あんなに冷静ではいられないと思うんだ。半狂乱になっていてもおかしくない——むしろそうなるのが自然だ」

「渋谷が自殺したの、いつだっけ？」

「四日前。昨日、葬式が終わったそうだ」

「そうか……」敦美が拳を唇に押し当てた。考えこんでいる時の癖。「確かにね。半狂乱になって乗りこんでくるなら分かるけど、あんたが見た限りでは冷静だったんでしょう？」

「それこそ、法廷に出る時みたいに」

「なるほどね。それに、恋人同士だったら、渋谷はとっくに彼女に事情を全部打ち明けているはずよね。そうなったら彼女は、その時点で何らかの手を打ったと思う——弁護士としてね」

「渋谷本人がやっていなければ、ね」

「どうなの、実際のところ」

敦美が身を乗り出した。大友は反射的に、椅子に背中を押しつける。どうも彼女は……やはり迫力があり過ぎる。

「僕は取り調べを担当していないから何とも言えない。特捜本部の感触としては、完全にクロだったようだけど」

「秘密の暴露は？」

「放火するために、灯油を入れたペットボトルを持ちこんだようなことをほのめかしていた。彼女もそうだけど」

「分かった……彼女の取り調べは、私が本格的にやっていいのね？」

「そういう手はずになっているはずだ」

「了解。じゃあ、明日から任せて」酒のためではなく、敦美の目がきらきらと輝いた。

「捜査共助課なんて、書類を処理してあちこちへ電話をかけるだけの仕事だから。暇で仕方ないのよ。みっちりやるから。上には私の方から言っておくけど、ちゃんとフォローしてね」

それは彼女自身にとってもいいことだ、と大友は安心した。大酒のみの敦美だが、真剣に捜査にかかっている時だけは、酒に近づかないのだ。大友も呑まないわけではないが、最近は極端に酒量が減っている。菜緒が亡くなり、優斗の世話を一人でしなければならなくなってからだ。それこそ、酔っぱらっている暇もない。

最優先事項の前では、酒などどうでもよくなる。敦美にとっては捜査。大友の場合は優斗だ。

地下鉄千代田線の新御茶ノ水駅から、代々木上原経由で町田へ。一時間ほど電車に揺られて帰宅すると、家は静まり返っていた。いつもその存在を感じる優斗がいないだけで、ひどく寂しい、抜け殻のような家になる。普段は大慌てで霞ヶ関から地下鉄に乗り、学童保育が終わるぎりぎりの時間に迎えに行くか、聖子の家で合流して、買い物を済ませて家に戻る。二人で無人の部屋に向かって「ただいま」と言う生活が、既に当たり前のものになっていた。

学童保育も三年生までだ。その後は毎日、聖子の家で世話になることになるだろう。彼女は優斗を大事にしてくれるが、それでもそろそろ孫育てが面倒になってきているかもしれない。それでなくても、昼間は自宅を開放してお茶を教えているのだ。基本的に忙しい人なのである。

鍵は玄関の靴箱の上へ。コートと背広はすぐにクローゼットに入れず、ソファの背にかける。だらしなく見えるが、菜緒は「湿気が取れるまでは」といつもそうしていた。真夏ならともかく、まだ春も浅いこの季節には必要ないように思えるのだが……習慣とは恐ろしい。大学に入ってから結婚するまで一人暮らしをしていた時期の方が、菜緒と暮らしていた時期より長いにもかかわらず、自分がどれほど彼女から影響を受けているのか、大友は思い知っていた。

合コンでちびちび呑んでいたビールは、もう完全に抜けている。ソファに腰を下ろし、壁の時計を見上げると、既に日付が変わっていた。目を閉じると途端に睡魔が襲ってきたが、ふと気になって慌てて立ち上がる。優斗のやつ、明日の準備は大丈夫だろうか。

リビングルームを間仕切りで区切った一角が優斗の部屋だ。仮の壁なので当然ドアもなく、プライバシーはあまり確保できていない。あと何年かしたら、この1LDKの部屋から引っ越さないといけないだろう。この付近——聖子の家に歩いて行ける場所で2LDKのマンションを借りると、十万円ぐらいだろうか。借りられないことはないが、家計はいくらか苦しくなる。これから優斗にはますます金がかかるようになるのだが……。

四畳半ほどのスペースは、ベッドとデスクを入れてしまうとほぼ一杯だ。間仕切りは、優斗の部屋側がクローゼットと本棚になっているので、収納は全てそこで済ませている。デスクの上には、ランドセルが置いてあった。中の教科書と時間割を照らし合わせ、ちゃんと用意してあるのを確かめる。最近は学童保育に寄らず、一度家に帰って翌日の準備を整えてから聖子の家に行くことも多い。今夜は、戻って来るつもりだったのだろう——ということは、明日の朝、聖子の家までランドセルを届けなければならない。正直面倒臭かったが、聖子の家からここに寄って学校に行くのは、かなりの遠回りになる。それぐらいは面倒を見てやるべきだろう。

その前に自分の世話か……きちんとシャワーを使って、その後、寝酒にビール。だが今日は、そのどちらもどうでもいいような感じがした。優斗にいろいろと口うるさく言うせいで、いつもは自分もきちんとやらなくてはいけない、と気持ちを奮い立たせているのだが、今日に限ってはやる気がおきない。優斗がいなければどうでもいい——何だか自分が優斗に育てられているようなものだな、と大友は苦笑した。

4

翌朝、大友はすっきりしない目覚めを迎えた。起床はいつもと同じ、午前六時。夕べは遅かったし、今日は朝食の用意をしなくていいから、もう少しゆっくり寝ていてもいいのだが、習慣は簡単には抜けない。仕方なしにのろのろと起きだし、コーヒーを用意した。新聞を読みながら出勤の準備をする。今日はどういう仕事が待っているか分からないから、普通のスーツ姿だ。しかし念のために、着替えを用意する。もしかしたら、優を尾行するような羽目になるかもしれない。

七時に家を出た。聖子の家までは、大友の足で歩いて五分ほど。優斗にランドセルを渡して、そのまま出勤しよう。九時過ぎに優が署に来ることになっているが、その前に綿密に打ち合わせをしておきたかった。朝飯は……夕べは合コンで中途半端に食べただけなのに、何故か食欲がない。

聖子の家の前まで行くと、優斗が自分の背丈ほどもある箒《ほうき》で歩道を掃いていた。どうも聖子は人使い——孫使いが荒い。庭の草取りに、家の掃除にと、優斗をよくこき使う。

「優斗」

声をかけると、優斗が顔を上げてにっこり笑い、箒を杖代わりにして背筋を伸ばした。大友はランドセルを掲げて見せ、背負わせてやった。

「また掃除させられてるのか」

「うん」

「おばあちゃん――聖子さんも厳しいな」彼女は「おばあちゃん」とか「お義母《かあ》さん」と呼ばれると、本気で激怒する。常に名前で呼ばせるのは、大友たちを身内と認めていない証拠だろうか。相当のへそ曲がりなのは間違いない。

「パパはこのまま行こうと思うんだ」

「聖子さんに会わないの？」

「ああ、それは――」苦手だから、とは言えない。「仕事だから」

「そうなんだ」優斗が唇を噛んだ。いい加減、自立してもらわないと困るのだが、まだ時にはこういう甘えを見せる。

「だから、今日は聖子さんと朝ご飯を食べて、学校へ行ってくれ」

「今夜は？」

「分からないな」大友は腰を伸ばした。「遅くなると思う。取り敢えず今日も、学校が終わったら聖子さんの家に行ってくれ。電話するからさ」

「日曜日、サッカーの試合なんだけど……」

「分かってるよ」

三日後か。前から予定には入っているが、行けるかどうかは分からない。三学期から学校のチームでサッカーを始めた優斗は、どう見てもこの道で飯を食っていけそうになかった。菜緒は運動神経が抜群だったのだが、優斗は大友の悪い部分を引き継いでしまったようだ。ボールを自在にコントロールするというよりも、ボールに遊ばれているように見える。それでも、「下級生は平等に試合に出す」というのがチーム内の決まりのようで、短い時間でも必ずピッチに立つのだ。やはりそういう姿は、親に見て欲しいものだろう。しかし今日、明日の間に事件に道筋がつくとは思えなかった。いきなり優が証言を翻して「嘘でした」と言えば別だが。

「ま、日曜のことは日曜にな」大友は優斗の頭をぽんぽん、と二度叩いた。定番のコミュニケーションだが、こんなことができるのもあと少しだろう。

「じゃあ、聖子さんによろしくな。パパは忙しいから、先に出かけたって言っておいてくれ」

「自分で言わないの？」

「これは優斗の仕事なんだぞ」真面目くさった表情を作り、大友は言った。「お前は聖子さん担当、ということで頼むよ」

「いいけど」にやりと笑って、優斗が箒を使い始める。ごみを集めるのではなく、掃き散らすような動きになってしまった。

「優斗、掃除はちゃんとしなさい」いつの間にか、聖子が玄関に立っていた。腰に両手を当て、怖い顔で二人を睨んでいる。「どうも、親の教育が良くないようね。あなた、見本を見せてあげなさい」

「すいません、今朝は急ぐんですけど……」

「掃除ぐらい、ちゃんとする！」すっぱりと言い切った聖子には逆らえず、大友は着替えの入ったトートバッグを腕にかけたまま、歩道を掃き始めた。やりにくいことこの上ない。何で彼女には逆らえないんだ？　自問してみたが、答えは出てこない。たった一つ分かっているのは、自分は菜緒に決して頭が上がらなかった、ということである。

DNA？

「さて、いらっしゃったわね」腕組みをした敦美がにやにやと笑った。獲物を目の前にした肉食獣の気配を発散している。

「そんな、嬉しそうにしなくても」

「いいから、ここは私に任せて。あんたにはあんたの仕事があるでしょう」

「了解」

大友はマジックミラーから優の様子を覗きこんだ。昨日とは違う、グレイのスーツ。相変わらず、このまま法廷に出て行けそうな雰囲気である。ぴしっと背筋を伸ばし、取調室のドアを見詰める目に曇りはない。何かを決断した様子だが……やはり変だ。大友は今まで、自首してきた容疑者と何度も対峙したことがある。彼らの目から読み取れるのは、まず諦めである。激しい躊躇《とまど》いの後、ようやく警察の門をくぐった人間は、自由を奪われるのを覚悟している。習慣的、宗教的な縛りが少ない日本では、どんな場所でも自分の意志で自由に動き回れるのが当たり前だ。それが突然奪われる恐怖は、それこそ容疑者にしか分からない感覚だろう。

だが優の目からは、そういう恐怖が感じられない。何かの目的のために、ひたすら自分を鼓舞するような、強い気配が立ち上るだけだった。

敦美がもう一度にやりと笑い、大友に向かって親指を立てて見せた。三十代前半で「落としの」という形容詞を奉られるのは、並みのことではない。取り調べは、刑事の仕事の中でも最も難しくやりがいがあるものである。容疑者の心を開かせ、真相を全て語らせるための取り調べは、刑事の人間性までかけたシビアな戦いなのだ。それこそ調べる方も、全能力、全人格を傾注しなければならない。そのために何よりも物を言うのは経験で、「若僧には無理」とよく言われるし、大友も実際その通りだと思っていた。その中で、敦美は数少ない例外である。天性のネゴシエーター、コミュニケーションの達人と言っていい。それがさらに、スポーツを通じて、あるいは刑事としての経験を経て、名人の域にまで高められたのだろう。

ドアが開き、すぐに閉まる音がした。次いで、マジックミラーの向こうの優が表情を引き締める。「来たか」と身構える気配。大友は少し位置を変えて、優と正対した敦美の様子を観察した。こちらはいつも通り、自信たっぷりながら優しげな表情で——この二つを顔の中で同居させられるのが、彼女の強みだ——大きな両手を組み合わせてデスクに置いている。記録係は上野。こちらに向いた横顔が緊張しているのが分かった。

マイクは切ってあるが、敦美の唇の動きを見て、大友は彼女が何を言ったか、すぐに分かった。

「始めましょう」

戦闘開始宣言。しかし、それに対して優は、特に身構える様子も見せなかった。何も始まっていないのに、彼女の気持ちは既に固まっているように思えた。

岩永が、刑事たちに今日の仕事を割り振った。主眼は、優の人定捜査、それに事件当日のアリバイの確認である。大友は彼女の事務所の所長である弁護士、黒原《くろはら》の事情聴取を割り振られた。既に夕べのうちに連絡は取れており、今日は朝から事務所で待機しているという。

たまたま組む相手がおらず、大友は一人で担当することになった。

「お前なら一人でも大丈夫だろう」

大友を送り出す岩永の台詞は、皮肉にしか聞こえなかった。どうも今回の一件は、ひどく居心地が悪い。昨日、優の逮捕を見送るように進言したのがまずかったのかもしれない。この件でずっと苦労してきた特捜本部の人間とすれば、「余所《よそ》者が余計なことを」と苛立ってもおかしくはない。

こういう軋轢は、最近では珍しくない。仕方ないことだ、と諦める術を大友は覚えた。大友が途中から参加すれば、傷つきながら戦っている人間が、「何だこいつは」とむかついてもおかしくはない。大友自身としては結果は出しているつもりだが、勝手にあれこれ想像して白い目で見る人間はいる。別に今の自分は、捜査の現場で結果を出しても査定には何ら影響がないのだが……刑事総務課の人間としては、研修の効果的なプログラムを開発した方が、よほど評価される。

神田署の管内は、大雑把には水道橋から神田までのJR中央線と首都高五号線、都心環状線に囲まれた長方形の地域である。地図上のほぼ中央を東西に靖国通りが貫き、縦方向には西側から水道橋西通り、白山通り、明大通り、本郷通りが走っている。地理的な重心は明大通りの駿河台下交差点付近で、神田署自体はそれよりやや南側にある。

優が勤める新神田弁護士事務所は、管内の西の外れ、専修大学の近くにあった。タイル張りの七階建てのビルの五階。入り口で建物の定礎を確認すると、昭和四十五年とあった。ビルに入ると、エレベーターだけが新しい。築四十年も経つと、こういう部分は交換しないと不都合が生じるのだろう。エレベーターはまったくショックもなくスムースに動き、大友を五階まで運んだ。

ドアのすりガラスに名前が入る、クラシカルな——古臭い感じの事務所で、中に入るといきなり煙草の臭いに迎えられた。いや、これは煙草ではない……葉巻かパイプ？　どちらにしても、自分のように煙草を吸わない人間は、ある種の拷問を強いられるだろう。

出迎えてくれた弁護士の黒原は、動くのすら大儀そうな、でっぷりと太った老人だった。七十歳ぐらいか……と見当をつけ、事務所の中を横切って、彼の座るデスクの横に立った。部屋の広さは二十畳ほど。弁護士事務所といえば、広い部屋を個室に区切ってそれぞれの弁護士の部屋を作っている所も多いのだが、この事務所の広さでは無理だろう。デスクが三つ、壁際の他のスペースは全て書棚だった。本が壁を作っているようで、妙な圧迫感がある。事務所の中央には応接セットがあったが、少なくともこのビルと同じぐらいは年輪を重ねているようである。ソファの木製の手すり部分は、何度も煙草の攻撃を受けているようで、複数の焼け焦げの跡が目立った。

そして黒原は、案の定パイプをふかしていた。甘ったるい、紙巻煙草にはない香り。いい香りと言えないこともないが、それが四十年分部屋に染みついて、異臭に変わっている。大友は早くも頭痛が忍び寄ってくるのを感じた。

「まあまあ、そこに座って」

黒原がパイプでソファを指す。大友は一人がけのソファに慎重に腰を下ろした。クッションは完全にへたっており、体が深々と沈みこんで、膝が尻よりも高い位置にきてしまった。黒原がゆっくりと立ち上がり、大友の向かいに座る。きゅっと革が鳴き、パイプの煙がゆらりと立ち上がった。改めて見ると、萎んだ印象の男である。身長も横幅もそれなりにあるのに、どことなく緩んでいた。その印象は特に顔に顕著で、たるんだ皮膚が幾重もの皺を作っている。白くなった髪は薄く、朝九時半だというのに疲労感が隠しようもなく漂い出していた。パイプを口元に運ぶ仕草にも、元気がない。ワイシャツに、襟の部分が折り返しになったベスト。シャツは右側だけカフスを外し、手首の上まで袖を折り曲げていた。ネクタイは緩み、シャツの一番上のボタンを留めていない——首が太すぎて留まらないのが分かる。

おもむろにパイプを掌に包みこみ、身を乗り出す——機械に動かされているようなぎこちない動きだ、と大友は思った。

「優がやったと思ってるのか」

「彼女はそう言っています」

「警察の判断は？」

「まだ何も判断していません。今も取り調べ中です」

「信じられん……」黒原が首を振った。一往復するのにたっぷり二秒。油が切れたようなぎこちない動きだった。

「信じられんというのは、どういう意味ですか？　彼女がやるわけがないと？　それとも弁護士一般が、犯罪には縁がないと言いたいんですか？」

「皮肉はやめてくれ」黒原が細い目を一杯に見開いた。少しだけ、涙が滲んでいる。

「弁護士が正真正銘、絶対に正義の味方ということはない。我々の身内にも、どうしようもない人間がいるのは事実だからな。だがな、これは異質だぞ」

「異質？」

「依頼人を騙したりする悪徳弁護士はいる。それは否定しない。だがな、人を殺したなんていう話を聞いたことがあるか？」

「ないですが、絶対にないとは言い切れないでしょう」

「あんたは慎重な人のようだな。決して断定しない」黒原が深々と溜息をついた。

「断定できるだけの材料もありませんから。今日は彼女の人となり、それにアリバイについてお伺いしようと思っています」

「人となり、人となりね……」

呪文のように繰り返して、黒原がパイプをくわえる。いつの間にか火が消えてしまっていたようで、顔をしかめたが、もう一度火を点ける気にはならないようだ。こんなことでまともな仕事ができるのだろうか、と大友は訝《いぶか》った。

「彼女は、いつからここで働いているんですか」

「三年前だ」

「二十五歳の時から、ですか」

「そういうことになるか……大学を出た翌年に司法試験に合格して、研修を終えた後ですぐうちに来た」

「何か縁でもあったんですか？　弁護士事務所は、定期的に人を採用しているわけでもないでしょう」

「あの娘の家……ご両親は亡くなっているが、古本屋だったのはご存知かな」

「ええ。彼女は今も、その家に住んでいますね」

「そう……」煙がどうしても恋しくなったのか、黒原が傍らのマッチを取り上げる。パイプを左手に持ち、右手でマッチの火を移す。集中しているのか、黒縁眼鏡の奥の目が中央に寄っていた。ほどなくパイプは息を吹き返し、甘ったるい香りが事務所の中に満ちる。一つ溜息をついてから、黒原が言葉を継いだ。「二十年も前だが、地上げ屋に脅されていた時期があってね。その時にご両親がうちに助けを求めてきた」

「そうだったんですか」

「何とか撃退して、その後も無事に商売を続けてきたんだがね……あの娘は、その時のことを覚えていて、仕事を始める時に頼ってきたんだ。何も、うちみたいな貧乏な事務所に来なくてもいいと思うが」

「貧乏なんですか」

一瞬の間を置いて、黒原が爆笑した。それまでの元気のなさからは想像もつかないもので、大友は空気がかすかに揺れるのさえ感じた。

「見れば分かるだろうが。金があったら、こんな小さなボロ事務所にはいない」

「そうですか？　元々ここで開業されたなら、簡単には動けないんじゃないですか」

「確かに引っ越しは大変だがね。書類は年々溜まる一方で」

「いつからこちらで？」

「四十年になる」黒原が右手の親指以外の指を立てて見せた。「このビルが出来た直後だった。あの頃はここも、この辺では高層ビルだったんだが……七階で高層ビルというのも変か」

「どこかの事務所で働いて、それから独立されたんですか」

「最初は丸の内の大きな事務所で働いていてね。独立したのはいいけど、神田へ来るのは都落ちだって、よく仲間にからかわれたよ」

「そんなものですか？」

「そりゃそうだ。日本で一番ステータスが高いのは、丸の内に事務所を構えて企業の顧問を務める弁護士だから。安全だし、金にもなる。弁護士の平均年収を押し上げているのは、そういう連中ですよ。私には縁のないことだけど」

「企業の仕事が気に入らなかったんですか？」

「そんなもん、つまらんだろう？」黒原がまた身を乗り出した。煙が入って少し元気になったのか、先ほどとは比べものにならないスムースな動きである。「ここで理想論を語っても仕方ないが、社会的立場の弱い人間の弁護をしてこそ、弁護士だ。それが本懐なんだ」

「たとえ金にならなくても」

「そうそう……」調子に乗って続けようとした黒原がぴたりと口を閉ざし、小さな笑みを浮かべた。「あんた、口が上手いね」

「自分ではそうは思いませんが」

「変な言い方だが、相槌の打ち方がいい。それで余計なことを話しちまう人間も多いだろうね」

「そうかもしれません。でも、今お聴きしている話は、余計なことではありませんよ」

「そうだな。優の容疑を晴らすためには必要なことなんだろう。だいぶ遠回りになるが……」

「構いません。時間はあります」

優に対する任意の捜査を主張しておいて正解だった、と大友は思った。身柄を取ったら、勾留期間が限られてしまう。最大二勾留、二十日の間に結論を出さなければならないが、任意ならいくらでも時間をかけられるのだ——容疑者が逃亡を企てない限り。

「結構、結構。まあ、途中は省略しよう。とにかく私は、この事務所で金にならないことばかりやってきた。ご存じだと思うが、依頼人はいつでも金を持っているとは限らない。特に刑事事件の依頼人は、ね。それに、金を騙し盗られたと駆けこんでくる人から、どれだけ金をもらえる？　苦しんでいる人をさらに苦しめるようなことはできんだろう」

「しかし、ボランティアじゃないんですから」

「それはそうだ。まったく無給だったら、事務所も維持できない。多少はいただくことになるが、それでも贅沢な暮らしはできないな。私のような底辺弁護士が足を引っ張るから、この業界全体の平均収入が下がるんだ」

また豪快に笑ったが、目つきは真面目なままだった。金を儲けることを主眼に考えず、社会正義のためだけにと突っ走った四十年……そろそろ弁護士人生も終わりに近づいているであろうこの時期、後悔していないと言えば嘘になるのではないだろうか。

「七〇年代は過激派連中の弁護、八〇年代は詐欺事件の被害者に手を貸すことが多かったな。バブル前の頃は、素人さんが簡単に株に手を出す時代になって、騙される人が後を絶たなかった。悪徳商法事件の被害者弁護団では、ずいぶん頑張ったよ」自分の経歴を打ち明けて、黒原が遠い目をした。

「彼女も、あなたのように金にならない仕事をしていたんですか」

「そう。お分かりかと思うが、この仕事の九十九パーセントは地味なものでね。特に国選弁護人なんて、時間は食うわ金にはならないわで、やりたい人間はいない。ところがあの娘は、入れこみ過ぎる性格なんだよ」

「なるほど」頑なな態度を思い出し、さもありなん、と大友は思った。

「つまらん――そんなことを言っちゃいかんか、窃盗犯の弁護でも、やたらとむきになってな。自腹で被害者に話を聞きにいくわ、近所の聞き込みをするわで、体力と神経をすり減らしていた」

「でも、悪いことではないですよね」

「ああ、もちろん」黒原がパイプを持った手を振った。「一生懸命やるのはいいことだ。しかしな、あの事件では……被告本人が罪を認めているのを、無理に無罪主張するのはいかがなものかと思うぞ。しかも容疑は下着泥棒だったりするわけで」今度は喉の奥でくつくつと笑う。「あれはね、正直、どうでもいい話だったよ。初犯で執行猶予がつくのは確実だったし、そういう時は適当に流して、情状酌量だけを訴えればいいんだ。あなたなら分かると思うが、裁判には軽重がある。本当に力を入れなくてはいけない案件と、それなりに対処しておけばいい案件がね」

「事件も同じだ、とは言いませんよ」一瞬言葉を切り、大友は彼の顔を正面から見据えた。「建前としては」

「結構だ」黒原がまた笑う。「正直な人は好きだな……芦田《あしだ》さん、悪いけど、優が扱っていた事件の一覧を出してくれないか」

大友は驚いて、黒原が声をかけた方を見やった。三つ目のデスクについている女性の存在を、今まですっかり忘れていたのだ。芦田と呼ばれた四十歳ぐらいの女性が、すぐにファイルをプリントアウトして、恭《うやうや》しい手つきで掲げながら、黒原のところへ持ってきた。

「悪いね……ところで刑事さん、お茶でもどうかな。今まで忘れていて申し訳ないが」

「いや、結構です。仕事中ですので」

「そうか。真面目な人だ」

「お茶を飲むために仕事をしているわけではありませんから」

「真面目だね……ちょっとこれを見て下さい」

黒原がテーブルの上にプリントを置いた。いい機会だ。大友は身を乗り出してプリントを手にし、それからゆっくりとソファに背中を預けた。ずっと無理な姿勢を続けてきたので、腰と足が痛くなってきている。これで少しだけ楽になった。

「細かい事件が多いんですね……ほとんどが刑事事件ですか」リストは二十件ほどの短いものだった。だが、一人でかかりきりになれる事件が、それほど多いとは思えない。

「そう。だいたい、執行猶予がつきそうなものばかりだ」

「これを全て全力投球していたら、確かに体が持ちませんよね」

「少しは力の抜き方も覚えてきたんだが、まだまだだな。あの娘には野心があるから」

「独立したい、という？」

「そういうことだ。人の下で働くのが楽で好きだという弁護士もいるが、自分の裁量で思う存分腕を振るいたいと考えるのも自然だろうな。四十年前には、私もそうしたんだから」

「分かります」

「実際、優に独立を薦めたのは私なんだ」

「そうなんですか」大友は曖昧にうなずいた。事務所の所長から独立を薦められ、早く独り立ちしなくては、という強迫観念に駆られる。そのために金が必要になって……という筋書きだったら、この男にも責任の一端があることにはならないだろうか。

「そう、こんな貧乏事務所にずっといても仕方ないし、私もいつまでやっていられるかわからないからね」

「引退を考えておられるんですか？」

「七十になれば、嫌でもそういう問題は迫ってくるよ」黒原が寂しげに笑った。「体も言うことを聞かなくなってくるし、精神的にも疲れた……最近の犯罪は、微妙に様変わりしているからね。昔のように、話せば分かる容疑者ばかりじゃなくなった。池袋事件、覚えてるかね」

「あの通り魔の？　二人が亡くなった？」

「そう」黒原の目に悲しげな色が宿った。二年前だっただろうか、ＪＲ池袋駅の構内で、刃物を持った犯人がいきなり暴れだし、通行人の女性二人を刺し殺した事件である。他にも駅員、通行人三人が重軽傷を負っていた。「あの件は、私と優と二人で担当したんだが、結局犯人とは、まともな会話は一度も成立しなかった」

「確か、責任能力は問われなかったと思いますが」

「最近、自分の立場を上手く説明できない、何をやったかも理解していない人間が増えた。そういう人間の相手をするのは心底疲れるものでね。この辺が潮時かと考えてる」

黒原が深々と溜息をついた。

「あなたが独立を薦めたことが、彼女に言わせれば犯行の動機になっているんですよ」

大友は一気に話を変えた。

「どういうことだ？」黒原が右目だけを見開いた。

「開業資金が欲しいために、あの事件を起こしたと聞いています」

「嘘だろう」比較的きっぱりと黒原が言い切った。「確かに優は極端に走るところがある。だがそれは、あくまで弁護士の業務としてだ。人を殺せるようなタイプじゃない」

「そういうタイプの人間が平気で人を殺したのを、あなた自身、何度も見ているんじゃないですか」

「優は違う。私は一番近くでいつも見ていたんだから、間違いないよ。何であんなことを言い出したのか……」

「開業資金はなかったんですか？」

「無理だろう。家でも売れば別だが……狭い土地だが、神田の真ん中だから、売ればそれなりの金にはなったはずだ。でもあの娘にとっては、あそこが故郷だからな。簡単には手放せないだろう」

「金の問題は動機になり得ますよ」

「一般的にはそうかもしれんが……」

「容疑者とされていた渋谷さんと彼女の関係はどうなんですか？　同級生だったと聞いています」大友はギアを入れ替えた。

「少なくともあの事件に関しては、私は何の報告も受けていない。渋谷、という名前が出たこともないな。何かあれば――例えば本人から相談を受けたりすれば、報告はあるはずだ」

「事件当日の、彼女のアリバイはどうなんですか？」

「それはすぐに分かる」黒原が上体を屈め、尻ポケットから手帳を抜く。「昼間はずっと裁判があった。傷害事件でね……ただし、夕方以降は分からない。六時にここで会って、公判の様子を聞いて簡単にアドバイスしてから別れたんだ」

大友は背中が強張るのを感じた。犯行当時のアリバイはないわけだ。

「翌日以降の様子はどうでした？」

「いつもと変わらん、としか言いようがないな」黒原がぱたん、と音を立てて手帳を閉じた。「普通に出勤して、一日中ここで書類仕事をしていた」

「あの放火殺人のことは、話題にならなかったんですか？」

「仕事の話以外だと、天下国家の話題が多いんだよ、うちの事務所は」黒原が笑いかけたが、途中で凍りついて表情は引き攣ってしまった。

「分かりました」大友は手元のプリントに視線を落とした。「またお話を伺うことになると思います。これはいただいて構いませんか？」

「いいけど、こんなものが何かの参考になるとは思えんがね」

「それは分かりませんよ。彼女のことについては、何でも知りたいですから」

「しかし……あり得ん」腕組みをした黒原が首を振った。「何であの娘があんなことを言い出したのか、想像もできんよ」

「実は、私もなんです」

黒原がはっと目を見開き、大友を見た。どうして警察の人間がそんなことを言う、とでも問いたげだった。

神田署の管内はそれほど広いわけではなく、新神田弁護士事務所から神田署までは、直線距離にして一キロも離れていない。大友は考え事をしながら、ことさらゆっくりと靖国通りを歩いた。専大前の交差点付近は、古本屋だらけだ。果たしてこの界隈だけでどれだけの店があるのか……古本の密集度からいうと、おそらく世界一だろう。他の国で、古本が商品として成立しているかどうかは分からないが。

謎。この件で、優が得る物は何だろう。

黒原と最後に交わした会話以降、大友の頭に張りついていたのは、その疑問だけだった。本当に人を殺して、心の底から罪を悔いているなら、自首しようと考えるのは分かる。しかし彼女の態度には、自首してきた人間に特有の諦めや後悔が　切ない。いったい何なのか……仕事柄、弁護士という職業については多少とも知っているつもりだったが、これはむしろ、優という人間のパーソナリティに起因する問題ではないか、と思えてくる。となると、彼女の人間性について、もっと深く掘り下げて調べないといけない。相次いで両親を亡くし、神田で一人暮らしをしながら弁護士業に勤しむ若い女性。それだけでもかなり特異な存在だが……。

考えるのに集中していて、携帯電話の呼び出し音を聞き逃すところだった。慌てて背広のポケットから引っ張り出す。

「俺だ、俺」柴だった。

「オレオレ詐欺みたいな切り出し方はやめてくれ。僕じゃなかったら、騙されていたかもしれない」

「馬鹿言うな。俺がそんな阿呆なことをするわけないだろう。それで、どうよ？　合コンをすっぽかしてまで行った特捜の方は」

「訳が分からない」

「そうか……そういう話は聞いたけど」柴の口調が真剣になる。「あのな、お前さんの手に負える事件なのか？」

「僕一人が捜査するわけじゃない。高畑が応援に入ってくれた」

「高畑敦美？　落としの名人が？　わざわざあいつを投入したってことは、相当の難敵なんだな」

「難敵には見えないけどな。小柄な可愛い子だよ」

「お、それなら俺も顔を拝みに行くかな」柴の声がにやついた。

「勝手なことをすると、雷を落とされるよ」

「分かってるって……それで、何か俺に手伝えることはないかな」

「お前の係は待機中だろう」捜査一課には殺人や傷害を担当する強行班の係が十二あり、特捜本部ができる度に、順番に投入されていく。それ以外の時は「待機」だ。もっとも、事件の多い東京では、待機状態が続くのは珍しい。大友の経験では、一つの特捜本部が片づくと、休む間もなくすぐに次の特捜本部へ回されることも少なくなかった。「珍しく暇なんだから、たっぷり休んでおけばいいじゃないか」

「そんなことしてたら、腕が鈍っちまうよ。何か手助けできることがあるなら、応援するぜ」

「いや、特にいいから」

「そう言うなって。特捜本部の中にいると動きにくいこともあるだろう。フリーな立場の俺だからこそ、できることもあるはずだぜ」

「ああ、分かった」大友は折れた。別に悪気があるわけではなく、柴は少しお節介なだけなのだ。他人の事件にすぐに首を突っこんでくるのも、無理矢理合コンをセッティングするのも、その性格に起因している。「何かあったらお願いするかもしれない。だけど、それまでは大人しくしていてくれないかな。どうも僕は、今の特捜本部では受けが良くないんだ」

「余計なことしやがってとか？　そんなの、気にする必要ないぜ。福原指導官直々のご指名なんだから」

分かってないな、と大友は溜息をついた。福原と、彼の周辺にいる人間は、大友を買っているかもしれない。だが、いきなり頭ごなしで命令を受けた人間は、苛立つだけだろう。今回の特捜本部の責任者、岩永のように。

まあ、仕方ない。僕は僕で、やれることをやるだけだ。携帯電話を胸ポケットに落としこみ、大友は歩みを速めた。三月頭にしては少し生暖かい風が、頬を撫でていく。中途半端な温度が、不快さを高めた。

5

刑事課に足を踏み入れると、敦美がむっつりした顔でお茶を飲んでいた。誰かのデスクに尻を引っかけて、長く逞しい足を床に放り出し、誰とも視線を合わせようとしない。周りも気を遣っているようで、若い刑事たちは彼女を避けるようにこそこそと動き回っていた。大友は上野を摑まえ、部屋の隅に誘いこんだ。

「どうした」

「上手く行ってないみたいです」上野が声を潜める。

「取り調べで、彼女が上手くやれないなんて考えられないけど」

「自分はよく分からないですけど……とにかく話にならないらしくて」

「難敵だな」

「ええ……すいません、ちょっと特捜に呼ばれてるんで」

「ああ、悪いな」大友は彼の背中を一つ叩いて解放した。

大柄で豪快な敦美は、いかにもすぐに激怒して雷を落としそうに見えるが、実際には、声のトーンを上げることさえほとんどない。いつもニコニコしているわけではないが、少なくとも感情の起伏を抑える術は知っている。その態度は、相手が容疑者だろうが同僚だろうが変わらなかった。その彼女が、周囲に人を寄せつけないような態度で不貞腐《ふてくさ》れているのは余程のことである。

　無意識のうちに、コートのポケットに手を突っこむ。何かが指先に触れ……引っ張り出してみると、キャラメルだった。ああ、これは優斗のやつだったな。一粒取り出し、敦美に近づく。

　大友に気づくと、敦美は何とか笑おうとしたようだが、かえって怖い顔つきになってしまった。

「ほら」手を差し出し、掌を広げる。

「何？」

「キャラメル。血糖値が下がってるんじゃないか？」

「子どもじゃないんだから」苦笑しながらも敦美がキャラメルを摘み上げた。口に放りこむと、右頰がぷくりと膨れる。もごもごと濁った口調で訊ねた。「いつもキャラメルなんか持ち歩いてるの？」

「まさか。息子が僕のポケットに入れたまま忘れたんだと思う」

「優斗君か……何歳になったんだっけ？」

「八歳。二年生だ」

「もう、そんなに？」

「子どもはすぐに大きくなるよ。僕たちとは別の時間軸に生きてるみたいだね」

「台詞で一々格好つけないの」ようやく敦美の表情が柔らかくなった。

「ところで、苦労してるみたいだけど」

「まあね」敦美が足首を重ねた。「筋は通ってるのよ。例の灯油を入れたペットボトルの件は、秘密の暴露に当たると思う。物証として見つかれば完璧だけど、今からだとまず無理でしょうね」

「ああ。とっくに処分してるだろうね」

「普通にゴミとして捨てたって言ってるわ——とにかく、供述には無理はない。ただ、彼女がやったという手ごたえがないのよ。犯行現場の様子とかを聞くと、曖昧なことが多くて。シナリオを読んでるみたい」

「現場の様子をまったく覚えていない犯人も珍しくないと思うけど……怖いんだろうね。記憶を封鎖してしまう」

「それは分かるわ。あの現場だったら、特に」

敦美がゆっくり立ち上がり、デスクに向き直った。現場写真が何枚か、置いてある。大友は何度も見ていたが、いつ見ても気分が悪くなるものだった。

玄関から続く廊下の写真は、まさに火災現場のそれだった。焼け焦げた壁。特に右側がひどく、一部では完全に壁が焼け落ちて建材がむき出しになっている。廊下の収納棚から零れ落ちた雑多な物が床に散らばり、足の踏み場もないほどだった。その奥、写真の中央付近には、倒れた被害者の姿が見えている。村田美津夫《むらたみつお》、七十八歳。別の写真は、玄関近くで倒れた村田の遺体を近くから写したもので、事件の悲惨さをより強烈に物語っている。パジャマ姿なのだが、腰から下はほぼ黒焦げになっている一方、上半身は炎の影響をさほど受けることなく、血に染まっている。背中から五回も刺され、そのうちの一刺しが大動脈を切断したのが死因とされていた。その場で倒れているうちに火が回り、下半身だけが黒焦げになってしまったのだ。

もう一枚、廊下の奥のリビングルームで仰向けに倒れているのが、妻の加代子《かよこ》である。こちらの遺体は火災の影響をほとんど受けていないが、腹から胸にかけてが真っ赤に血に染まっていた。三回刺され、気を失って身動きが取れなくなったところで、最後は煙に巻かれて一酸化炭素中毒で死亡した、との解剖結果が得られている。

リビングルームは廊下ほどは混乱していなかったが、それは消防活動の影響をあまり受けていないためだった。それでも誰かが徹底して荒らしていったために、滅茶苦茶になっている。ひっくり返されたローテーブル。チェストの引き出しは全て引き出されて床に落ち、衣服や書類が散乱していた。そして部屋の隅にある金庫の扉が開いている。別角度から撮影された写真を見ると、中は空っぽなのが分かった。

大友はもう一度、村田の遺体に注目した。クローズアップされた上半身の写真。左手が硬く握られており、そこから何かが零れているように見えた。黒い物体……車のキーだ。おそらく、愛車のジャガーのものだろう。この期に及んで、車だけは後生大事に守ろうとしていたのか。

「やっぱり、おかしいと思わないか？」

「何が？」

「二人を殺して火を点ける……女性にこんなことができるかな」

「精神的にはともかく、物理的に難しいかもしれないわね」

敦美がうなずく。大友が写真を見ている間に、キャラメルはもう呑みこんでしまったようだった。もう一粒取り出すと、苦笑して首を振り、断る。

「君ぐらいの体格の女性ならともかく、あの身長じゃ……」

「そうね。いくら七十八歳の年寄りが相手でも、彼女の体格だったら考えられない。火事場の馬鹿力にも限度があるわよ」

「じゃあ、嘘をついていると思う？」

「その可能性が高いけど、だとしても、自首してきた理由が分からないわね」敦美が首を振ると、前髪がはらりと揺れて目を覆い隠した。

大友は、新神田弁護士事務所での聞き込みの結果を報告した。敦美の表情が次第に苦しげになる。

「——つまり、独立するために金を必要としていたのは間違いないんだ」

「それは動機にならないと思うわ」敦美がきっぱりと言い切った。「だいたい、弁護士事務所を開くのに、何千万円も必要とは思えないし」

「そうなのか？」

「知り合いが独立して、小さなコンサルティングの会社を始めたの。場所は赤坂なんだけど、事務所の家賃は月五十万円、預託金が百万円だって言ってたわ。什器を揃えて人を雇って……それでも、初期投資では一千万円なんてかからないんじゃないかしら。もっと安いレンタルオフィスもあるだろうし」

「数百万円の開業資金ぐらい、何とでもなりそうなものだよな」

「そう。いくら貧乏弁護士とはいっても、信用度は高いでしょうから。私たち公務員がお金を借りるのとは訳が違うわよね」

「こっちの方が堅実かもしれないけど」優が、銀行に融資を断られたと言っていたのを思い出す。

「定年まで、借金で縛りつけることもできるしね」敦美がにやりと笑った。「私、家なんて買わないだろうな。ローンを返すために仕事をするのは絶対嫌だから」

「持たない方が、かえって豊かな暮らしができるかもしれないね。君の場合、その分酒代に回せるし」

「私が飲む分のお金なんて、たかが知れてるわよ……それより彼女、渋谷のことをずいぶん気にしてるわね」

「友だちとして？」

「どうかな……取り調べに無理があったんじゃないかって、突っこんでくるのよ。弁護士の習性みたいなものかしら。そういう時は攻撃的になるわね」

「その件について、君は何も喋ってないよね？」

「知らないことは喋れないから」敦美が肩をすくめた。「そろそろ再開しましょうか」

「つき合おうか？　少し、事務所の話をぶつけてみてもいい。所長は、彼女がこんな事件を起こすわけがないって言ってた」

「そう……」敦美が拳で顎を叩いた。「まあ、周りの人は大抵そう言うもんだけどね。あんな大人しい人が、とか」

「事件の前後で、特段変わった様子もなかったみたいだ」

「とすると、一時的な錯乱状態なのかもしれないわね。恋人が死んで、正気を失っているとか」

「二人がそういう関係だったかどうか……僕は違うと思うな」大友は首を振った。「本人は否定している。それに昔からの知り合いだからと言って、恋愛関係になるとは限らないだろう。男女の関係は、つき合いの長さには関係ないんだ」

「テツって、そんなに恋愛マスターだっけ？」敦美がにやりと笑った。「学生時代から菜緒さん一筋で、他の女の人、知らないでしょう？　もったいないわよ、もてるのに」

「僕が？」大友は胸に手を当てて見せた。「まさか」

「自覚がないのは最悪よね」敦美が大袈裟に溜息をついて見せた。「本庁内にあなたのファンクラブがあるの、知らないの？」

「本当に？」大友は思わず目を剝いた。

「冗談よ、冗談」敦美が思い切りよく、大友の肩を平手で叩いた。ずしりとした重い衝撃に体が傾ぐ。「今度は本格的にあなたがやってみる？　選手交代ということで。優しくしてあげてね」

「そんなに絞り上げたのか？」

「まさか。私はそんなことしないわよ。でも彼女、誰かに助けてもらいたがっているように見えるの。今回の事件とは関係なく」


「キャラメル、どうですか」

大友はデスクの上にキャラメルの包みを置いた。

「何ですか、これ」優が形のいい眉をぐっと寄せた。馬鹿にされたと思ったらしい。

「こんな、子供だましみたいなこと……」

「うちの息子のなんですよ。ポケットに入っていて」大友は自分も一つ、口に放りこんだ。アーモンドキャラメルだった。歯にじんわり染み入る甘さ。こういうのは好きではないのだが……無理に笑顔を作ってみせる。

一つ溜息をついてから、優がキャラメルに手を伸ばした。口に押しこむと、思い切り顔をしかめる。

「甘過ぎですね」

「確かにね。子どもはこういうのが好きなんだけど、大人には甘過ぎる。でも、疲れには糖分補給が一番ですよ」

「別に疲れてませんけど」

「そうですか？　ミカンとかリンゴとか、食べたくないですか？　疲労回復にはクエン酸やビタミンB_1がいいんです。果物や蜂蜜、豚肉が効果的ですよ。うちは、豚のしょうが焼きを作る時に、タレに少し蜂蜜を混ぜます」

「趣味が料理、なんていうのは勘弁して下さいよ」うんざりしたように優が言った。「男の人がそういう蘊蓄《うんちく》を語るの、何だか鬱陶しいんですけど」

「蘊蓄というか、必要に迫られてだから。子育て中なんで」

「奥さんは？」

「三年前に亡くなりました」

「そうですか」

素っ気無い口調で言って、優が少し躊躇った後、再びキャラメルに手を伸ばす。口に放りこむと、無理矢理噛み始めた。ちょっと変わった反応だな、と大友は思った。普通の人なら、大友が身の上話をすると、多少なりとも反応するものだ。同情するか、興味深げに突っこんで事情を聞いてくるか。時には子育て談義になることもある。だが優は、まったく興味を示さなかった。そんなことより遥かに大事なものがある、とでもいうように。

「独立開業する計画は、進んでいたんですか」

「お金がなくて」優が髪をかき上げた。昨日に比べて艶がなくなっているようだった。

「独立を勧めたのは、所長の黒原さんですね。さっき、事情を聴きました」

「呆れてたでしょう」皮肉な笑みを浮かべ、優が言った。「所員がこんなことをして……」

「こんなことをするはずがない、と言ってましたよ」

「そうですか。でも、やったものはやったんです」

「あなたの主張は分かりました。でも、ちょっと疑問ですね」

「何がですか」優の目が細くなる。

気をつけろ、と大友は自分に言い聞かせた。間接的に聞いただけだが、優は直情径行的、集中すると他のことが目に入らなくなる性格のようだ。そういう状態で、人はしばしば冷静さを失う。遮眼帯をつけられた競走馬と同じである。

「あなた、身長は？」

「それが何か？」

「もうちょっと協力してくれてもいいと思いますよ」大友は素直な笑みを浮かべた。

「自首してきたのはあなたでしょう」

「……百五十センチです」大友を睨みつけながら答えた。

「それぐらいだと思いました。失礼ですが、体重は？」

「四十キロを少し切ってます」言ってから、むっとして唇を尖らせる。「それが何か関係あるんですか？」

「被害者の村田美津夫さんは、あの年齢にしては大柄な方です。百七十八センチ、しかも体重は八十五キロありました。格闘して倒すのは大変ですよ」

「格闘したわけじゃありません。こっちが武器を持っていれば、簡単ですよ」

「どんな風に刺したんですか？　最初はどこを狙ったんですか」

優が沈黙する。しかし、知らないから答えられない、という風には見えない。クライマックスに向けて、手の内を隠しているようであった――そのように推測されてしまうのは、弁護士という職業としてはどうかと大友は思った。

「肝心なところじゃないですか。あなたが犯人だというなら、犯行現場の様子を逐一説明できるはずです。どうして黙るんですか」

「今は言えません」

「どうして」

「それは、警察の方で調べて、分かってるんじゃないですか」急に強気になって、優が顎を引き締める。「一つ、ヒントをあげましょう」

「勘弁して下さい。これはクイズじゃないんですよ」大友は苦笑した。

「どうかしら。取り調べは、容疑者と警察のクイズのようなものかもしれません」

「大袈裟に言えば人の命がかかっていることですよ。そんな簡単なノリにはついていけないな」

「ヒントはいらないんですか？」

「……聞きましょう」ペースを握られている。警戒しながらも、大友は先を促した。

「凶器はどうしました？」

「見つかってません」

「私の家にあります。調べてみたらどうですか」

「本気で言ってるんですか」

「嘘をつく理由がないでしょう」

本当に？　言葉の裏を読もうとして、大友は諦めた。一切本音を見せない女。だが、凶器が発見されれば、捜査は大きな進展を見せる。

「調べてみましょう。家のどこにあるんですか」

「包丁といえば台所に決まってるでしょう」

「そうですか。それでは、ちょっと失礼します」

大友は立ち上がった。優の頭を見下ろす格好になる。彼女は顔を上げようとせず、デスクの上で指先をいじっていた。マニキュアもしていない、ひどく細い指は、子どものそれのようだった。

「さすがね、テツ」からかう様子でもなく、敦美が感嘆して言った。

「何が」廊下で少し先を歩いていた大友は振り返った。

「私がやるより効果的じゃない。八つの笑顔とか？」

「何だい、それ」

「屈託のない笑顔。はにかんだような笑顔。苦笑……これじゃまだ三つか。でも上手く使い分けてる、とか。テツの笑顔には誰でも安心するわよね、特に女の子は」

「別に、男も女も関係ないよ」

大友は苦笑したが、敦美のからかいは止まらない。

「ほら、そういう笑顔でノックアウトされる女の子もいるんだから」

「君には利かないみたいだけど」

「私はバリアを張ってるから」敦美が顔の前で手首を交差させ、バツ印を作った。「それより、凶器の話はどう思う？」

「たぶん、嘘だ」大友は表情を引き締めて答えた。いつの間にか敦美が横に並んでいる。二人とも申し合わせたように歩調を緩めていた。特捜本部と取調室のある刑事課は同じフロアにある。上に報告する前に、意思の擦り合わせをしておくためには、時間が必要だった。

「そうね」すぐさま敦美が同調する。

「不自然だ」

「どうして一番重要な情報を、後から小出しにする必要があるのかしら」歩きながら敦美が首を傾げた。「警察をからかってる？」

「まさか。身柄を拘束される可能性が高いんだぜ」

「自首してきてるんだから、それは覚悟の上でしょう」

「いや、何か変だよ」

「うん……そうね」

ゆっくり歩いても、もう特捜本部の前まで来ていた。ドアは開け放されており、中で刑事たちが忙しく立ち働いているのが見える。

「どうする？」敦美が助けを求めた。

「素直に報告するしかないだろうな」

「空振りする可能性も高いわよ」

「分かってるけど、隠しておく必要もないと思う。たぶんこの後、家を捜索だな。僕はそっちに同行するつもりだ」

「そうね……私は残った方がいいでしょうね。そっちにまで顔を出すと、お節介だと思われそうだから」

「迷惑かけるね」大友は目礼した。

「いいわよ。同期のよしみで」

大友はすっと身を引いた。また肩を叩かれる——殴られる気配がしたから。こんなことが続いたら、最悪骨折、良くても掌《てのひら》の形に痣《あざ》が残りそうだった。

「凶器だと？」岩永が腰に両手を当て、大友を見上げた。

「本人は包丁だと言っています」

「確かに凶器は包丁らしいんだが……おい、上野！」

呼ばれた上野が、特捜本部の隅からすっ飛んできた。額には汗が滲んでいる。

「証拠物件の中から、被害者の体内から発見された刃物の破片を持ってこい」

「了解です！」

上野が駆け出し、すぐに資料の保管庫から段ボール箱を持ってきた。大友たちがいるテーブルに置くと、中から証拠品を入れたビニール袋を取り出す。受け取った大友は、蛍光灯に翳《かざ》して確認した。一センチ角ほどもない、銀色の破片。それが何なのか、すぐに見当がついた。刃物で人を刺した場合、骨などにぶつかって欠け、体内に残ってしまうことも多い。特に今回のように、滅多刺しに近い状態だと、刃こぼれする可能性は高い。

「この破片は、奥さん——加代子さんの体内から発見されたものだ」

「ということは、奥さんが後から刺されたんですよね」一度欠けてしまえば、後は使い物にならない。

「状況から、そう判断している」

「この形だと……包丁の先端部ですか」

「おそらく」

破片は不等辺三角形だった。いかにも先端から欠け落ちた感じ。こうなった後は、真っ直ぐ突き刺すのは難しかっただろう。またもや疑問が生じる。女性でも、覚悟があれば、腰だめに包丁を構えて相手に突き立てることはできるだろう。だがそれを何回も繰り返すのは異様な——ほとんどあり得ないことだ。

「とにかく、家に捜索《ガサ》をかけるか。もしも供述通り凶器が見つかれば、一気に逮捕に持っていける……大友、異存はないな？」

「ええ……」

「何だ、まだ何か不満があるのか」

「そういうわけでもないですけど」

これは嘘だ。そう言いたかったが、口をつぐむ。岩永の本音が読めない以上、うかつなことは言わない方がいい。

「捜索には私も加えてもらってよろしいですか」

「ああ。人手は多い方がいい」

「では、お手伝いします……それと、彼女と渋谷との接点なんですが、何か見つかりましたか？」

「電話とメールの記録を調べてみたが、特に接触はなかったようだな」

「直接会っていたということはないですか？」

「それは何とも言えない。家は同じ町内みたいなものだから、その気になればすぐに会えるだろうが……時間と人手をかけて調べてみないと分からない」

「捜索が一段落したら、二人の関係を調べてみてもいいでしょうか」

「それは構わんが……」

余計なことはするなよ。岩永が口にしなかった言葉は、簡単に想像できた。岩永にすれば大友はあくまで「お客さん」であり、黙って指示に従う以上のことは望んでいないのだ。勝手に走られて、その結果何か新しい事実でも出てきたら、面目丸潰れである。警察には、事件を解決するよりも、自分たちの体面を保つことを重視するタイプの人間がいる。

とはいっても、こっちも黙って指示に従っているわけにはいかない。そう思いながら、大友は岩永に背を向けた。これは僕にとっても戦いなんだ。自分がどこへ向かっているかは分からなかったが、能力をさらに磨き上げるためには、自分なりに考えて動かなくてはいけないのだ。

つまり僕も、エゴイストなわけだ――そう気づいて、思わず苦笑する。結局、自分の手柄や将来を考えていない人間など、どこにもいないということか。

大友たちは、優を伴なって家宅捜索に入った。家は、外見と同様に内部も古びていた。一階の、かつて古書店を営業していたスペースは完全に空いており、生活の場所は二階と三階だった。店の横にある狭い階段を上がっていくと玄関があり、建物の右側が廊下、左側が部屋になっている。廊下の奥が三階に至る階段のようだった。

部屋数は四つで、それぞれはごく狭い。二階にある居間は板敷きの六畳間、隣の台所は四畳半ほどの広さだった。二階には他に風呂場と六畳の和室があり、和室の方は完全に倉庫になっていた。両親が亡くなった後で古書店は閉めたようだが、その際処分し切れなかったものをここへ運びこんだようである。無造作に詰まれた本を見ると、歴史関係の古書が多い。こういう商売が成り立っているのが大友には不思議だったが、専門書を必要とする人間はいつの時代にもいるのだろう。三階には二部屋あり、一室は完全な空き部屋、もう一つの部屋を優が白室として使っているようだった。

間取りを確認してから、捜索に動員された五人の刑事たちは居間に集まった。ここには生活の臭いがある。部屋が狭いので、ダイニングテーブルがかなりのスペースを占めていたが、その他にもテレビ、小さな本棚、小型のオーディオなどが揃っていた。

「台所だ」捜索の指揮を執る宇田が短く命じた。彼がいると、それだけで部屋が狭くなってしまう。

「台所だけでいいんですね？」上野が念押しをする。

「馬鹿野郎、今そう言っただろうが！　一々聞き直すな！」

宇田が大きな眼で一睨みすると、上野が慌てて台所に駆けこんだ。今回の捜索は異例のものになる。任意なので、台所以外の場所は捜索しない。そして優本人も立ち会っている。

捜索を開始してわずか十秒で、上野が「ありました」と緊張感のない声を上げた。古いタイプのキッチンで、流しの下の扉を開けると、裏側に包丁が何本か挿してある。しゃがみこんだ上野が、手袋をしたまま一本の包丁を取り上げた。刑事たちが狭い台所に集まり、確認する。刃渡り二十五センチほどの出刃包丁。少し錆が浮いていたが、それは優が使っていないためで、元々はよく手入れされていたのではないかと思えた。

確かに先端が欠けている。だがこの包丁が凶器かどうか、大友は確証が持てなかった。そもそも、どうして凶器を処分しなかったのか、理解できない。

「よし、上野、しっかり保管しておけ」

「了解です」宇田の指示を受け、上野が包丁を慎重に証拠品袋に入れる。

「これが凶器の包丁か？」

宇田が優に確認する。優はあらぬ方を向いたまま、ぼんやりとうなずいた。

「間違いないな？」

返事はない。しかし大友は、彼女の横顔に奇妙な表情が浮かぶのを見つけた。こちらの実力を測るような、皮肉な顔つき。

「よし、上野はすぐに撤収。その包丁は鑑識に回せ……他の部屋も見せてもらうぞ」

「拒否します」優がようやく声を上げた。はっきりした口調で、それが部屋の空気を凍りつかせる。

「何だと」宇田の声が引き攣った。

「任意ですよね？　でしたら拒否します。凶器が出たんだから、これで十分でしょう」

「自分が何を言っているか、分かってるのか？」

「もちろん、十分理解しています」優は平然としていた。「逆にお伺いしますが、何か問題でもあるんですか？　凶器が出た。灯油を入れたペットボトルの件についても、私はもう話しています。いい加減に逮捕したらどうなんですか」

「それは、こちらで判断する」宇田の目の端が引き攣った。

「そうですか」顎に力を入れて優がうなずく。「それでは署に戻りますか？　他の部屋の捜索は拒否しますので」

「どうして」宇田が食い下がる。それでなくても大きな体がさらに膨らみ、台所の空間を狭くしているようだった。

「プライベートな場所だからです」

「台所は違うのか？」

「必要なことは、全てお話ししたと思いますが」

優がすました口調で言うと、宇田の怒りが頂点に達した。

「いい加減にしろ！　どういうつもりなんだ？　あんたのやってることは捜査妨害になる。公務執行妨害で逮捕するぞ」

「別件ですか？　そういう手段が法的に問題があるのは、昔から指摘されているでしょう。それにあなたたちの目的は、殺人事件の犯人を逮捕することではないんですか？　どうも、筋を間違えているような気がしてならないんですが。だから自殺者が出るんじゃないんですか」

「いい加減に――」

「まあまあ、宇田さん」大友は思わず割って入った。宇田がこれほど感情的になるのを見るのは初めてだった。もしかしたら元々、癇癪を起こしやすいタイプなのかもしれない。「落としの宇田」の背景にあるのは、容疑者に対する無言の脅しではないだろうか。喋らなければ、大柄なこの刑事が爆発するかもしれない、という恐怖。いつも大友が見ていた冷静な態度は、努力の賜物かもしれない。

よくない傾向だ。

「とにかく、署に戻りましょう。任意の捜索なんですから、無理はできませんよ。包丁が見つかったんだし、今回はこれでよしとしましょう」

「お前の指図は受けない」宇田がそっぽを向いた。

「指図はしていません。提案です。ここは慎重にやった方が……」

「慎重にやってるんですか？」優が割りこんできた。「人が死んでるのは、捜査が杜撰《ずさん》だったからじゃないですか」

「おい、いい加減にしろ！」

顔を紅潮させた宇田が優に詰め寄ろうとしたので、大友は反射的に二人の間に割って入った。大型トラックと軽自動車が衝突するようなものである。それにこんなところで暴力沙汰になったら、話がますますややこしくなる。ここはこらえてもらわなくてはいけない。

「宇田さん、せっかくのチャンスなんですから。無理しない方がいいですよ」

「分かってる！」窓ガラスを震わせるような大声で吐き捨て、宇田が玄関に向かう。ほどなく、階段を踏み抜きそうな足音が聞こえてきた。古い木製の階段である。宇田の体重では、本当に壊してしまうかもしれない。

優が小さく溜息をついたのに、大友は素早く気づいた。

「緊張してましたか？」

「あなた、本当に細かいところに気がつくんですね」呆れたような口調だった。

「それだけが取り得なんです」さっと一礼する。「僕からそれを取ったら、後は何も残りません」

「聞いていいですか？」

「僕で答えられることなら」

「あの人——宇田さんがずっと、渋谷君の取り調べをしていたんですか？」

「答えにくい質問ですね」

「どうして」大友に真っ直ぐ向き直った優が、真剣な眼差しで訊ねる。

「捜査の秘密にかかわることだからです」

「もしもあの人――宇田さんが取り調べを担当していたら、渋谷君は相当圧迫感を感じていたでしょうね。それは決していいやり方とは思えません。古いんですよ。今の時代には絶対通用しません」

「申し訳ないですが、それは僕には何とも言えません」

「どうして」

「中の人間ですから」親指で胸を二度、軽く突いた。「仮に事情を知っていても、ぺらぺら喋るわけにはいかない」

「所詮、警察官ということですか。内輪の人間を庇うんですね」

「否定しません」

優がふん、と鼻を鳴らし、玄関に向かった。今のは何だろう？ 僕を馬鹿にしている？ あるいは警察全体に対する不信感？ だとしても、そういう気持ちを表に出すのは危険だ。「印象」を大事にするのが警察官というものであり、相手の態度がふざけていると感じれば、かさにかかって攻め始める。「鼻を鳴らす」などというのは、容疑者が最もやってはいけないことだ。

もちろん、それは警察官の勝手な思いこみに過ぎないのだが。考えてみれば、誰にでも鼻を鳴らす権利ぐらいある。

特に、相手が馬鹿に見える時には。

6

「一致しない？」岩永の顔が一瞬にして赤く染まった。立ち上がると電話に向かって怒鳴り上げる。「どういうことだ。ああ？　形状がまったく違うわけだな？　血痕は？　検出できない……そうか」

礼も言わずに、岩永が受話器を叩きつけた。特捜本部にいた刑事たちが、ぞろぞろと彼の周囲に集まって来る。岩永が下顎を突き出し、刑事たちの顔をじろりと見渡してから、「今言った通りだ！」と吐き捨てた。

やはりそうか……大友は自分の推測に納得したが、嫌な気分は消えなかった。優の行動は支離滅裂である。

「管理官、逮捕しましょう」宇田が一歩前に出て進言した。「あの女は、警察をからかってるんです。公務執行妨害でいけます」

「ちょっと待て」苛立ちを隠そうともせず、岩永が言った。「からかってるのかもしれんし、そうじゃないかもしれん。しかしな、俺たちにはああいう訳の分からない人間を抱えこんでる余裕はないだろうが。やってないと証明できれば、問題ない。逮捕するには及ばん。その後で放り出してやる」

「あの」上野が遠慮がちに手を上げる。

くように言った。

「何だ」質問するのは正当な権利であるにもかかわらず、岩永が上野に向かって噛みつ

「すいません」

上野が頭を下げ、質問を引っこめようとした。遠慮しなくてもいいのに……大友は彼の腕を指先で突き、「言っておいた方がいいよ」と忠告した。

「はい、あの……」上野が再び手を上げた。

「何だ、早く言え！」岩永はほとんど怒鳴っていた。

「つまり、やっていないことを証明するために捜査を続けるんですか？」

「そう言っただろうが」

「だったら犯人は……」

「知るか、馬鹿者！」岩永の怒りが頂点に達した。「さっさと動け。あの女の周辺を洗って、何を考えてるのか、調べ上げてこい」

「管理官、取り調べは自分が……」宇田が凶暴な笑みを浮かべながら言った。大友が見たことのない表情だった。

「いや、いい。しばらくは高畑に任せよう。女は女同士ということで、な？」岩永が宇田に目配せした。どうにも嫌らしい感じで、敦美を端から馬鹿にしている本音がありありと透けて見えた。

刑事たちが散り、特捜本部には岩永と大友だけが残された。岩永が怒りを排気するよ

うに大きく吐息を吐きながら、椅子を壊さんばかりの勢いで腰を下ろす。大友はゆっくりと歩み寄り、彼の前で「休め」の姿勢を取った。

「まだ何か用か」見上げて、鋭い視線を飛ばす。

「いえ、確認です」

「何だ」

「篠崎優と渋谷の関係を調べる——その捜査を始めても構わないでしょうか」

「好きにしろ」岩永が面倒臭そうに顔の前で手を振った。蠅でも追い払うような仕草である。

「では、お言葉に甘えて」

「大友」

踵《きびす》を返しかけた大友は、踵《かかと》を軸に回転し、元の体勢に戻った。

「何でしょうか」

「お前、こういう仕事は楽しいか？」

「はい？」

「特捜本部の中をかき回すような仕事だよ。楽なもんだよな？　好き勝手に嗅ぎ回ってればいいと思ってるんだろう」

「ご指示をいただければ、それに従います」

「指示は一つだけだ」岩永が右手を上げ、ドアを指差した。「そこから出て行って、今後はできるだけ俺たちに近づかないでくれ」

その場を乱すつもりはない、と言いたかったが、大友は言葉を呑みこんだ。岩永が厄介な状況に追いこまれつつあるのは間違いない。これはと目星をつけた容疑者に死なれ、仕方なく捜査を一からやり直そうとしていたら、自ら犯人だと名乗る女が出頭してきた。ところが女の供述には穴も多く、どう考えても警察をからかっているとしか思えない——公務執行妨害容疑であっても逮捕したくない、という岩永の狙いは、十分理解できた。面倒な人間を抱えこめば、状況がさらにややこしくなるのだ。本音では、「ふざけるな」という言葉の無数のバリエーションをぶつけて説教し、散々脅しつけた上で放り出したいだろう。

そうしないのは、もしかしたら一片の疑いを抱いているからではないか——優があの事件の犯人かもしれない、と。

「この度は、まことにご愁傷様でした。お悔やみ申し上げます」大友は深々と頭を下げた。怒りの熱波が頭の上から降り注いでくる。それに押さえつけられたように感じて、しばらく頭を上げられなかった。

「今さら何の用だ」

大友の頭を一撃する硬い声。だがそれで、顔を上げるタイミングが出来た。

「お線香を上げさせてもらえませんか」

「何のために」

「もちろん、お悔やみです」

「警察にそんなことをしてもらう必要はない」

渋谷の父親、芳明《よしあき》は、強硬な態度を崩そうとしなかった。三月だというのに半袖のポロシャツ一枚で、隆起した二の腕の筋肉、分厚い胸板を強調している。首も太く、顔の幅とほぼ同じぐらいに見えた。今年六十歳になるはずだが、肉体だけ見れば二十代のアスリートである。だが顔は年齢相応に皺っぽく、剃り上げた頭のせいもあって一種異様な迫力が生じていた。神田で三つの大型店を経営するスポーツ用品店「シブタニスポーツ」の代表取締役社長。

「そう仰らず、お線香ぐらい上げさせて下さい。私の気持ちなんです」

二人が面会したのは、本店一階の事務室である。とはいってもほとんど倉庫のようなもので、積み上げられたジャージやスニーカーの箱で、壁は三面が埋まっていた。芳明が太さを強調するように腕を組んで、一歩下がる。積み重なったスニーカーの箱に背中をぶつけたので、雪崩を起こしはしないかと大友は本気で心配になったが、ほどなく揺れは収まり、芳明がゆっくりと腕を解いた。

「いいだろう」

「ありがとうございます」丁寧に「長い」と感じる一秒後まで頭を下げ続けた。

「ついて来てもらえますか」大友の脇をすり抜け、芳明がさっさと事務室を出て行く。

大友は周囲に積み重なった箱にぶつからないように体を捻りながら、彼の背中を追った。

芳明は、閉まりかけた客用エレベーターに飛びこみ、扉を押さえた。大友が頭を下げるのを見てうなずき、カードキーを取り出して操作盤のスロットに入れる。最上階にでも自宅があるのだろうと思ったが、その予感は当たった。

エレベーターを降りると、正面がドアになっていた。いかにもマンションの一室という感じだったが、廊下に事務室と同じように商品の箱が積み重ねられているので、プライベートと仕事が入り混じっているのが分かる。非常口はちゃんと使えるのだろうか、と心配になった。

鍵のかかっていないドアを開け、芳明が「おい！」と声をかけた。中から、これもポロシャツ姿の女性が姿を現す。妻だろうと見当をつけ、大友はまた深々と頭を下げた。

「刑事さんだ。線香をあげにきてくれたそうだ」

妻は無言だった。白いものが混じった頭を不安気に揺らしながら、大友を凝視している。

「無礼は承知でお伺いしました。お線香だけ、上げさせていただけますか」

不承不承、あるいは反射的に、妻がうなずく。それを見て芳明が振り返り、「上がって」と短く声をかけた。

「失礼します」とはっきりと言い、大友はまずコートを折り畳んで腕にかけた。脱いだ靴をきちんと揃え、家の中に足を踏み入れる。

玄関の先はすぐにリビングルームになっていた。広いが古びている。家具類もくたびれており、その中で真新しい仏壇だけが妙に目立っていた。室内には、線香の臭いが薄く漂っている。

大友は無言で仏壇の前に正座し、線香を上げた。じっと手を合わせた後、目を開けて渋谷の顔写真を確認する。遺影はおそらく、数年前に撮影されたものだろう。大友が見た遺体の写真よりも、ずいぶん髪が長かった。屈託のない笑顔だが、やんちゃな印象が強い。若い頃、それこそ十代にはかなり遊びまわったような感じで、しかもそういう時期がまだ終わっていないようである。

「どうも、ありがとうございました」正座したまま向きを変え、腕組みをして大友を見下ろしていた芳明に丁寧に礼を言う。

「まあ、何だ……お茶ぐらいどうですか」いつの間にか、芳明の態度はかなり軟化していた。

「お構いなく。お手間を取らせたら、申し訳ないですから」

「構わない。あんた、何だか警察の人らしくないね」

「よく言われます」

「そうですか……そちらのソファにどうぞ」

大友は一礼して立ち上がり、古びたソファに浅く腰を下ろした。ビル街の中にあっても、この部屋は九階にあるせいか、広い窓からは明るい陽光が一杯に射しこんでいる。暖房は入っていないようだが、十分暖かい。

すぐに妻が茶を淹れてくれたが、何も言わずにどこかに引っこんでしまった。よほど警察とはかかわり合いになりたくないらしい。

「この度は本当に、いろいろとご迷惑をおかけして……申し訳ありませんでした」

「息子が自殺した後、警察は一回しかここに来なかった。偉い人がね……神田の署長さんと、捜査一課長とかいう人」

「署長とはお知り合いじゃないんですか」

「まあね……防犯組合の会合なんかで一緒になるから。ただ、向こうはいつも二年で代わっちまうからね。ずっとここに住んでる俺たちにすれば、お客さんみたいなものだ」

「本当に残念でした」

「容疑者が死んだからかい？」

芳明が皮肉を飛ばす。大友はゆっくりと首を横に振ることで、彼の言い分を否定した。捜査としては彼の指摘する通りなのだろうが、個人的にはそう思いたくない。

「誰かが亡くなるのは、本当に残念なことです」

「そうですか……何か、変だな」照れたように言い、芳明が茶を啜った。「何だか、あんたには話してしまう」

「そうですか」

「偉い人が頭を下げに来た時は、本当に苛ついたんだ。はっきり物を言わないしな。息子が死んだのが誰の責任なのか、こっちはそれをはっきりさせたかっただけなのに」

訴訟でも起こすつもりだろうか、と大友は警戒した。それだと、話はさらにややこしくなる。

「この件については、私は何とも申し上げられません」

「ほら、それが警察得意の責任逃れってやつでしょうが」太い声で芳明が吼《ほ》える。「そういう立場じゃないとか、責任がないとか。だったら、何でも話せる一番偉い人が説明に来るべきじゃないのか。警視総監でも誰でもいいだろう」

「知っていればお話ししますが、詳しい事情は知らないんです。私は昨日から捜査に入ったもので」

「何――」芳明が言葉を呑んだ。「だったらどうしてここへ来たんだ」

「捜査の関係で亡くなった方がいれば、お線香は上げます。それが自然かと思いますが……私一人の判断です」

「ずいぶんまめな人なんだね」気が抜けたような口調で芳明が言った。

「こんなことは言いたくないんですが、警察の中にも非常識な人間はいます。あるいは単なる面倒臭がりとか。でも、亡くなった方のご家族にご挨拶ぐらいしておかないと、寝覚めがよくないと思うんです」

「そうですか。それで、少しはすっきりしましたか？」

「いいえ」大友は湯呑みに手を伸ばしかけ、引っこめた。「分からないことばかりで、混乱しています」

「息子を犯人にしておけば、全て解決したとでも言うんですか」

「それは何とも言えません。ご存じでしょうが、息子さんは犯行をほのめかす供述を残しています」

芳明が太い顎をぐっと引いた。当然誰かから知らされただろうが、納得していないのは明らかである。

「ただし、その供述の裏づけは取れていません」

「あんたはどうなんだ。息子がやったと思ってるのか」

「可能性はあったと思います」

「そうか……そう、正直に言われてもな。こっちがどんな気持ちでいたか、分かるか？」

「それはもちろん、残念だったと——」

「申し訳ないような気持ちもあるんだ」言って、芳明が茶を飲み干した。大友はそっと自分の湯呑みに触れてみたが、かなり熱い。熱さを感じないほど、この男は怒っているのか。「亡くなった村田さんな、知り合いなんだよ」

「そうなんですか」確かに、渋谷もそのように供述していたはずだ。

「ここも、狭い街だから。昔から住んでいる人なんて、本当に少なくなった。そういうわけで、俺も子どもの頃から知っていた」

「お仕事の関係では？」

「あの人たちは、仕事をしなくても食っていけたからね」芳明の唇がわずかに歪んだ。

「俺なんかとは立場が違う。こっちは毎日必死に働いてるんだ」

「でも、お店を三軒も持っていらっしゃる。ここととサーフショップと、登山の専門店ですか？」

「ああ」

「三軒のうち、登山の店を息子さんに任せていたんですよね」

「名目だけだ、名目だけ」繰り返し言って、芳明が目を細める。

「どういうことですか？　店長だったと聞いていますが」

「あの馬鹿は、一向に仕事をしない」

彼がまだ現在形で喋っていることに大友は気づいた。

「高校を出て、何もしないでぶらぶらしていたから、店を一軒任せたんだ。本当は信頼できるスタッフはいくらでもいたんだが、遊び回っているだけだと、体裁も悪いからな」

「それなのに、仕事をしていなかったんですか？」

「あいつに、まともな仕事なんかできるわけがなかったんだ。期待した俺が馬鹿だったよ」今度は深く溜息をつく。「やる気もない、能力もない人間に任せたのが失敗だった。

あそこの店だけ、何年も赤字続きでね……何とか真面目に仕事をする気にはなったようだが、もうすぐ三十に手が届こうかっていう人間が……ろくな下働きも経験していない人間が店長面をしても、誰もついてこないもんだな」

店長の立場を与えたのはあなたではないか。思わず指摘したくなったが、言葉を呑みこむ。今すべきは、別の、もっと嫌な質問だ。

「息子さんは以前、窃盗事件で逮捕されたことがありますよね」

「あれは終わったことだ。あの後、ちゃんと仕事もさせてたわけだから、俺は更生を――」

「息子さんは、金に困っていたんじゃないですか」大友は芳明の説明を途中で遮った。

「どうして」

「理由は分かりませんが、だからこそ、あの家に押し入って――」

「それはない」静かだがきっぱりした口調で芳明が言い切った。「店の帳簿は俺も確認している。赤字とはいっても、そんなに大したことはない。赤字を埋めるために人の家に強盗に入ったなんて考えていたら、大きな間違いだよ」

「そうですか……」

「やっぱり疑っているわけだ」芳明が鼻を鳴らす。「線香を上げに来たとか言って、本当は俺を調べに来たんだろう」

「そういうつもりではありません。話の流れです。お気を悪くされたなら、謝罪しますが」

「結構だ。謝ってもらっても、息子は帰って来ない」

大友は一瞬唇を引き結んだ。悔やみの言葉、謝罪の言葉……いくらでも思いつく。その言葉に合った表情もジェスチャーも自然にこなせる。だが時には、無言が何よりの緩衝材になるのだ。

「一つ、伺っていいですか」

「何だ」邪険な口調で芳明が吐き捨てる。

「篠崎優さんをご存じですか？　息子さんとは中学、高校と同級生だったはずです」

「名前は聞いたことがある。確か、頭のいい子だったんじゃないかな」

「そうだと思います」

「それが何か？」

「ご存じでしたら、彼女について少し教えていただければ、と」

「あんたに話をするほど、よくは知らない」

「そうですか……」道理である。親が子どもの友人のことを何でも知っていると思ったら大間違いだ。

「その人がどうしたんだ」芳明の顔が疑念で歪んだ。

「単なる周辺捜査です」

「息子を犯人に仕立て上げるための捜査なんだろう。死んだ後まで苦しめてどうするつもりなんだ」

手続き的には、容疑者が死亡したからといって捜査は終わらない。しっかりした証拠を固められれば、検察に送らなければならないのだ。もちろんその後は、被疑者死亡で不起訴になるわけだが。

「いい加減にしてくれないかな。死者の名誉は守りたいんだ」

「分かりました」

優と渋谷の関係を探る——自分の本当の狙いは読まれていないだろうと判断し、立ち上がる。その瞬間、インタフォンが鳴った。大友に視線を貼りつけたまま芳明が立ち上がり、壁のインタフォンを手にする。

「はい……ああ、村上《むらかみ》君か。いや、こっちは大丈夫。申し訳ないね、忙しいんじゃないのか？　そうか。今鍵を開けるから」インタフォンの受話器を持ったまま、ボタンを押した。「ぴっ」と短い電子音が響く。小さなモニターを覗きこんでいた芳明が、何かを確認して受話器を置いた。

「今日は大変失礼しました」向こうが何か言い出す前に、大友は頭を下げた。

「ああ、いや……」芳明が剃り上げた頭をつるりと掌で撫でる。「すまんが、お客さんなんだ」

「分かりました。また何かお伺いすることがあると思いますが——」

「遠慮していただきたい」芳明がきっぱりと言い切った。「今後もお話しすることはありませんな」

玄関先で靴を履いている時、またインタフォンが鳴った。大友がドアを開けると、三十歳ぐらいの男が不安そうにこちらを覗きこんでいる。芳明の話し方などから、渋谷の同級生ではないか、と見当をつけた。きちんとスーツを着こみ、腕にはコートをかけている。髪も短く刈り揃え、固い商売についているように見えた。大友は素早く頭を下げて先に外へ出た。二人の人間が余裕で立っていられるほど、玄関は広くない。

外へ出て、二人が挨拶を交わすのを聞きながら、大友はドアを閉めた。上手くチャンスが転がりこんできた感じだが……この場で待つわけにはいくまい。店の外で摑まえようと決め、まだ九階で停まっていたエレベーターに乗りこんだ。

居心地の悪さを感じながら、大友はエレベーターを見守れる範囲に留まったまま、商品を見て時間を潰した。一階はサッカー用品売り場で、子ども用のスパイクやジャージもある。靴が問題なんだよな、と大友は溜息をついた。子どもの足はすぐに大きくなる。足のサイズが固まるまでは、まだまだ何度も買い換えないといけないだろう。

カラフルなジャージを見続けて目がちかちかしてきた頃、上に向かっていたエレベーターが九階で停まったのが見えた。来る、と一気に緊張感を高め、エレベーターの前に移動する。ほどなくドアが開き、先ほど玄関先で出くわした男、村上が姿を現した。こちらには気づいていない様子で、さっさと出入り口の方に歩いて行く。店を出て立ち止まり、コートを着こんでいるところで声をかけた。

「失礼ですが、村上さんですね？」

「はい」

振り返った村上が、怪訝そうに眉をひそめる。大友は素早くバッジを示し、名乗った。

「警察の方が何の用事……用事はありますよね」

諦めたように溜息をつく。物分りのよさそうな男だ。ここは丁寧にいこうと決め、大友は村上をお茶に誘った。

「正式な話じゃないんです。ちょっと参考までにお話を伺いたいだけなので、その辺でお茶でもどうですか」

「構いませんけど……」村上が腕を突き出して手首の時計を確認した。「三十分ぐらいならいいですよ」

「結構です。この辺で、どこかお茶を飲めるところはありますか」

「いくらでもありますけど、近場がいいですよね」

「ええ」

「だったら、こちらへ」

村上が、駿河台下の交差点に向かって歩き出した。といっても、「シブタニスポーツ」の本店自体が、駿河台下交差点のすぐ近くにあるのだが。楽器店の前を通って交差点を渡り、立ち食い蕎麦の店の前を右折。明治大学の高層校舎を左前方に望みながら、緩い坂を上り始める。村上はすぐに、小さなビルに入った。彼の背中を追いながら急な階段を二階まで上がると、広々とした喫茶店が姿を現す。古ぼけたビルの印象に反して清潔な店で、ゆったりした雰囲気が漂っていた。右側には長いカウンター席。その背後には、居酒屋が自慢の酒をディスプレイするように、様々なコーヒーカップがずらりと棚に並んでいる。村上はよく知っている店のようで、迷いもせずに左手の巨大なテーブル席に向かった。ここだと、カウンターの奥に入る店員からは少し遠ざかり、内緒話をするには格好だ。

二人ともブレンドコーヒーを頼んだ。改めて近くで見ると、村上がかなり緊張している様子だったので、大友はいきなり本題に入ることにした。雑談混じりに、職業や年齢などを特定する質問をしながら相手の出方を探ることもできるが、焦っている相手に対しては、こちらも「時間節約に協力している」という姿勢を見せる方が効果的である。

「渋谷さんのことを調べています」

「ええ」村上がすっと背筋を伸ばした。「こんなこと言いたくないけど、警察が殺したようなものですよね」

「否定はできません」

急に村上の体から力が抜けたようだった。何か反論されると思っていたのだろう。大友は少し背中を丸め、砂糖の入った壺を目の前からどかした。

「遺書もなかったんです。ですから、渋谷さんが何を考えて自殺したかは分からない。警察に追い詰められていた可能性も、もちろんあり得ます。今となっては知りようがないですけどね」

「あの、あれですか？　監察とか？」

「そんなこと、よくご存じですね」両手を大きく広げるのではなく、素早く眉を上げて感心した様子を見せる。「警察の内部の人間以外に、そういうことはあまり知らないはずですけど」

「ミステリとか、好きなんで」

「私は監察の人間ではありません。所属は刑事総務課です」

名刺を渡しても問題ないだろうと判断し、差し出す。それが習慣になっているようで、両手で大友の名刺を受け取ってから、村上も名刺を出してきた。予感はほぼ当たっていた――銀行ではなく信用金庫だったが。

「渋谷さんとはどういうご関係ですか」

「高校の同級生です。葬式に行けなかったから、今日、外回りの途中で寄ったんです」

「そうですか」大友は口をつぐんだ。ここから先、言葉の選び方は難しい。「変なことを聴きますけど、渋谷さん、昔はかなりやんちゃだったんですか？」

「ああ、まあ、それは。私は高校生の頃のことしか知らないけど」認めながら、村上がうつむいた。嘘はつきたくないが、積極的に話したくない、という様子。

「別に、警察のお世話になるようなことはなかったでしょう」

「そうですね。要するに、遊び人ということです」

「その表現は、私が生まれた頃には消滅していたと思いますよ」大友は柔らかい笑みを浮かべた。

「そうですか？」顔を上げ、村上が目をぱちくりさせた。「でも、ねえ。あいつは私なんかと違って金持ちだから」

「確かに実家は、手広く商売をされていますからね」

「だから金はあって、いろいろ手を出してたんです。サーフィンにはまってたし、高校生の頃からクラブに出入りしてました」

クラブ、イコール薬物の供給場所、と短絡的な思考が頭に浮かんだが、すぐに否定した。死後に遺体を調べた結果、少なくとも最近、渋谷が薬物を使っていた形跡がないことは分かっている。

「親父さんは、かなり厳しく締め上げてたんですけど、お袋さんが甘かったみたいで」

意外な批判に、大友は首を捻った。仲のいい友だちなら、死んだ相手が不利になるようなことは言わないはずなのに。

「高校を出てから、一度逮捕されてますね」

「ああ、万引きね」村上が鼻を鳴らした。「あれも、みっともない話ですよ。二十歳過ぎたいい大人が万引き……万引きってことはないですね。盗もうとしたのはサーフボードだから」

「サーフボード？」

「警察の人の方がよくご存じじゃないですか」

「失礼」大友は拳の中に咳をした。どこまで知っているのか試すつもりで、わざと恍《とぼ》けたのだった。渋谷の前科については、大友も記録に目を通している。友人たちとトラックでサーフショップに乗りつけ、夜中にサーフボード十枚を盗んだ、という事件である。扱ったのは神奈川県警だ。初犯であり、盗んだボードも全部返却したということで、執行猶予つきの判決が出ていた。「ちょっと確認しただけです」

「そうですか」呆れたように、村上が首を傾げる。「だけど、変な話ですよね。サーフボードぐらい、親父さんの店にいくらでもあるのに」

「彼が今回の事件にかかわっていたかもしれない、という話は?」大友は話を切り替えた。

「他の友だち経由で聞きました。死んでからそんなこと言われても、ねえ。本当のところはどうなんですか?」

それほど仲はよくなかったのでは、と大友は疑念を抱いた。同情や警察に対する怒りよりも、明らかに興味の方が上回っている。運ばれてきたコーヒー——時間がかかったのはそれだけ丁寧に淹れた証拠だろう——を一口飲み、大友は砂糖をほんの少し加えた。美味いが、コクがあり過ぎる。

「警察としても、そこのところは分からないままなんですよ。取り調べが途中であんなことになってしまったもので。あなたはどう思います?」

「何がですか？」村上が急に警戒心をあらわにした。

「渋谷さんは、ああいう乱暴なことをやりそうなタイプだったんですか？」

「いや、まあ……」村上が言葉を濁す。「やんちゃだったのは間違いないですけど、あそこまで乱暴なことをするはずはないんですけどねえ。少なくとも昔は、そんなタイプじゃなかったですよ」

大友はうなずいたが、同調したわけではなく、話を先へ進めるための合図だった。コーヒーカップを両手で包んだ村上が続ける。

「ちゃらんぽらんなところがあったのは間違いないんだけど……金遣いは荒かったし。友だちに奢ったりするのが好きだったんですよね。でもそれは、事件とは関係ないでしょう？　我々から見れば、金に苦労したことのないお坊ちゃんっていうだけだから」

「人を殺すようなことはしない、と」

「とにかく、そういうイメージじゃなかったんですよ」

「お金に困っていたという話もありますよ。お店を一軒任されていたそうだけど、資金繰りが上手くいってなかったようなんです」

「ああ、山の店の方でしょう？　どうなんですかね。そういう細かいところまでは、私は知りません」

「あなたのところでは、シブタニスポーツと取り引きはなかったんですか？」

「残念ながら。取り引きがあれば、もう少し詳しく分かりますよ」

「話は変わりますけど、篠崎優さん、ご存じですか?」

「ああ、高校の同級生です」

「渋谷さんとの関係は?」

「関係? 何ですか、それ」村上の声がわずかに高くなる。まったく予想していない質問をぶつけられた時に特有の反応だ。

「つき合っていたとか」

「いや、まさか」村上が声を上げて笑う。裏のなさそうな笑い声だった。「それはあり得ないな」

「本当に?」

「だって、接点がないですから。たまたま近くに住んでいた、というだけでしょう。優等生の篠崎とちゃらんぽらんな渋谷じゃ、まったく合いませんよ。近いって言えば、三年生の時の出席番号が近かったぐらいかな」

「卒業後はどうですか?」

「いや、それはどうかな……」村上が上を向いた。思い出したようにワイシャツの胸ポケットから煙草を取り出し、「吸ってもいいですか?」と訊ねる。うなずくと、素早く一本引き抜いて火を点けた。顔を背けて煙を吐き出し、しばらく目を瞑《つむ》って考えていたが、結局「分かりませんね」と結論を出した。

「二人の接点はない?」

「ないと思います。渋谷は高校を出ても進学も就職もしないで、適当に店を手伝いながら、相変わらず遊びまくってましたし、篠崎は大学へ……それも多摩の方でしたからね」

「なるほど。同窓会で顔を合わせたりしたことは？」

「それはありました。高校の同窓会、最後にやったのは二年前だったけど、その時には二人とも出席していたはずです」

「間違いないですか？」

「幹事をやってたんで、二人から会費を貰ったのは覚えてますよ」村上がコーヒーを一口飲んだ。

「その時の様子は？　親しそうにしていたとか？」

「それは分かりません」

「他の同級生に聞けば分かりますよね。二人に接点があったかどうか、それほど難しい話じゃないでしょう」

「そういうことだったら、女子の方がよく知ってるでしょうね」

「調べてもらえますか」

「はい？」村上がカップ越しに大友を見た。

「あなたに調べて欲しいんです。その方が早く分かりそうだし、面倒なことにもならない」

「いや、あの……私に警察のスパイをしろと？　そういうの、困るんですけど。仲間を裏切るみたいじゃないですか」

「大袈裟ですよ」大友は笑いながら言った。「あなたに名簿を貰って、私がクラスメイトを全部調べてもいいけど、それじゃ時間もかかるでしょう。それにあなたが聞けば、誰も警戒しないはずだ」

「勘弁して下さいよ」村上が泣きを入れた。「警察のために動いているなんて分かったら、友だち、なくします」

「これは大事なことなんですよ」大友は両手を組み合わせてテーブルに置き、村上の目を正面から見た。「この事件の肝になるかもしれません」

「篠崎が何か関係しているというんですか？」

「いや、渋谷さんが何か相談していたかもしれない。同級生としてではなく、弁護士として」

「そんなの、記録でも何でも残ってるんじゃないですか？　篠崎に確認すればすぐに分かるでしょう」

「ここは極秘にいかなくてはいけないところなんです」大友は人差し指をぴん、と立てた。「どうですか？　一つ、協力してもらえませんか」

極秘、という言葉に村上が反応した。誰でも秘密を背負った時は、不安になると同時に心が躍るものである。そして村上の場合、不安よりも興奮の方が大きい様子だった。

7

「シブタニスポーツ」グループの登山専門店である「二号店」は、靖国通りと本郷通りの交差点から一本裏に入った狭い路地沿いにあった。隣は昭和三十年代からまったく変わっていない様子の喫茶店と、コイン式の駐車場。二号店は、落ち着いた黄土色の外見が特徴的な三階建ての建物で、売り場が八階分もある一号店——渋谷の家が最上階にある建物だ——との共通点は、看板のデザイン以外にはない。このほか、三号店である「シブタニ・サーフ」が、靖国通りを挟んだ向かい側にある。

周辺をぐるりと回ってみた。この辺りは、どこもかしこもひどく日当たりが悪く感じられる。道路が狭い上に建物が密集しているためだ。陽が当たらないせいで風も冷たく、大友は思わず肩をすくめ、コートのボタンを留めながら店の正面に戻って来た。

店の前には色とりどりの登山用ウエアが展示されている。入り口で確認すると、一階が様々なウエア、二階が登山用品の売り場だった。三階は倉庫と事務室ということか……一階のレジで店員を摑まえ、責任者に会わせて欲しい、と頼みこむ。学生のアルバイトらしい店員は戸惑いを見せたが、一旦レジ奥のドアの向こうに引っこんだ後、二階へ回るよう、大友に指示した。

階段横の壁を利用して、登山靴が一面に展示されている。大友は登山用具というと、茶色を中心にした地味なものだという印象を持っていたのだが、最近は非常にカラフルなのだ、と認識を改めた。茶系、グレイ系は多いのだが、赤や白、黄色を効果的に使った靴も目立つ。しかもどういうわけか、紐はカラフルな物が多い。目立つことで遭難を防ぐのだろうか、と考えながら階段を上がった。

一階がウエア中心でカラフルなイメージだったのに対し、二階は本格的なキャンプと登山用具の売り場だった。フロアの中央ではテントがいくつか広げられ、その周囲にストーブやランタンなどのキャンプ用品が並んでいる。一番奥が最もハードなギアのコーナーで、ピッケルやアイゼンなどの本格的な登山用具が壁を飾っていた。

レジの横の壁に渋谷の顔を見つけて、大友はぎょっとした。いかにも手作りの小さなポスターなのだが、笑顔の渋谷がペットボトルを握りつぶす写真と一緒に、「ゴミをなくそう」というコピーが掲載されていた。山を綺麗に、ということなのだろう。仕事のことはともかく、環境問題に対する意識は高かったのか。

「責任者の方はいらっしゃいますか」レジで声をかけると、いかにも山男、という感じの若い店員が出てきた。赤黒チェックのシャツに、大小のポケットがあちこちについたズボン。店のロゴが入った茶色いエプロンをかけていた。髪は短く刈り上げていたが、その代わりだろうか、顔の下半分は髭で覆われている。よく日焼けしており、昨日山から帰ってきたばかりだと言われても納得できる顔つきだった。目尻に皺が目立ったが、加齢のためではなく、長く太陽の下にいる人間に特有の皺のようだ。シャツを着ていても、がっしりした体型が分かる。

「副店長の有吉《ありよし》ですが……」豪快な風貌とは裏腹に、声は不安でか細くなっていた。

「警視庁刑事総務課の大友です。どこか、お客さんの邪魔にならないで話ができる場所はありませんか？」

「そうですね……あの、奥でよければ」

「結構です」

「それじゃ、こちらへ……すいません、相当散らかってますけど」

「大丈夫ですよ、座る所があれば」

しかしレジ奥の事務所には、二人が同時に座れるだけのスペースがなかった。本店と同じように、倉庫に入り切らないらしい商品が積み重ねられ、足の踏み場もないほどである。壁は全て商品で埋まっており、元々どれぐらいの広さがあるのかさえ分からなかった。それに加えて、部屋の中央には傷だらけの大きなテーブル。そこにも商品が置かれており、椅子すらなかった。仕方ない……大友はドアの脇にあるわずかな隙間に身をこじ入れるようにして立った。有吉はテーブルを挟んで反対側。テーブルの上にうずたかく積まれたシューズの箱のせいで、彼の顔は半分ほどしか見えなかった。エアコンはこの場所では利いていないようだが、狭いせいで寒さはまったく感じない。

「あなたが副店長ということは、店長は今でも渋谷さんなんですか」

「はい？」質問の意味を理解しかねたのか、有吉が首を傾げる。

「渋谷さんは亡くなってるじゃないですか」

「ああ、それは、事務的な手続きがいろいろと……一応、会社組織になっていますから。二代目は店長兼専務なので、詳しいことは取締役会で決まると思います」

「二代目、と呼んでいるんですか」

「そうですね」有吉が少しだけ緊張を解いた。

「シブタニスポーツ全体で一つの会社ということなんですか」

「いや、三つの店はそれぞれ独立した会社になっています。上に持ち株会社があって」

「なるほど。渋谷さんは持ち株会社の専務でもあるわけですね」

「ええ、あ、はい。ここの店長兼社長兼専務です」

大友は密かに頭痛を覚えていた。どうにも話の通りが悪い。頭が悪そうな男には見えないのだが、緊張しているのだろうか。体重を右足から左足に移し変え、次の質問を放つタイミングを計る。有吉は両手をきつく組み合わせて、ちらちらと大友の顔を窺っていた。

「亡くなる前、渋谷さんに何か変わった様子はありませんでしたか?」

「それは、毎日警察に呼ばれていて……」

「それ以前です」

「本当に二代目がやったと思ってるんですか」有吉の口の両端が下がった。

「今となっては判断しようがありませんね」大友は肩をすくめた。「それより、どうです？　落ち着きがなかったり、何かを気にしたり、そんな様子はありませんでしたか」

「ここで会うだけでしたから、よく分からないんですけど」

「でも、毎日顔を合わせていたわけでしょう？　変化に一番気づきやすい人間はあなただと思うけど」

「いや、二代目は毎日ここに顔を出すわけじゃないんで……」バツが悪そうに有吉が言った。

「どういうことですか？」

「まあ、あの、趣味の方が忙しかったみたいなんですけど」

「サーフィン？」

「知ってるんですか？」有吉の眉がくっと上がった。馬鹿にされた、と思ったのかもしれない。

「あてずっぽうですよ」村上と交わした会話が記憶に残っている。それにポスターの写真を見た限りでは、渋谷はいかにも長時間海で過ごしていそうなタイプだ。「しかし、シブタニスポーツにはサーフショップもありますよね。どうしてそちらで仕事をしてなかったんでしょう。それこそ、趣味と実益の一致じゃないですか」

「その辺の事情は、大社長《おお》に聴いていただかないと……」

「趣味と実益じゃなくて、趣味に傾き過ぎるからですか？」

「まあ、そんな感じじゃないですか」

かなり詳しく事情を知っているな、と大友は確信した。立場上、そして刑事を前にしている緊張感で言えないだけなのだろう。有吉は相変わらずもじもじと体を動かし続けている。まるで叱られるのを恐れる子どものようだった。

「経営状態があまりよくなかったと聞いていますけど」

「それはまあ、こういう商売はいろいろ厳しいですけど」有吉がもごもごと言った。

「そうですか？　最近は中高年の登山が盛んらしいです」いてますけどね」

「それは、商売のやり方によります」

父親が指摘していた通り、渋谷はまともに店長としての仕事を果たしていなかったのか。あるいはあてずっぽうで適当な指示を与え、店員たちを混乱させていたのかもしれない。いずれにせよ、経営者としては失格だったのだろう。利益が出ていなければ、あらゆる言い訳が無駄になる。

「とにかく、金の問題はあったんですね？」

「ないわけではないです。ただそれは、会社の財務上の問題ですからね」

「赤字を解消するために、渋谷さんが自ら強盗を計画した可能性は？」

「まさか」瞬時に有吉の顔から血の気が引いた。「それはちょっと……論理が飛躍し過ぎてませんか」

「そうですねえ」大友は頭を掻いた。少し間抜けで話しやすい刑事のイメージ。「どうも最近、変な想像をする癖がつきましてね。子どもにつき合って、日曜日の特撮戦隊モノを見過ぎてるせいかもしれない」

「はい？」意味が分からないと言いたげに、有吉が首を捻る。

「ああいうのって、典型的なご都合主義ですから、論理も飛躍するんです。まあ、三十分で物語をまとめようとしたら、そうなるのも仕方ないんでしょうけど」

何のことだ、と言いたげに、有吉が首を傾げる。自分はどんな相手にも合わせて話ができる自信があるが、どうしても噛み合わない人間もいる。有吉がそういう一人であるのは間違いないようだった。


「そうですか……やっぱり凶器は一致しませんか」分かっていたことだが、大友は詳細な鑑定結果を聞いて、複雑な気分に襲われた。

「ああ。あの女、いったい何を企んでるのかね」岩永が両手を組み合わせ、指をぽきぽきと鳴らした。「放免するか。これ以上面倒なことになったらかなわん」

「そうですね……」

「何か不満なのか」

「そういうわけじゃないですが、目的が分からない以上、自由にしておくのはどうかと思います」

「だったらお前が面倒を見るか？」しめたとばかり、岩永がにやりと笑って一歩前に出た。「確かに何か秘密がありそうだな。あの女にくっついて、それを探り出すというのはどうだ」

大友はすぐには返事をしなかった。岩永の考えは手に取るように分かる。取り敢えず何か仕事を――それも特捜本部本体の仕事とは直接関係ないようなものを――与えておけば、面倒なことにはならない。指導官の福原には「特命を与えた」と言い訳できるし、特捜本部に入ったメンバーたちを納得させられる。

「分かりました……ところで、管理官はどういうことだと思いますか？」

「さあな。彼氏が自殺して、頭にきて嫌がらせをしてるんじゃないか」

「そういうことはないと思います」

「そうなのか？」岩永が腕組みをし、テーブルに腰かけた。

「高校の同級生に事情聴取できましたが、二人がつき合っていた事実はなかったようですね。典型的な優等生と、少し突っ張った男と……二年前に同窓会があったそうですが、その時もそういう様子はなかったようですね」

「それ以降に何かあったかもしれない」

「管理官、彼女を犯人にしたくないんじゃないですか？」

「ああ、まあ」曖昧に言ってから、岩永が顎を引き締めた。「とにかく、篠崎優のことはお前に任せる。処置もお前の判断でいい。何も関係ない、あるいは何か別の狙いがあると分かったら、その時点で報告してくれ」

「本当にそれでいいんですか？」

「構わん」

「こっちも助かります」

大友の言葉に、岩永が右目だけを見開いた。

「何だ、それは」

「いや、日曜日に息子のサッカーの試合なんで。少し余裕があった方がありがたいんです」

「ああ、そうか」

岩永が顔を背け、ふっと溜息を漏らした。一人で子育てをしている大友に対して、同僚の反応は三種類に分かれる。七十パーセントが無関心。二十五パーセントが冷たい視線を向ける。残り五パーセントが、本気で心配してあれこれ気を配ってくれる。岩永とはほとんど面識がないが、二十五パーセントの中に入る人間なのは間違いないだろう。

「まあ、サッカーでも何でも、好きにしてくれ。あの女が妙なことを始めなければ、何をしていても構わん。そこは自己責任で頼む」

「了解です」

とはいえ、これは難題だ。二十四時間監視は難しい。それこそ渋谷のように、隙を見て自分の命を絶とうとする人間もいるぐらいなのだから。夜は仕方ないとしても、昼間はずっと張りついて監視するか、事情聴取の形で警察に張りつけにするか。

まず尾行だ、と決めた。誰に会うのか、生活パターンはどんな具合なのか、調べなければならない。変装すれば気づかれない自信はあるが、サポートは欲しい……敦美に頼むわけにもいかないだろう。彼女はあくまで臨時の応援だ。正式な事情聴取を行わない以上、いつまでもここに引き止めておくわけにはいかない。

待てよ。暇な奴が一人いるではないか。昼間は庁舎内にいないとまずいだろうが、定時を過ぎれば自由なはずである。どうせ独身、暇な時は酒を呑んで酔っ払っているだけなのだから、僕が仕事を与えてやろう。あいつのことだ、飯か酒を一回奢ればチャラになる。

それに何より、あの男は自分の周りにいる五パーセントの人間の一人なのだ。甘える時は徹底して甘えよう、と決めた。

「お疲れ様でした」

声をかけると、優が不思議そうに大友を見上げた。まったく疲れていない。げっそりしているのはむしろ敦美の方である。

「今日はこれで終わります」

大友が低い声で告げると、敦美がゆっくりと振り向いた。これほど疲れた彼女の顔を見るのは初めてだったかもしれない。

「凶器は？」優が聞き返す。

「嘘ですね」

「嘘だったら、公務執行妨害で逮捕だったんじゃないですか」

「あなたをここに留め置く意味はないというのが、上の方の判断です」大友は天井に向けて人差し指を立てた。

「警察の捜査能力も大したことはないですね。凶器は、喉から手が出るほど欲しい物じゃないですか」

「それが犯行に使われたものでなければ、凶器とは言いません」

優がのろのろと首を振った。疲れているのではなく、呆れた様子。両手をデスクに置き、ゆっくりと力を入れて立ち上がった。

「トイレをお借りしていいですか」

「結構ですよ……後で家まで送ります」

「そんな必要、ないですけど」

優が取調室を出て行く。上野が無言でついていった。敦美が髪をかきあげ、溜息を漏らして大友を睨みつける。

「ちょっと、どういうこと？」

大友は手短に説明した。話を聞いているうちに、敦美の視線が徐々に険しく尖っていく。

「結局私は、何の役にも立ってなかったわけね」最後は溜息で終わらせる。大きな体がすっと萎んでいくようだった。「ああ、落ちこむ」

「申し訳ない。僕の勝手で呼んで、嫌な思いをさせた」大友は頭を下げた。

「それはいいんだけど……自信なくすわね。期待されて呼ばれて、結果を出せないんだから」

「彼女が容疑者だったら――」

「何？」

「君は当然落としていたと思う」

「つまり、容疑者じゃないってこと？　だったら彼女の目的は何？」

「やっぱり警察を馬鹿にしたかった……愉快犯みたいなものかな」

「それで時間を無駄にしたとしたら、馬鹿みたいね」

「それだけだとは思わないけど」

「だったら何？」

大友はゆっくりと首を振った。愉快犯の場合、他人が聞いても絶対に納得できない動機があるものだ。人が慌てふためくのを見て喜ぶというのは、まともな精神状態ではない。子どもの悪戯心というには度を越しているのだ。しかし彼女の場合、行動が異常でも態度は極めてまっとうである。いったい狙いは何なのか……。

「他に何か気づいたことは？」

「こっちの動きを知りたがってるわね。自分に対する捜査じゃなくて、この事件自体の捜査がどう動いたか。相変わらず渋谷のことをすごく気にしてる。どうして自殺したのか、警察はどんな状況で監視していたのか、いろいろ聞いてくるのよ。私としては、答えられないことばかり」

「弁護士的にはそういう興味を持ってもおかしくないけど、何か変だな」

それを言えば、岩永の動きも妙だ。厄介払いを名目にして、大友を貶めようとしているのかもしれない。優の狙いが分からない以上、大友が失敗する可能性は高いのだ。

だがあの男は、僕の失敗がそのまま警察の失敗と見なされると気づいていないのだろうか。


「送らなくていいです。忙しいんでしょう？」署を出た途端、こちらの意図を読んだように優が言った。既に夕暮れが街を赤く覆い、一段と気温は下がっている。寒さのせいか夕日に照らされてか、優の顔もわずかに赤くなっていた。

「いや、僕は暇ですから」大友はさらりと答えた。

「警察官が暇だと困りますね。税金の無駄遣いですよ」優が皮肉で返してくる。

「アイドリング状態になる時もあります……どちらに行きますか？　事務所か、家か」

「家に。片づけないと」

それほど荒らしたつもりはないのだが、と大友は首を捻った。家宅捜索されると、まるで泥棒に入られたように感じる人もいる。普段人が入らない自分だけの空間を荒らされた、と思うのだ。

「仕事は大丈夫なんですか」

「とっくにご存じだと思いますけど、うちの事務所、それほど仕事はないんです」

「そうですか」

それ以上質問を受けつけない気配だったので、大友は無言で彼女の一メートルほど後ろに位置を取って歩いた。優は大友の存在を完全に無視して、精一杯のスピードで歩いて行く。とはいっても、こちらの存在を隠す必要もないので、追いかけていくのは楽だった。少し脅かしてやるか……悪戯心が湧いて、大友はバッグに手を突っこみ、歩きながら変装を始めた。軽く整髪料がついた髪の分け目を変え、眼鏡をかける。黒いフレームの強い印象のものだ。馬鹿馬鹿しいと思いながら、顎用のつけ髭も使う。寒さを我慢してコートを脱ぎ、腕に引っかけた。全て終えたところで、前方の信号が赤に変わり、優が突然振り返る。大友の気配が消えたと思ったのかもしれない。一瞬見失った様子で、左右をきょろきょろと見回したが、変装に気づくと思い切り顔をしかめる。

大友はコートを着こみ、彼女の横に並んだ。

「何なんですか、それ」

「分からなかったでしょう」顎髭をそっと押さえる。しばらく使っていなかったので、つきが悪くなっているようだ。

「ええ、まあ」決まり悪そうに優が認める。「本当に変装するんですか?」

「言ったでしょう？　昔、演劇をやっていたって」

「趣味が仕事に生きてる？」

「そういうこともあります」

優が派手に溜息をついた。

「あなたといると、何だか疲れるわ」

「よくそう言われるけど、どういうことなんでしょうね」

目を細め、優が大友を睨みつける。まだ何か言いたそうだったが、信号が青になったので、周囲の人の流れに合わせることだけに集中して歩き出した。

署から優の家まで歩いて十分。かなり急いだせいもあって、家につく頃には、コートがいらないほど体が暖まっていた。さっさと店舗脇の階段を上がろうとした優に声をかける。

「こういうところに住んでいるのは、どんな気分ですか」

「何が言いたいんですか」階段に足を一歩かけた優が振り返る。

「ほら、こういう都心部って、もう人が住んでいないような感じがするじゃないですか。住人が少なくなって、お祭りができないなんていう話も聞くし」

「この街は死んでません。ご近所のつき合いはちゃんとありますよ。牛乳屋さんもあるし、すぐ近くで雑貨屋さんも営業してます。コンビニなんかよりよほど便利ですよ」

「あなたはどうして弁護士になったんですか」

「これ、取り調べなんですか」優の眉根が寄る。

「世間話ですけど、何か問題でも？」

優が半身をこちらに向けたまま、硬直した。さっさと階段を上がってしまえば、今日はもう面倒事から解放されるはずなのに、敢えて自分からややこしい状況に飛びこもうとしているように見える。階段にかけた右足をゆっくり下ろすと、鍵を取り出して店のシャッターの鍵を開けた。油の切れた騒がしい音を残してシャッターが完全に開くと、ガラス戸の向こうに店の残骸が浮かび上がる。入り口――道路に向かって直角に本棚が五つ。それぞれの間隔は狭く、人のすれ違いは不可能だ。棚はそれぞれ天井まで高さがあるせいか、圧迫感も強い。

優がさっさと店に入った。大友が躊躇っていると、開いたガラス戸から顔を突き出し、「どうぞ」と無愛想に言う。大友が足を踏み入れると同時に、店の灯りがぱっと点いた。がらんとした本棚が浮き上がり、暗かった時よりも寂しそうな印象に変わる。しかし一冊も本がないのに、何故か本の存在を強く感じる。古本独特の黴臭さは、店を閉めて何年経った後も、未だにここに居座っているようだった。本の亡霊。元々レジがあったらしいカウンターの奥に優が入る。がたがたと音がして、彼女が椅子を引いてきたのが分かった。大友が高いカウンターに肘をつくと、一度座った優がまた椅子を引き、少し距離を置く。

「懐かしいですね、古本屋さんの雰囲気」

「そうですか」

「学生時代、古い脚本やシナリオの雑誌を捜して、あちこち歩き回ったんですよ。この辺りにもよく来ました」

優が口を開きかける。口の形からして「へえ」と相槌を打ちたかったのではないか、と思ったが、すぐに唇をすぼめ、言葉を呑みこんでしまう。

「しばらく、私があなたにつきます」

「つくって、どういうことですか」優が目を細めた。

「率直に言えば監視ですね」

「本人にそう言ったら、監視にならないんじゃないですか」優が乾いた声で笑った。相変わらず、こちらの動きを馬鹿にしている。

「そもそも監視なんかいらないと思うんですよね」大友は顎髭を引き剝がした。少し痒い。「あなた、逃げるつもりなんかないでしょう」

「ええ、何しろ――」

「やったのはあなたなんだから」

大友が言葉を引き取ると、優が思い切り険しい表情を作って大友を睨みつけた。

「共犯じゃないんですか？　二人で共謀して犯行に及んだ」

「まさか」

「じゃあ、あなたの単独犯ですか？」

「何度もそう言ってますよ」

「なるほど。金は人の目を曇らせるんですね」

「下らない感想は結構です」

またも現れる、頑なな態度。大友は大袈裟に溜息をつき、話を切り替えた。

「正直言って、この状況には困ってるんですよ。日曜日、どうするかな」

「はい？」優が首を傾げる。

「息子のサッカーの試合に顔を出す約束をしてるんです。かといって、あなたを放っておくわけにはいかない」

「どうぞご自由に。私は逃げませんから」

「そうだとは思いますけど、『そうですか』と納得するわけにもいかないんです」

「そんなの、あなたの勝手な事情でしょう。だけど何なんですか？　子どものサッカーと仕事と……」

「どっちも大事なんですよね」微笑みながら大友は言った。「子育て優先が僕のモットーなんですけど、仕事も好きですから」

「こんな下らない仕事でも？」

「一つ、訂正させてもらっていいですか？　あなたの言葉を」

「訂正されるようなことは言ってません」優がきっと唇を引き結んだ。

「弁護士さんは、簡単には間違いを認めないんですね。それはそうなんだろうなあ。間違いを認めたら、裁判で負けることになりますよね」

「いい加減にして下さい。何が言いたいんですか」

「下らない仕事とおっしゃいましたけど、それは間違ってます。僕のやっていること一つ一つは馬鹿馬鹿しく見えるかもしれませんけど、それは全て殺人事件の捜査のためです。それを下らないとは言って欲しくないですね」

それでも優は、謝罪しようとはしなかった。たとえ明らかに間違っていても、軽々に謝らないのが、弁護士という人種なのだろう。

「僕にとって、捜査は非常に大事なことなんです。そこのところを、よく覚えておいて下さい」

「お説教なら結構です。だけど、あなたたちが分かっていないこともありますよ」

「例えば？」

「自分たちが独善的になっていること」

「今回もそうだと言うんですか」

「一般論です、一般論」優が他人事のような口調で吐き捨て、大きな目を見開いて大友を凝視した。「心配しないでも、私は逃げませんよ。逃げる必要もないし、今後も警察の捜査には協力するつもりです。どうぞ、サッカーの試合でも何でも行って下さい」

あれが協力というなら、完全黙秘を貫いてもらった方がよほど楽だ。大友は肩をすくめようとして思い止まった。何をやっても反撃される感じがする。

「ペットボトルの件ですけど」優が突然切り出した。

「灯油の話ですか？」

「あの件は、警察でも分かっていたんでしょう？　現場を分析すれば、かなり詳しいことが分かりますよね」

「どうですかね。僕は、詳しい事情は知りません。だいたい、『分かっていた』というのはどういう意味ですか？」

「文字通りの意味ですけど」

「証拠を見つけて、渋谷さんに突きつけたというような？　ペットボトルは見つかっていないんですよ」

「文字通りの意味です」

意味不明だ。さらに突っこもうとしたが、優はそれ以上の証言を拒絶するように唇を引き結んでしまった。大友はカウンターから肘を引き剝がし、ゆっくりと一礼した。

「今夜と明日のご予定は？」

「今日はこのまま家にいます。明日は事務所に。書類仕事が溜まっていますから」

「今日一日潰れたから、仕事も大変でしょうね」

「ええ。貧乏暇なしです」

「逮捕されるのを覚悟した人なら、仕事の整理ぐらいつけておくのが普通じゃないですか」

優が押し黙る。痛いポイントをついた、と大友は確信した。まるで優は、今日一日が過ぎれば何事もなく仕事に復帰できると思っているようではないか。自首してきた人間の態度とは思えない。やはり愉快犯――警察をからかおうとしていたのか。だが、彼女がそんなことをする理由が分からない。弁護士というのは、それほど暇ではないはずだ。

　だったら何の目的がある？　考えても、大友には彼女の真意がまったく読めなかった。

　店の外へ出て、彼女が自宅へ戻る階段を上がって行くのを見送る。二階の灯りが点《つ》くのを見届けてから、その場を離れた。家の周りをぐるりと一周してみる。優の家と同じぐらい古い牛乳屋と、こちらはまだ真新しい細いビルに挟まれている。三つの建物はほとんどくっついており、間に入りこむことはできない。背後に回って細い路地を見つけ、そこから家の裏手に回ってみた。

　この路地は比較的人通りが多いようで、煙草の吸い殻やジュースの空き缶が道端に落ちている。アスファルトの割れ目からは、しぶとく雑草が顔を出していた。すっかり暗くなっていたが、優の家から漏れる灯り、それにビルの非常灯が、少しだけ闇を薄めている。

　大友は一つだけ、気になることがあった。電話やメールで、優と渋谷が連絡を取り合っていた形跡はない。だが、直接会う手はあるのではないか。渋谷が家の下に来て、二階の窓から顔を出した優と会話を交わすのは難しくはない。いや、それでは声が大き過ぎて、目立ってしまうか……ここは裏道だが、人通りは少なくないわけで、上と下で大声で喋っていたら、すぐに通行人が怪しむだろう。

ふと気づいて、隣のビルの非常階段を上ってみる。二階の踊り場まで来ると、優の家の二階とほぼ高さが同じで、二メートルほどしか離れていないのが分かった。非常階段は自由に上り下りできるし——さすがにドアは外からは開かないようになっていたが——ここならそれほど人目を気にせず、小声でも話ができるだろう。電話でもメールでもなく、二人がここで直接会って、相談していた可能性は十分ある。

気になったら調べないと気がすまない。大友は優の家を離れ、「シブタニスポーツ」本店を目指して歩き始めた。毛細血管のように入り組んだ細い道路を伝い歩き、五分。あっという間だ。仮に会う時間を決めて渋谷が優の家に行けば……渋谷は事件の後、彼女と会っていたのではないか。とんでもないことをしてしまった、どうすればいい、と困窮した場合、相談相手として弁護士は極めて自然な存在である。顔見知りならば尚《なお》さらだ。もっとも、高校を卒業して十年以上も会っていないとしたら、全く知らない弁護士に泣きつくのも同じだろう。少しでも知っていれば……いや、二人は少なくとも二年前には同窓会で会っているはずだ。

大友は手帳を取り出し、控えておいた村上の電話番号を携帯に打ちこんだ。まだ仕事中だろうか、と考えながら応答を待つ。呼び出し音が二回鳴ったところで、村上が電話に出た。

「昼間お会いした警視庁刑事総務課の大友です」

「ああ……ちょっと待って下さい」村上が席を立つ気配が感じられた。まだ会社で残業中なのだろう。背後はざわついていた。しばらくすると、村上の声だけが聞こえてくる。

「お待たせしました」

「用件は簡単です。二年前に同窓会があったとおっしゃいましたよね？　そこに出席していた人を教えてもらえませんか」

「それは、こっちで当たってみるつもりだったんですけど」声を潜める。スパイの流儀。

「すぐに知る必要が出てきましてね。こちらで当たってみます。一人か二人……特に女性の方がありがたいんですが」


大友は秋葉原へ移動し、原色のネオンサインに身を晒していた。この街の奇妙なエネルギーは何なのだろう。来る度に全体がどぎつく、派手になり、浮き世離れした印象が強くなっている。

連絡を入れておいた優の高校の同級生、八田茜《はったあかね》が、約束の時間に五分遅れてビルから出てきた。家電量販店で、店の看板には数か国語で「ようこそ」の文字――ハングルや中国語が読めるわけではないが、日本語の文句から類推した――がある。営業が終わって店の灯りが落とされ、最後まで粘っていた中国人らしい買い物客が次々と吐き出されてきた。

「どうも」茜が息を整えながら言った。細身のジーンズに薄いダウンジャケットという軽装である。

「遅くまで大変ですね」

「疲れます」

愛想のいい女性だ、と大友は判断した。接客業の場合、仕事が終わると急に無愛想になる人と、仕事をそのまま引きずって笑顔が崩れない人がいる。彼女の場合、後者だろう。にこやかな表情に騙されてはいけない、と大友は気を引き締めた。家電量販店で一日立ち仕事を続けて疲れた後、訪ねて来た刑事に対して上機嫌でいられる人間はいない。

茜がちらりと腕時計を見た。時間がないと強調することで、この場の主導権を握ろうとしている。大友は「その辺でいいから話しましょうか」と持ちかけた。

「その辺って？」

「ビルの裏でも、どこでも」

「ああ」茜の笑顔が崩れ、気の抜けた表情が取って代わった。「それじゃ、うちのビルの裏でいいですか？　そこ、煙草が吸えるんで」

「いいですよ」

彼女についてビルの裏に回る途中、自動販売機で暖かいお茶を二本買った。ペットボトルを差し出すと、茜が煙草に火を点けながら頭を下げ、同時に手を差し出して受け取った。全てよどみない仕草である。煙草をくわえたまま、煙を避けるために目を細め、キャップを捻り取る。煙草を左手に、ボトルを右手に持って、熱いお茶を呷《あお》った。口を離すと「ああ」と短く溜息を漏らし、元の営業用の笑みに戻る。

「あなたの高校の同級生、渋谷さんが亡くなったのはご存じですね」

「ああ、はい」営業用の笑みは一瞬で崩壊し、無愛想な素顔が覗いた。「警察に殺されたって聞いてますけど」

「否定はしません」

茜が目を大きく見開いた。信じられないと言いたげに首を振り、大友に視線を据えたままお茶を飲む。

「認めちゃうんですか？」

「率直に言えば、早く逮捕していれば安全は確保できたはずです。留置場に入っていれば、二十四時間監視つきですから」

「それも嫌な話ですけどね」茜が喉に手を当てた。「それで、今日は何なんですか」

大友は敢えて遠回りすることにした。

「渋谷さんって、高校時代はどんな人だったんですか？」

「遊び人」茜がくすくす笑った。「サーフィンにはまってて、学校をさぼってしょっちゅう海へ行ってました。あ、でも、一応真面目に砂浜の清掃運動も熱心にやってたはずですよ。ペットボトルなんかが平気で捨ててあるのが許せないって」

「自分の遊び場が汚されるのが我慢できなかったんですかね」店のポスターを思い出す。

「そんな感じだと思います。変なところで正義感が強いから」

「ところであなた、篠崎さんを知ってますね？　篠崎優さん」

「ええ。それが何か？」急に顔に不安な表情が過《よぎ》る。

「よく会いますか」

「いや、そうでもないです。この前会ったのって……一年ぐらい前かな。それもたまたまですよ。私が仕事を終わって秋葉原の駅の方に歩いて行ったら、大荷物を抱えた優とばったり出くわして。何か仕事の途中だったみたいですけど、自分の体より大きそうな荷物だったから驚いちゃったんです。弁護士って、いつもあんなに大荷物を持って動き回ってるんですか？」

「資料は多いようですよ。それで、篠崎さんは、渋谷さんとは知り合いだったんですか？」

「それは同級生なんだから、当然――」

「同級生以上の関係ということはないですか？　それこそ男女の仲とか。二年前に同窓会がありましたよね？　それには二人とも出席していたんですか？」

「ええ、いました。だけどそれは……まさかねえ」茜が鼻で笑う。「全然別の世界の人間同士だから。弁護士とちゃらんぽらんな若旦那と。あ、でも……」

「何でしょう」大友は一歩詰め寄った。きつい煙草の臭いが鼻を突く。

「実は、そういう噂もあって」

「恋人関係だと？」

「本当かどうかは分からないけど、二人が会っているのを見た娘がいるんですよ。一か月……もう少し最近かな？　あの事件の後です」

「正確にいつだったか、分かりますか」大友は鼓動が激しくなるのを感じた。

「私は又聞きしただけだから……だけどそんなこと、知りたいんですか？」

「重要なことかもしれません」

「ちょっと待って下さい」茜が携帯電話を取り出した。大友に背を向けると、ほとんど聞き取れないほどの小声で誰かと喋り始める。

「ああ、私……今ちょっといい？　あのさ、この前優と渋谷君が一緒にいたの、見たって言ってたじゃない？　そう、あれって……」

そこから先はほとんど聞き取れなかった。左手に煙草、右手にペットボトルを持ったまま、茜は器用に電話を掌で覆い隠しながら話している。五メートルほど歩くと、まだ喧噪が渦巻く夜の秋葉原なのだが、一歩奥へ入ってしまうと、奇妙なほどの静けさが支配している。

「分かった。じゃあね、ごめん。うん、詳しいことは後で話すから」

ことさらゆっくりと携帯電話を閉じ、茜が振り返った。

「十二日前です。優の家の近くの喫茶店」

十二日前……渋谷が初めて警察に呼ばれた日だ。捜査の手が伸びてきたので、慌てて弁護士に相談したということだろうか。しかし何故優を選んだ？　昔馴染みだから？

第二部　拉致

1

　金曜日の日中は大きな動きがなく過ぎた。帰りの小田急線はまだ混み合い、大友は町田までとうとう座れなかった。夜十時過ぎ、聖子の家から優斗を引き取る。今夜もまだ夕飯を食べていない。何故か敏感に事情を察した聖子が、「夕飯の残りの煮物、あるわよ」と誘ってきたが、勇気を持って断った。腹は減っていたが、すぐに説教に流れがちな彼女の話を聞きながら、食事をする気にはなれない。

　この時間だと、優斗はダウン寸前だ。何とか寝間着から着替えさせ、おぶって家路につく。本当はこのまま聖子の家で寝かせておきたかったが、今夜はどうしてもその気になれなかった。家に着くと玄関先で優斗を下ろし、もう一度寝間着を着るよう、急き立てた。優斗は寝ぼけ眼でぼそぼそと文句を言ったが、何とか服を換えると、すぐにベッドに潜りこんでしまった。大友はほっとして息子の寝顔を見ながら、食料を調達し忘れたことに気づいた。いつも土日にたっぷり買いこむことにしているのだが、明日は仕事で動けない。……そもそも今日の夕飯はどうしようか。

冷蔵庫を開けると、ビールだけはたっぷり見つかった。一本取り出し、しゃがみこんで他の食べ物を確認しながら喉に流しこむ。冷たいビールは、空きっ腹にやけに染みた。冷凍保存しておいたご飯ももうない。あとは非常用のインスタントラーメンか……実は優斗は、インスタントラーメンが大好きだ。いつ出しても喜んで食べる。それ故、大友はなるべく作らないようにしていた。子どもの頃からこんなものばかり食べていたら、きちんと育たない。

まあ、今日は仕方ないな。どうせ僕が食べるだけだし……大友は鍋に湯を沸かし、わびしい夕食の準備に取りかかった。具材はほとんどない。かまぼこを入れても合わないだろうし……卵しかないか。醬油味のラーメンなので、溶いた卵を細く垂らしてかき玉風にしよう。一応一手間かけた食事だと、自分を納得させる。

菜緒の不在がひどくわびしく感じられるのはこういう時である。彼女が元気だった頃は、どんなに遅くなっても軽い食事が用意してあった。さすがに日付が変わる頃に帰宅すると重い物は食べられなかったが、夕食を抜いたまま寝てしまうと体によくない、というのが彼女のポリシーだった。幸いなことに太らない体質だったので、いつも彼女の食事をありがたく食べていた。

それが今はこれか……三分で作り、三分で食べ終え、残ったビールを流しこんで終了。

今から買い出しに行こうか、とふと思った。近くに、午前零時まで開いているスーパーがあるのだ。出かけるのは面倒だが、ここで踏ん張らないと、来週の食生活はコンビニ中心になってしまう。それが聖子にばれたら、と考えると思わず身震いした。

よし、と自分に気合いを入れ、大友は部屋着のジャージからジーンズと赤いパーカー、ダウンジャケットに着替えた。財布と携帯電話をポケットに突っこみ、家を出た瞬間、携帯電話が鳴り出す。こういう時は、ろくなことがない。福原が督励で——あるいは嫌みを言うためにかけてきたのではないかと思ったが、柴だった。

「よう、優斗はもう寝たか？」

「何とか」

「そうか……話していて大丈夫か？　優斗が起きるとまずいだろう」

「今、ちょっと外へ出て来たんだ。冷蔵庫が空っぽでね。何か補給しておかないと、来週はひどいことになる」

「歩きながら話せるか？」

「いいよ」大友は電話を右手から左手に持ち替えた。ビールの軽い酔いが、頭を少しぼんやりさせている。

「マル対、寝たみたいだ」

言われて時計を確認する。十時半。柴が監視を始めてから、二時間も経っていない。

「ずいぶん早いな」

「そりゃ、疲れてるんだろう。いろいろあったんだから」

「実は僕も相当参ってるんだ。結局特捜では、ほぼ悪戯だと判断した」

「ああ、その話はさっき高畑から聞いた。それにしても、これからどうしたもんかね」

「相手が寝たなら、今夜はもういいよ」

「夜中に動き出すかもしれないぜ。それを逃したらまずいだろう」

「本当は、僕が一人で張りついているべきなんだ。お前にこれ以上迷惑をかけるわけにはいかない」

「俺は別にいいよ、どうせ暇だからな」柴が軽い調子で言った。「趣味は張り込み」とでも言い出しそうである。「明日の朝まで粘ってやるよ。それから交代しようぜ。朝飯を奢ってくれればチャラだ」

「ずいぶん安い時給だな」

「何か美味いものを見繕ってくれ。コンビニのサンドウィッチなんかじゃ駄目だぜ」

「分かったよ」そんなこと言われてもな、と大友は溜息をついた。

「九時でいいぜ。優斗のこともあるだろう」

「すまない」

「気にするな。それより優斗に俺のことを宣伝しておいてくれよな。パパを助ける格好いいお兄さんだって」

「それはいいけど、優斗の受けが良くなると、何かいいことでもあるのか？」

「子どもに人気がある方が、女子受けもいいんじゃないかね……お前みたいに」

「それはないだろう」

「その鈍さ、致命的だぜ」柴が溜息をついた。「とにかく、スペシャルな朝飯を頼むぜ。期待してるからな」

柴は一方的に電話を切ってしまった。張り込みを代わってくれるのだからありがたい話だが、この押しつけがましさは何とかならないだろうか。とにかく、ちゃんとした朝食を用意しないと、後々文句を言われそうだ。仕事が一つ増えたな、と溜息を漏らしながら、大友はスーパーの灯り目指して歩調を速めた。


「これ、朝飯」大友は助手席に滑りこむと同時に、柴の顔の前に紙袋を差し出した。

「お、サンキュー……何だ、お前の手製か？」

「不満か？　昨夜のうちに一生懸命作ったんだぞ。優斗は美味いって言ってくれた」

「ありがたくいただくよ……ツナサンドか」柴がアルミフォイルを破り、サンドウィッチにかぶりつく。大きく顎を動かしながら咀嚼していたが、呑みこむ前に、はっきりしない口調で「美味いじゃないか」と褒めた。

「それは、食事を作るのも上手くなるよ。毎日やってるんだから」

ディルピクルスとタマネギのみじん切りを薬味に、からしマヨネーズをたっぷり利かせ、隠し味に砂糖を少し加えたサンドウィッチ。パンを白黒二種類使っているのは、優斗の好みである。

「これじゃ嫁さんが来ないわけだ」柴が憎まれ口を叩いた。

「別に募集してないから」

「もったいない」サンドウィッチを三口で食べてしまい、柴が缶コーヒーを喉に流しこんだ。「この前の合コンも、惜しかったよな。指導官の呼び出しがなければ、絶対上手くいってたぜ。あの絵里子ちゃんだっけ？　お前にえらくご執心だったよ。電話番号とメルアドを教えて欲しいって言われてるんだけど、どうするよ」

「張り込み中に電話が鳴っても困るな」

「そりゃそうだ。じゃあ、落ち着いたら連絡しておくけど、いいよな？」

「ああ」人のことより自分のことじゃないか、と言おうとして言葉を呑みこむ。柴の方が大友よりもずっと結婚願望が強い。自分の再婚が先になったら、大事な友人が傷つくのではないか、と大友は懸念していた。「それより、昨夜は何もなかったのか？」

「実は、あった」

「それを先に言えよ」大友は道路の向こうの優の家を凝視した。二階と三階の窓は、カーテンも閉まったままである。土曜の朝九時……仕事は溜まっていると言っていたが、朝寝坊していても不思議ではない。疲れていないはずがないのだから。「何があったんだ？」

「夜中の二時頃だったかな。三階の窓が開いて、彼女が顔を見せたんだ——確かになかなか可愛い娘だよな」

「そういう問題じゃない。何をやってたんだ？」

「何もしてない。空気の入れ替えっていう感じだったな。それが、急に電話が鳴ったんで、振り向いて部屋の奥へ消えちまったんだよ。窓を開けたままで……さすがに声は聞こえなかったけど、携帯だったんじゃないかな」

「夜中の二時に電話？」ふと目を覚ますことはあるだろうが、春まだ浅き夜に、わざわざ空気の入れ替えをする人間はいない。

「俺の聞き違いじゃなければね」柴が自分の右耳を引っ張った。「五分ぐらい話していて、窓が閉まった。すぐに灯りも消えて、それっきりだったけどね。今朝も出かけた様子はない。裏口はないんだよな？」

「僕に聞くなよ。どうせチェック済みなんだろう？」

「まあね」柴がにやりと笑う。「通話記録を調べれば、誰と話していたかは分かるはずだ。やってやろうか？」

「いや、それは僕がやる。お前を余計なことに巻きこむと、怒る人もいるだろうから」

「そんなこと、何でもないけどね……お前、何でもかんでも自分一人でできると思うなよ。抱えこみ過ぎるとヘマするぜ。そうしたら、笑う奴がいるんじゃないか？　岩永さんとか」

「ずいぶん含むところがある感じだな」

「正直言って、あの人、あまり好きじゃないんだ」柴が肩をすくめ、朝食のゴミをまとめて紙袋に突っこんだ。「さて、俺はこれで失礼するよ。一眠りしてから、通話記録の方を調べてみるからな」

「分かった。頼む」

「任せろ……ところでお前、今日、何だか背が高くないか？　歩いて来るのを見た時、別人かと思ったぜ」柴が、助手席の大友をまじまじと見た。

「先に白髪のことを言うかと思った」

「それが変装だってのは、見ればすぐ分かるよ。問題は身長だ」

「ああ」大友はそっと髪を撫でた。昨夜遅く、髪を染めたのだ。朝、優斗がぎょっとして目を見開いたぐらい、印象が変わっている。今日は念のため、優に気づかれないようにしようと考えていた。「背の高さは、秘密兵器のおかげだ」

「まさか、シークレットブーツ？」

「こういうのを通販で買うのって、何だかすごく恥ずかしいな。八センチ、背が高くなるそうだけど、こっちへ来る電車の中で何度も転びそうになって困ったよ」

「転びそうになったら、彼女に助けてもらえばいいじゃないか。まあ、身長が違い過ぎるかね」柴が車のエンジンをかける。それを機に、大友は助手席のドアを押し開けて外へ出た。運転席の窓が降り、柴が右手を突き上げて別れの挨拶をしながら去って行く。

いい男だ。実に頼りがいがある。それなのにどうして恋人ができないのだろう？

　優の家から少し離れた電柱の陰で一時間。大友の手元の時計で十時二十分になったところで、優が階段から降りてきた。特に周囲を警戒する様子もなく、西へ向かって歩いて行く。裏道を通って太田姫稲荷《おおたひめいなり》神社の脇を抜け、明大通りへ。方向的には、シブタニスポーツ本店の方だ。しかし彼女は結局そちらへは向かわず、お茶の水スクエアA館の横を通って坂の途中の交差点を渡り、細い道に入って行った。この近くに、彼女の出た小学校があるはずだが……すぐに靖国通りにぶつかり、そのまままさらに西へ向かう。ほどなく、神保町の交差点の手前で、煙草屋の横の出入り口から地下鉄の駅に降りていった。

　今のところ、気づかれた様子はない。背が高くなっているのもそうだが、今日は膝まであるダッフルコートにジーンズというラフな格好なのだ。それに髪を白く染め、付け髭を使った上に眼鏡――薄く色の入ったサングラスもかけている。見破られない自信はあった。

　優は深い場所にある半蔵門線のホームまで降り、渋谷方面への電車を摑まえた。土曜日の渋谷方向なので車内はがらがら。優が一番端のシートに座ったので、大友は同じ車両の反対の端で立ったまま、彼女を観察した。膝丈のAラインコート、そこからわずかにはみ出す長さのスカート、タイツは黒という地味な格好である。仕事でもプライベートでも通用するスタイルだったが、バッグが少しカジュアルな布製のトートなので、仕事ではないと判断した。だいたい事務所へ行くなら、歩いて十分ほどしかかからないわけで、地下鉄に乗る必要はない。疲れた様子で、シートに座った途端に目を閉じた。ということは、かなり遠くまで行くのか……しかし「九段下」のアナウンスがあると同時に目を開き、すっと立ち上がる。大友は彼女の近くまで移動し、背中を追って同じドアからホームに下りた。

優は迷わず東西線のホーム経由で七番出口から外へ出ると、昭和館を背にして目白通りを歩き出した。すぐに、少し離れたところにあるホテルに足を踏み入れる。午前十時半にホテル……いったい何をするつもりか。

一階にあるカフェに迷わず入ると、係員に案内されて空いた席に腰を下ろす。少し遅れて入った大友はバッジを見せて、彼女の背中が確認できるテーブルに陣取った。後は待つだけ。メニューを見るふりをしながら、優の背中を見守る。彼女は誰かと待ち合わせしているようで、きょろきょろと周囲を見回していたが、やがて落ち着きを取り戻し、バッグから新聞を取り出した。やけに字が細かく多いところを見ると、日経らしい。大友はダミーの小道具をメニューから携帯電話に変え、ちらちらと彼女の様子を観察した。

待つこと十分、自分の脇を誰かが風のように通り過ぎたのに大友は気づいた。まだ横に置いておいたメニューが煽られるほどの勢い。こんな場所で走って……と顔をしかめたが、相手が優の正面――大友の正面でもある――に座るのを見て、思わずうつむいた。

東日新聞の沢登《さわと》有香《ゆか》ではないか。以前、誘拐事件の捜査の時に、大友にしつこく食いついてきたことがある。最後は上手く振り切って、その後は会っていないが……粘り強い記者だという印象がある。僕のことも忘れていないだろう。あの時のことを思い出したら、攻撃してくるかもしれない。

大友はうつむいたまま、次の手を考えた。このままここで張り込んでいると、いくら変装しているとはいえ、有香に気づかれてしまう可能性もある。いったんロビーまで引いて待機する方が安全だ。立ち上がった時、有香が煙草を引き抜いてくわえるのが見えた。店員が慌てて飛んできて何か伝えると、有香が不機嫌そうに煙草をパッケージに戻す。どうやらこの時間帯は禁煙らしい。

大友はレジのところで店員に声をかけ、二人の監視を頼んだ。

「どういうことでしょうか」店員は迷惑そうに顔をしかめた。

「こっちの顔を見られたくないんですよ。後から来た連れの人は新聞記者でしてね。いろいろ煩いから」

「ああ」店員が納得したようにうなずく。

「二人が出て来たら、合図してもらえると助かります。私はロビーで待機していますから」

「分かりました」

大友はロビーの一角、エスカレーターの下にあるソファの一つに腰を落ち着け、足を組んだままじっと「待ち」の体勢を取った。そのまま三十分。話は長引いている。二人が以前からの知り合いという可能性はないだろうか。大学の同級生とか……もちろん記者と弁護士なら、取材の名目で会っていてもおかしくない。あと三十分はかかるのではないかと覚悟を決めた瞬間、視界の隅で黒服がすっと動くのが見えた。そちらに視線を飛ばすと、先ほどの店員が必死の形相で右手を振っている。大友は右手を振り返して、ソファから立ち上がった。そのまま目立たないロビーの端に移動し、二人の動きを見守る。

二人は並んで店から出て来た。依然として、大友には気づいていない様子である。有香はしきりに優に話しかけており、周囲を見ている余裕がないようだった。優はどこか空ろな表情でうなずきながら話を聞いていたが、その唇は一本の線に引き結ばれたままだった。

ホテルを出ると二人はすぐに別れ、優は飯田橋一丁目の交差点方向へ、有香は九段下の駅に向かって歩き出した。別れ際にも、名残惜しそうな様子はなかった。互いに義務的に頭を下げただけであり、二人の関係が容易に想像できた。昔からの知り合いではなく、弁護士と記者。取材される側とする側。

どちらを追うか……有香と接触するのは難しくない。以前彼女が押しつけてきた名刺には携帯電話の番号も書いてあった。ということは、取り敢えず優だ。行き先はだいたい想像がついたが。

優は首都高池袋線の下をくぐり、大友の予想通りに、そのまま事務所の方に向かった。例の古いビルの下まで来るとトートバッグから鍵を取り出し、エレベーターの中に消える。大友はエレベーターが五階まで上がるのを確認してから、一旦向かい側の歩道にまで退いた。取り調べで時間が潰れてしまったので、予告していたように、その分の仕事を取り返すつもりなのだ。わざわざ鍵を取り出したということは、所長の黒原は不在なのだろう。あの男は、一週間に五日働くのも辛そうだ。土曜日に仕事をするとは考えられない。

優はこのまま放置しておいて大丈夫だろう。取り敢えず大友にはやることができた——昼飯を一緒に食べる相手を確保した、と思った。

東日新聞の本社は銀座にある。かつてこの街には、新聞社が軒を連ねていたのだが、一社ずつ撤退してしまい、全国紙で残っているのは東日だけになってしまった。地方紙の東京支社は、依然としてこの街に集中しているのだが、もはや新聞街のイメージはない。本社ビルを見渡せる道路の向かい側に立ち、大友は携帯電話を取り出した。土曜の昼前、銀座は賑わい始めているが、一昨日訪れた秋葉原と同じように、中国語がやけに耳につく。

電話を入れると、有香が眠そうな声ですぐに応答した。先ほどはてきぱきと動いていたのだが、あれはあくまで取材用ということか。

「はい」

「大友です。警視庁刑事総務課の大友」

「大友さん？」一気に目が覚めたように、有香の声のボルテージが上がった。「どうしたんですか？　大友さんが電話してくるなんて」

「昼飯でもどうですか」

「まさか、デートの誘いじゃないですよね」警戒するような声色だった。

「もちろん、仕事ですよ」手首を出して時計を見た。「ちょうど昼飯時ですから、食事にお誘いしているだけです。この辺でどこか、美味い店はありませんか」

「この辺って、銀座ですか？」

「もちろん」

「それはいくらでもありますけど……」有香が口を濁した。疑っているのだろう。弁護士と会った直後に刑事が電話してくる——普通の感覚を持った新聞記者なら、「何かある」と疑うのが普通だ。

「まあ、あれです」大友はわざとぎこちない話し方を選んだ。「前に、電車でまいちゃったことがあったでしょう？　その時のお詫びですよ」

「ずいぶん古い話を持ち出すんですね」

「何だか借りがあるような気がして。ここで返しておきたいですから」

「そういうことなら構いませんけど……大友さん、今どこにいるんですか」

「ちょうど御社の向かいに立って、電話してます」

「そうですか」有香が息を呑んだ。尾行、ないし待ち伏せされたと思っているのだろう。

だがしばしの沈黙の後、わざとらしい明るい口調で「いいですよ」と答えた。

「どこにしますか？」

「そこで待ってて下さい。すぐ摑まえますから」

摑まえる、という言葉に、大友は思わず苦笑した。何だか自分が犯人で、彼女の方が刑事のような気がしてきた。


有香は五分でやって来た。化粧っ気はほとんどなく、薄くルージュを引いているだけだった。大友の顔を見るなり、「韓国料理とかどうですか」といきなり切り出す。

「昼から焼肉はちょっと重いな」

「ビビンバとかですけど」

「それならいいですよ」

大友が同意すると、有香がにこりと笑った。どういうわけか、既に満足してしまったような感じだった。

二人は三分ほど歩き、三越の裏手にあるビルの地下へ潜った。既に満席に近く、店内では中国語が飛び交っている。大友が苦笑するのを、有香が素早く見咎めた。

「何か問題でも？」

「いや、いつの間に銀座は、こんなに中国の人が多くなったのかなと思って」

「ここ二、三年ですよ。でも、いいことじゃないですか？　日本人が買い物しない代わりに、彼らがお金を落としてくれるんだから。銀座って、アジアではまだブランド力が強い街なんですよ」

「経済部の人みたいな言い方だね」

「そんなの、常識じゃないですか」鼻を鳴らして、有香がさっさと店の奥に進む。コートを脱いで椅子の背に引っかけると、さっさと席についた。四角いテーブルで、大友は彼女の斜めの位置に座る。

「ラバーズポジション」有香がぽつりと言った。

「え？」

「恋人同士は、四角いテーブルを囲むと、斜めの位置に座ることが多い。友だちなら向かい側」

「女性誌的な視点もお持ちですか」

「それも常識です……石焼ビビンバにしませんか？　今日、寒いし」

「いいですよ」コーヒーつきで千円。銀座のランチとしては、安い方だろう。この状況では奢らなければならないので、安い方が助かる。

有香は、数か月前に会った時とほとんど変わっていなかった。漆黒の髪は首が隠れるほどの長さ。笑うと可愛いはずなのに、大友には怒っている顔の印象しかなかった。記者会見の席で、相手を追い詰める厳しい口調……敵に回したくないタイプだ。しつこいし、勘もいい。

「さて、本当の用件は何なんですか？　仕事だ、と仰いましたよね」注文を終えると、さっそく有香が切り出す。

「あなた、篠崎優という弁護士と知り合いですか」

「いきなり直球ですね」有香が苦笑した。「それはちょっと言えないと言ったら、どうします？」

「別のルートから調べることもできるけど、今あなたから教えてもらった方が、話が早い」

「お断りします」有香が馬鹿丁寧に頭を下げた。「取材相手のことは喋れません」

「取材相手だということは認めるんだ」

有香が舌打ちする。顔つきに似合わない、下品な仕草だった。

「大友さんを舐めちゃいけないってこと、忘れてました。いろんな人に警告されてたんですよ」

「どうせ変な警告でしょう」

「気をつけろって」今度は満面の笑み。こちらの方が、やはり彼女の魅力は表に出るな、と思った。

「どういうこと？」

「話してるうちに、何だか自然に喋っちゃうから、口を閉ざしてろっていうことです。逆ですよね。私の方が聞き出さなくちゃいけない立場なのに。でも、大友さんの能力が羨ましいですよ」

「自分ではそうは思わないけど」大友は肩をすくめた。

「稀にそういう人、いるんですよね」有香が溜息を漏らした。「意識しないで、相手の本音を引き出しちゃう人。刑事でも記者でも、そういうタイプは貴重ですよ」

「分からないな」

「無意識過剰だから困るんですよ、大友さんは……あの、一つ、聞いていいですか？」

「何でしょう」

「その髪は？　急に白髪になったわけじゃないですよね？　今何歳でしたっけ。三十三？」

「そうです」

「それと、急に背が伸びた感じがするんですけど」

「気のせいじゃないですか」

「仮装パーティとか？」

「職務上、と言っておきましょうか」付け髭と眼鏡は外しておいてよかった、と思った。

いくら何でも、そこまで変装したのを有香に見られたら、何を言われるか分からない。

「仕事のためにわざわざ髪を染めるんですか？　極端ですね」

「役者と同じですよ。ロバート・デ・ニーロなんか、体重まで増やしたり減らしたりするぐらいだから。それに比べれば、髪の毛ぐらいは、ね。これは洗えば元に戻るし」大友は前髪を引っ張った。

「でも大友さん、白髪になっても問題ないタイプですよね。死語かもしれないけど、ロマンスグレイとか。今よりもてるんじゃないですか」

「今よりって、今ももててるみたいな言い方だけど」

有香が先ほどより深く溜息をついた。

「だから無意識過剰だって言うんですよ。女の子、相当泣かしてるでしょう」

「まさか」

石焼ビビンバが運ばれてきて、二人の突っつき合いは一時中断した。有香がコチュジャンを大量に加えて、丁寧にかき回す。あんなに混ぜたら相当辛いはずだが……どうも有香は、正しく男らしい方向に向かっているようだ。辛いものが好きだし、ヘビースモーカーでもある。

大友はコチュジャンを加えなかったが、それでも十分辛かった。食べ進んでいくうちに額に汗が浮かび、体が中から熱くなってくる。おこげになった部分を器からこそげ落として食べる頃には、外の寒さを完全に忘れていた。

お絞りで汗をふき取っているうちに、食後のコーヒーが運ばれてきた。アイスコーヒーにすればよかったと後悔しながら、せめて舌を慰めるためにと、ミルクと砂糖をたっぷりと入れる。それでも一口飲むと、舌に痛みが走った。

「それで、篠崎優さんのことだけど」

「しつこいですね」有香が苦笑したが、目は笑っていなかった。「何も話せませんよ」

「じゃあ、一つだけ教えて下さい」大友は人差し指をぴんと立てた。「彼女と会うのは何回目ですか？」

「それも言えないなあ」有香が首を傾げた。「何であれ、ヒントになるようなことはパスします」

「何のヒントですか？」

「大友さんが知りたいようなこと。ねえ、大友さんこそ、何でそんなことを知りたがるんですか？」

「捜査の関係です」

「それ、便利な言葉ですよね。金科玉条」有香が腕組みをする。大友を射抜く視線は、完全にしつこい記者のそれになっていた。「それを持ち出せば、何でも秘密にしていいと思ってるんでしょう？」

「多くの場合は。でもそれは、あなたたちが『取材の関係で』と言うのと同じじゃないですか」

「こういう話、やめませんか？」有香がコーヒーを一口啜った。「絶対手詰まりになるから……って、もう手詰まりですよ。大友さんは私が喋らないことを知ってるし、私は大友さんが粘るのを分かってる。お互い時間の無駄でしょう」

「なるほど……ところで、お疲れですか？」

「何ですか、急に」有香が化粧っ気のない頰を擦った。

「いや、目の下に隈が」

「本当ですか？」有香が慌ててハンドバッグを探り、コンパクトを取り出した。顔を左右に振って覗きこんでから、大友を睨みつける。「嘘つかないで下さいよ」

「失礼。でも、疲れてるのは間違いないですね」

「昨夜泊まりだったんです」

そろそろこちらの手の内を明かすか、と大友は決めた。コーヒーカップを脇にどけ、身を乗り出す。

「泊まり明けだったら、朝の十時半に人と会うのは大変だったでしょう」

「まさか、見てたんですか」有香の顔から血の気が引いた。

「すぐ近くにいたんですけどね」

「大友さんが変装が得意って、本当だったんですね」有香が溜息をつく。「その白髪も そのためですか？」

「そんなところです」

「全然気づかなかったな。気をつけてたんだけど」

「これだけじゃないですから」大友はもう一度前髪を引っ張った。髪を染めるのはもうやめよう、と思う。痛むような気がするのだ。「それに、簡単に気づかれたんじゃ、意味ないですよ」

「そうですけど……まさか、盗み聞きなんかしてないですよね」

「したかったけど、そこまでは」大友は肩をすくめた。「いくら変装していても、盗み聞きできるほど近くにいれば、あなたは気づくんじゃないですか？」

「まあ、そうですね」

渋々認め、有香が煙草に火を点けた。ランチタイムは禁煙が常識になっていると思ったが、店内を見渡すとあちこちで紫煙が立ち上っている。

「脅かすようなこと、やめて下さいよ。何だか四六時中、気を使ってないといけないみたいだし」

「あなたを追いつめるつもりはなかったんです。たまたまですよ」

「一つだけ、ヒントを上げてもいいですよ」有香が悪戯っぽく笑った。

「いただきましょう」大友は膝に両手をついて背筋を伸ばした。

「ただし、条件があります」有香が人差し指を顔の横で立てた。

「何ですか」

「一回、デートしてもらえませんか？　こんな時間の貧相なランチデートじゃなくて、夜にゆっくり」

「それは、あなたが忙しくて無理じゃないですか」優斗を放っておいてデートはまずい。この前の合コンでも、かなりの罪悪感を抱いたのだ。

「時間なんか、何とでもなりますよ。私がいないと新聞が出ないわけじゃないし」

にっこりと笑う。本当に、という疑問を大友は呑みこんだ。彼女はある意味、柴と似ている。自分に関係ないことでも首を突っこみ、機会があれば自分の仕事にしてしまおうと狙っているタイプだ。警視庁クラブ詰めでもないのに、事件があるとよく取材現場に顔を出して、同僚の記者ばかりではなく刑事たちにも煙たがられている。

「まあ、その件はお互いスケジュールを調整して……僕の場合は、マネージャーに確認してもらえませんか？」

「マネージャー？」

「息子ですよ」大友は少しだけ歯を見せて笑った。「僕の予定は、全て息子の都合次第なんで」

2

「まだ記事にならない？　どういう意味だ、それ」

柴が怪訝そうな口調で訊ねた。声にはまだ眠そうな調子が混じっている。午後二時、徹夜明けの彼にすれば、まだ睡眠は足りていないだろう。大友は朝方と同じ変装をし、新神田弁護士事務所の前に立っていた。声色を変えて事務所に電話を入れ、優がいることは確認している。

「そこから先は、さすがに教えてくれなかった。今度デートした時にでも聞いておくよ」

「デート？　やめておけって。あんなじゃじゃ馬、一緒にいるだけで疲れちまうぜ。お前なら、もっといい娘がよりどりみどりだろう」

「情報を得るためには、何かを犠牲にしなくちゃいけないんだ」

「男の貞操とか？」柴が乾いた声で笑った。急に真面目になり、「昨夜の電話の件だけど、当たりだな」と話を切り替える。

「当たり？」

「篠崎優は、夜中に間違いなく沢登有香と話しているんだ。沢登から篠崎に電話があった。ただしその前――部屋の灯りが消える直前の午後十時頃に、篠崎の方から沢登に電話しているらしい」

「らしい？　はっきりしないな」

「篠崎優がかけたのは、東日の代表番号なんだ。そこから先、どこに電話が回ったかまでは分からないんだよ」

「なるほど」何が起きたのか、瞬時に理解できた。優は有香と接触したかった――おそらく何かネタを与えるために。だが有香の携帯の番号が分からなかったから、東日の代表番号にかけて呼び出したのだろう。有香は昨夜泊まり勤務だった。新聞社の仕事の詳しい仕組みは知らないが、午後十時頃といえば、朝刊作りの作業で忙しい最中だろう。相手ができなかった有香は、コールバックを約束する。優は「何時でも構わないからできるだけ早く」と念押し、有香は朝刊の作業が終わった午前二時頃、遅い返信をした——そんな筋書きを話すと、柴も納得した。

「そんなところだろうな。そういう緊急の用件というと、今回の事件のことしか考えられないんだ」

「だけど、なんで沢登有香なんだ？　昔からの知り合いって感じじゃなかったよ」

「それこそ、新聞で名前を見たからじゃないのか？　沢登は、自分の名前を新聞に載せるのを生き甲斐にしてるみたいだしな」

「なるほどね……」彼女は最近、どんな仕事をしていたのだろう。いくら何でも、たまたま紙面で見た記者の名前を頼りに、優が電話をしたとは思えない。ろくに新聞を読んでいないことを反省しながら、大友は頼みこんだ。「もう一つ、いいかな。家でもできる仕事なんだけど」

「急ぎじゃなければいいよ」柴が欠伸《あくび》を漏らした。

「東日の記事を検索してくれないか？　ホームページからでも、しばらく前までは遡れるだろう」

「沢登が最近どんな記事を書いているか、調べて欲しいんだろう？」

「さすが」

「以心伝心と言ってくれ……お前とそういう関係になっても、俺は嬉しくも何ともないけど」

「僕は嬉しいけどな」

「うるさい」声を上げて笑うと、柴が電話を切った。

大友は携帯を閉じ、五階の窓を見上げた。ここからでは、彼女の動きが見えることもない。柴を本格的に巻きこんでしまったのが、少しだけ不安だった。あの男は暴走する嫌いがある。必ずしも手柄を求めているわけではなく、刑事の狩猟本能のようなものなのだが。

しばらくこのまま待機になる。そう思い、優斗に電話しようかと考えたが、すぐに今はサッカーの練習中なのだ、と思い出した。明日の試合に備えて……ああ、試合はどうしよう。約束を破るのは気が引けるが、優を放っておくわけにはいかない。

とにかく、彼女に会ってみるか。だがこの頭はまずい。もしかしたら優は、白髪頭の男が尾行していたことに気づいていたかもしれないのだ。会いに行くなら、まずどこかで元の髪に戻さないと。

警視庁に戻るしかないか……あそこにはシャワー室もあるし、着替えも置いてある。もしも白髪も気になるが、何よりシークレットブーツの不安定さが邪魔になっていた。もしも走るような羽目になったら、この靴では間違いなく失敗する。

ここからなら、警視庁はそれほど遠くない。さっぱりと元の姿に戻って面会に行こう。もう一度五階の窓を見上げてから、大友は踵を返した。


刑事総務課へ顔を出すと、先輩刑事の畑野《はたの》がデスクについていた。休みの土曜日なので、長袖のポロシャツにグレイのパンツという格好で、脱いだジャケットは椅子の背にかけている。大友が入って来たのに気づくとちらりと視線を向け、一瞬自分の書類に戻ったが、すぐに椅子を蹴飛ばして立ち上がり、「部外者は……」と忠告を飛ばしかけて口をつぐんだ。

「すいません」大友は前髪を引っ張って苦笑した。

「テツか？」

「ええ。変装中です」毎日顔を合わせているのに一目で見抜けなかったのだろうか、と大友は首を傾げた。

「カツラか、それ？」

「染めました。カツラはばれやすいですからね」

「何だか背も高くなってないか？」

「そういう靴があるんです」

「何だかねえ」呆れたと言いたげに、畑野が吐息を漏らす。「徹底してるな、お前も」

「ばれたら元も子もありませんからね。やる時はやります」

「髪の分け目を変えて眼鏡をかけるだけで十分、なんて言ってなかったっけ？」

「それは、向こうにあまり顔を知られていない場合です。今回は、相当変えないとばれてしまう相手ですから……すいません、ちょっとシャワーを借ります。もう、こいつは必要なくなったんで」もう一度前髪を引っ張る。何だか自分が、とてつもなく馬鹿なことをしているような気分になっていた。

入念にシャワーを使い、髪を元に戻して部屋に戻った。シークレットブーツを、ロッカーに隠しておいたスニーカーに履き替える。途端に背が縮んだような気がした。

「今回はあれか？　神田署の一件だろう」畑野が話しかけてくる。

「ええ」

「難儀してる……というか、混乱させられてるみたいじゃないか」

「訳が分からないんですけどね」大友は畑野の隣の自席に腰を下ろした。「いったい何のつもりで彼女が自首してきたのか、意味不明なんです」

「愉快犯じゃないかって聞いてるけど」

「その可能性もあります」言いながら、大友は「違う」と改めて確信を抱いた。愉快犯なら、警察が慌てふためくのを、あるいは怒っているのを見て喜んで終わりだ。だが、そもそも弁護士がそんなことをするとは思えない。それに有香と優が会っていた事実が、どうしても気になっている。

「まあ、怪我しない程度にやってくれよ。それで、目処はどうなんだ」畑野の声に、かすかに非難するような調子が混じった。

「まだ何とも言えません……畑野さん、忙しいんですよね？　休日出勤してるぐらいですから」

「うん？　まあな」畑野がパソコンのモニターに目をやった。表計算ソフトが立ち上がっている。「こういうのは、人がいない時の方が作業が進むから」

「司法研修の件ですか」

「そう……これはさぼれないからな」

司法研修は、警部補以上の管理職を対象に、法律の変更点などについて詳しく教える実務的なものだ。重大な変更がある度に行われるもので、今回は重大事件の時効撤廃がテーマになっている。既に同じテーマで何度か研修会が開かれてきたが、捜査手法の根幹にかかわる問題だけに、何度も徹底してやることになっている。

「すいません。本当はそれ、僕もやらないといけないんですよね」

「まあ、スケジュールの調整だけだから、大したことじゃないよ。早く戻って来てくれるに越したことはないけどな」

「何とかします」大友は後ろめたい気分を味わいながら頭を下げた。こうやって福原の特命を受けて動いていることは、刑事総務課の人間なら誰もが知っている。しかし分かっていて、快く送り出してくれる人間など一人もいないのだ。優斗のことは仕方がない。

家族は何よりも大事なのだから――この問題に関しては、刑事総務課の面々は概して理解があるといっていいだろう。だが福原の特命となると、微妙な空気が流れるのが常だった。基本的には、「何でお前だけが」というやっかみ。刑事総務課には様々な人間が在籍している。事情があって一線の現場から異動してきた者もいるわけで、そういう人間は、大友だけが贔屓《ひいき》されているように感じるだろう。できるだけ頭を引っこめ、皮肉をやり過ごして怪我を負わないようにしているのだが……。

「まあ、こっちでできるだけのことはやっておくから。いい形で解決するといいな」

「何とかします」

大友は早々に立ち上がった。まだ髪は濡れているが、乾くまで座っていると、また畑野の皮肉を浴びそうだった。一礼して荷物をまとめ、さっさと部屋を出る。自分の居場所は結局どこにあるのだろう、と根本的な疑問を胸に抱きながら。

警視庁を出て、大友は虎ノ門方面へ歩き出した。優に会う前に、もう少し情報収集しておきたかった。彼女と渋谷の関係。電話ができる静かな場所は……結局この周辺が一番いい、と気づく。週末の官庁街は、ゴーストタウンのように静かなのだ。外務省の前に立ち止まり、手帳と電話を用意して作業を始める。茜と村上に電話を入れ、友人の名前を何人か教えてもらった。電話、否定。電話、否定。三回もそれを繰り返すと、いい加減飽き飽きしてきた。優は、渋谷が事情聴取を受け始めた頃、彼に会っている。おそらく相談を受けたのだ。その事実を直接彼女にぶつけた方が早いだろう。

ふっと溜息を漏らし、歩き出そうとした瞬間、電話が鳴った。柴が何か摑んだかもしれないと思ったが、悪いことに福原だった。

「どうだ」例によって前置き抜きでいきなり切り出してくる。

「まだ何とも言えません」

「動きが遅いな。腕が鈍ったんじゃないか？　回らない車輪は錆つくと言うぞ」

「それは誰の格言ですか？」

「自分で作った。そのうち格言集を出すつもりだ」

本気ではないか、と大友は想像した。自費出版で格言集を作り、警察関係者に渡す――彼なら、それぐらいのことはやりかねない。受け取った方が、笑っていいのか真顔でいるべきなのか悩んで苦悶する姿まで目に浮かぶ。

「報告は聞いている。どうにもはっきりしないな」

「ええ」

「お前の個人的な手応えはどうなんだ？」

「容疑者――篠崎優は、何らかの目的を持って動いています。でもそれが何なのか、分かりません」

判明したいくつかのことを報告すべきかどうか、迷ったが、結局口にしなかった。福原の耳に入れれば、そのまま岩永たちに降ってくるかもしれない。頭ごしにやられたと、特捜本部の面々が激怒する様が目に浮かんだ。下らない争い事は、大友の好みではない。あれこれ野望とプライドが渦巻く警視庁という組織の中で、誰とも衝突せずにゆるりと生きていくのが理想だ。

「特捜本部は、渋谷犯人説でまだ動いている」

「そうですか」

「それで決着をつけた方が楽だろうな。被疑者は死んでいる。反論はできん」

「ええ」

「ただし、そんなに簡単にはいかないだろう」

「分かっています」

「本気でそう言ってるのか？」福原が突っこんできた。「どうも、お前もはっきりせんな。女絡みの話だと面倒なのか？」

「そんなこともありません」苦笑しながら大友は電話を切った。まったく福原は、どうしていつもこういうタイミングで電話をしてくるのだろう。まるで捜査が行き詰まった瞬間を見計らったようではないか。

　特命で動くのも厄介なものだ。他の刑事たちをかりかりさせ、たった一人、自分の動きを注視している刑事部ナンバースリーからは「結果を出せ」と急かされる。板挟みどころか、狭い迷路に閉じこめられたような気分になった。

呼吸を整え、肩を一度上下させて、弁護士事務所のドアをノックする。返事がないので、勝手にドアを押し開けた。途端に、受話器を耳に押し当てた優が険しい視線をぶつけてくる。間が悪い……大友は静かにドアを閉め、廊下の壁に背中を預けて待った。ほどなく、優がドアを開ける。相変わらず険しい表情だが、殺意までは感じられなかった。

「何ですか」

「あなたに張りつく、と宣言したのを覚えてませんか？」

「その割に、今日は顔を見ませんでしたけど」

「すぐに分かるようじゃ、刑事失格ですよ」にこりと笑って、ドアの隙間から事務所に入りこむ。

「ちょっと——勝手に入らないで下さい」

「少しお話ししたいんです。よろしいですよね？」

「忙しいんですけど」ドアを背にして立った優が、腰に両手を当てた。脅しているつもりだろうが、その立ち位置で大友が事務所から出られなくなっていることには気づいていない。

「時間は取らせません」

大友は、一昨日座った応接セットの前まで歩いて行った。このソファの座り心地は最悪だったが、立ったまま話すわけにはいくまい。

優が唇を尖らせたまま、一人がけのソファに腰を下ろした。空気が抜けるような音がして、彼女の体が沈みこむ。大友は向かいに腰を下ろして、事務所の中を見回した。彼女のデスクのパソコンは立ち上がり、ワープロソフトが開かれている。

「仕事中だったんですね」

「当たり前です。見れば分かるでしょう？」優が嚙みついた。

「仕事、溜まってますよね。丸一日を無駄にしたわけだし」

「あれは、無駄じゃないです」低い声で言ったが、大友を納得させようというよりは、自分に自信を持たせるための呪文のようだった。

「望み通りに逮捕されたわけじゃないですから、あなたにとっては無駄な時間になったんじゃないですか」

「そんなことはありません」

「新聞記者に話す材料ができたから？」

優の顔がさっと紅潮した。目が細くなり、唇がすぼまる。ぐっと身を乗り出すと尻がソファに沈み、膝の位置が上がった。

「何を知ってるんですか？」

「それは言えません。でもあなたは、東日の沢登記者と会っていた」

優が唇を一文字に引き結ぶ。こちらが何を知っているか、必死に想像しているに違いない。大友は幸運に感謝した。てっきり有香の方から優に連絡が入ったと思ったのだが。

「彼女とは知り合いなんですか」

「いえ」短い否定。視線は大友の肩の上辺りに据えられていた。

「向こうが取材を申しこんできたんですか」わざと間違った確認をした。用心させないための防波堤だ。

「それは言えません」

「今回の件で？　それとも別件ですか？　弁護士さんが記者と会っていてもおかしくはないですけど、タイミングがどうもね」

「つけてたんですか」大友の質問には答えず、優が逆に訊ねた。

「張りつく、と言ったはずですよ。僕は嘘はつきません。正々堂々と宣言したんだから、怒るようなことはないと思いますけど」

「卑怯じゃないですか」

感情的な反発を、大友は意外だと思った。次の瞬間には、彼女には直情径行的な性格がある、と思い出す。本当に苛立ったら、理性よりも感情が先走るだろう。

「正当な捜査ですよ」大友は無難な答えを用意した。「とにかく、あなたと沢登記者が会っているのを、私はこの目で見ています。もちろん彼女には取材の自由があるし、あなたにも取材を受ける権利があるわけで、たかが刑事の私には口出しできませんけど……今回の事件のことだったら、気になりますね」

「気にしないで下さい」

「それは無理ですよ」苦笑しながら大友は首を振った。「思わせぶりな話を続けるより、ずばっと言ってもらった方が話が早いんですけどね」

「こちらにはこちらの都合があります」

「どんな？」

無言の睨み。この線で押すのは無理だと判断し、大友は二発目の爆弾を落とすことにした。

「あなた、渋谷さんが警察の取り調べを受け始めた直後に、彼と会ってますね？　弁護士と依頼人としてということですか」

「それは言えません」

表情に変化はないが、否定はしない。大友は、この情報の正しさを強く意識した。

「何故ですか？　そもそもあなたは、このことについて、最初に嘘をついた」

「弁護士には、職業上知り得たことを秘密にしなければならない義務があります。そんなこと、当然ご存じだと思いますけど」優が微妙に話をはぐらかした。

「つまり、仕事として渋谷さんに会った、というわけですね」

しまった、と言いたげに優が顔をしかめる。才気走って相手を見下した態度は、時に自分を追いこんでしまうものだ。

「当然、彼が事情聴取を受けていることに関して相談を受けたんですよね」

「言えません」

「渋谷さんは、自分は犯人ではないと訴えた？」

「言えません」

「彼は既に死んでいるのに？」

「同じことです」

「あなたたち、共犯だったんですか？」

一瞬、優がぽかんと口を開けた。次の瞬間には、喉の奥から絞り出すように笑い出す。

「刑事って、想像力が豊かじゃないとなれないんですか」

「その通りなんです」

大友が人差し指を立ててみせると、優が笑みを引っこめて真顔になった。ふざけるな、とでも言いたげに、鋭い視線をぶつけてくる。

「いや、本当です。複数の事実をつなぐ材料がない時には、その部分を想像せざるを得ませんからね。そこでどれだけ合理的なブリッジの材料を想像できるかは、刑事の重要な能力なんです」

「その想像に従って新しい事実を調べようとして、無理をする。その結果、冤罪が生まれる」ぽんぽんと優が言葉を並べた。

「渋谷さんが冤罪だとでも？」

「彼が何もやっていないことが証明されれば、冤罪になりますね」

「そのためには、真犯人が分かるのが一番手っ取り早いということですか」

「大友さん、想像力豊かなんじゃなくて、計算が速いだけでしょう。そういう人は、話していて楽だけど」優が鼻を鳴らした。

「お褒めいただいて、恐縮です」大友は上に向けた掌を腹に当て、ゆっくりとお辞儀をした。座り心地の悪い例のソファの上では、無理なストレッチをするようなものだったが。「ついでに、僕も楽にしてもらえませんか。どうして自分がやったなんて言ったのか、あなたが教えてくれれば、僕の仕事は終わりです」

「それは駄目です」優の顔からは、薄い笑みが零れていた。出来の悪い子どもをちくちくと苛める優等生のような態度。

「特捜本部は、渋谷さんの犯行ということで話をまとめようとしています。どうも、あなたの思惑は上手くいかないようですね」

「間違った方向へ走ってますね」

「そうですか？」

「意外なところで真実を知って、あなたは驚くことになるでしょうね」

「それは怖いな」大友は胸に平手を当てた。「その真実とやらを、僕は東日の記事で読むことになるんでしょうか」

優は答えなかった。膝の上にきちんと両手を揃えて置き、ただ無言で微笑んでいるだけだった。彼女がやったなどと、誰も信じていないのに、この自信はなんだろう。

彼女の狙いがまったく別のところにあるのではないか、と大友は密かに恐れた。

　夕方、特捜本部に出頭すると、岩永が不機嫌な表情で大友を迎えた。捜査に進展はないらしいが、こちらには言うべきことがある。報告を終えると、岩永の不機嫌さは頂点に達した。

「新聞記者が動き回ってるのか」

「ええ」

「まさか、犯行を告白、とかやらかすつもりじゃないだろうな」

「それはないと思います。彼女がここで喋った程度のことを言っても、記事にはならないんじゃないでしょうか。当然、こちらには何らかの形で確認が入ると思いますが、否定すれば向こうも記事にはしないでしょう」

「その辺の報告は上に上げておく。向こうで上手く対応してくれるだろう……だがな、篠崎が我々に話さなかったことを記者に話していたらどうなる？　赤っ恥をかくことになるぞ」

「それも考えにくいですね。自首してきたのに隠し事、というのは変ですよ」

「そうか……だとすると、仮に何か取材されても完全否定できそうだな」

「そうだと思います……あの、管理官？」

「何だ」

「彼女への張りつきは続行ですか？」

「当然だ。何をやらかすか分からないからな」

「だったら私の一存で、引っ張り回しても構いませんか」

「お前、何を考えてる」岩永が鋭い視線を大友に突き刺した。

「いや、ちょっとデートに誘ってみようかと思いまして。少し気が緩んだ方が、何か喋るかもしれません」

「阿呆！」岩永が雷を落とした。「何をするつもりだ？　変なことをして引き出した情報は使えないぞ」

「ご心配なく」大友は苦笑した。岩永は、僕が彼女に関係を迫る、とでも想像しているのだろう。あり得ない。「彼女はタイプじゃないですから」

「そういう問題じゃない。男と女ってのはな――」

「それについては十分分かっているつもりです。管理官にご迷惑をかけるようなことはしません……日曜、息子のサッカーの試合なんです」

「ああ、そんなこと、言ってたな」真っ赤になっていた岩永の顔が、急速に平常に戻っていった。

「息子と約束してしまったんです。この前もすっぽかしているんで、二度目はまずいんですよね」

「それがどうした」

「彼女を連れて行こうと思います。もしも素直に付いてきたら、脈ありと見ていいんじゃないですか？　実際私も、彼女の扱いには困ってます。何とかリラックスさせて、信頼関係を作りたいんですよ」

「何があっても、俺は責任を取らんからな」岩永が大きな溜息をついた。「私はこれでも、

「何もあるわけないじゃないですか」大友は軽薄な笑みを浮かべた。

身持ちは固いんです」

「さっさと行け！」

岩永の罵声を背に受け、大友は退散した。これで一応、自分の計画は説明したことになる。それが成功しようが失敗しようが、岩永に「俺は聞いていない」と言われることだけはなくなったわけだ。


予め優に電話して誘うつもりはなかった。そんなことをすれば警戒させてしまうはずで、できるだけさりげなく、かつ彼女が断れないような状況で事を運びたい。明日の朝、一発勝負に出ることにした。賭けだが、何とかなるだろうと自分を納得させる。

柴と電話で話し合い、日付が変わるまで、彼が家の前で警戒することで話がまとまった。ついでに彼は、明日の試合も見に行くと言ったのだが、やんわりと断る。

「面白くないよ。小学二年生のサッカーなんて、子犬がじゃれあってるようなものだから」

「優斗はだし、みたいなもんだ。ついでに優ちゃんとお話しできるかもしれないじゃない

か」

優〝ちゃん〟？　どうして気安く呼んでいるんだ？　柴は仕事だけではなく、私生活でも暴走することがある。二年ほど前だが、傷害事件の被害者である二十三歳のＯＬに近づこうとした時、大友はかなり無理に止めた。恋愛は自由だが、自分が捜査した事件の関係者に、事件の熱も冷めやらぬうちに近づくのは、あまり賢いやり方ではない。

「お前、ああいうのがタイプなのか？」

「俺にはタイプはない」やけに自信たっぷりの口調で柴が言った。「惚れた女がタイプだ」

「勝手に言ってろ」大友は思わず溜息をついた。

「何だよ、人の恋愛観にいちゃもんをつける気か？」

「好きにしてくれ……それより、沢登有香の方はどうだった？」

「取り敢えず調べられたのは、ここ三か月の記事なんだけど、その範囲では彼女の署名記事はないな。東日は全部が全部署名記事ってわけじゃないし」

「それより古い記事の可能性もある、と」

「そういうこと。まあ、何とかしてみるよ。有料のデータベースを使えば、何か分かるかもしれない。こっちで調べておくから」

「了解。おい、彼女に声をかけたりするなよ」

「彼女って？」柴が惚《とぼ》けた。

「篠崎優に決まってるだろう。話をややこしくしないでくれよ」

「そこはプロに徹するから、心配するな」柴が笑いながら電話を切った。大友は切れた電話をしばらく眺めていたが、やがて頭に残った彼の笑い声に釣られるように笑い出してしまった。あの男は……合コンを企画して人の面倒を見ている暇があったら、まず自分の伴侶を見つける努力をすべきではないか？

3

「優斗、今日、お客さんを連れてきていいかな」台所で握り飯を作りながら、大友は息子に訊ねた。

「お客さんって？」床にぺったり座った優斗が、ユニフォームをデイパックに詰めこみながら聞き返した。

「お前のファンだってさ。まあ、向こうの都合がつけばだけど……これから迎えに行ってくるから、家で待っててくれ」

「女の人？」

「何でそう思う？」

「その方がいいでしょ」

優斗がにやりと笑った。何を生意気なことを……自分がもてたいと思っているのか、僕の話なのか。子どもの言うことに真面目に取り合うのは馬鹿馬鹿しいと思い、大友は弁当作りに集中した。今日は八チームが優斗の小学校に集まり、十一時から昼をまたいで四時まで試合がある。優斗のチームは、午後から二試合をこなす予定になっていた。

「あれ、入れてくれた？」

「から揚げ？　もちろん」朝から揚げ物は面倒臭い。最近は自然解凍できる冷凍食品のから揚げもあるのだが、優斗は生意気に「普通に揚げた方が美味しい」と譲らない。仕方なしに、六時に起き出して揚げ物の準備をした。しょうがをたっぷり使って濃い下味をつけたから揚げをメインに、卵焼き、ポテトサラダ、アスパラガスのおひたしというメニュー。優が来るのを見越して、普段の倍以上の量だ。いつも二人分しか作らないので、味つけがちゃんとしているかどうか不安になる。から揚げの味が薄い場合を考え、プラスティックの容器に入れたケチャップも用意した。子どもは、ケチャップを使えば大抵のものを食べてくれる。優斗の野菜嫌いも、この万能調味料のおかげで克服できた。

「さて、準備完了だ」大友は弁当を全て詰め終え、丁寧に手を洗った。壁の時計を見上げると七時半。これから神田まで往復しても、十一時にはぎりぎり間に合うだろう。

「優斗、ちょっと留守番を頼むな。試合までには帰って来るから」

「ジュース、ある？」

「試合前にジュースなんか飲んでると、走れなくなるぞ。飲むなら麦茶だ。自分で出せるな？」

冷蔵庫をあけ、ガラス容器一杯に作った麦茶を見せる。優斗は渋々うなずいた。

「試合の時は、何かあるの？」

「お前はスポーツドリンクだろう」

「パパの分。デートなんでしょう？　麦茶はまずいんじゃないかな」

生意気言いやがって。大友は口角を上げてにっと笑い、優斗の髪をくしゃくしゃにしてから家を出た。


町田から小田急線、千代田線と乗り継いで、新御茶ノ水まで一時間弱。そこから優の家まで歩いて十分。余裕を持って出たつもりが、結局はかなりぎりぎりになってしまい、大友は途中で歩くスピードを速めた。日曜の午前中、神田の街には人気が少ない。昼過ぎになると人が増えるはずだが、この街に来るのは、スポーツ用品か、本か、楽器を漁る人たちだけだ。ただし、外堀通りと靖国通り、中央線に挟まれた三角地帯には、昭和の香りを濃厚に残す――というより、昭和そのものの名店が集まった一角があり、食事を楽しもうとする人が集まってくる。その付近から、中央線の高架越しに秋葉原のビル街が覗けるのは、なかなかシュールな光景だ。

考えてみれば、優の家をまともに訪ねるのは初めてだった。使わなくなった店の横の階段に、それだけは新しいインタフォンがあるのに気づき、ボタンを押す。見ると、警備会社のステッカーも貼ってあった。建物は古くとも、防犯には万全を期しているらしい。インタフォンを鳴らして一分ほどすると、階上でばたばたする音が聞こえてきた。日曜のこの時間だから、寝ていてもおかしくはないが……すぐにドアが開き、色気のないトレーナー姿の優が、眠そうな顔を覗かせた。

「警備会社」

「何言ってるんですか」優が怪訝そうな表情を浮かべた。

「せっかくインタフォンがあって、警備会社とも契約しているのに、いきなり顔を出したら何にもならないでしょう」

「ああ、そのステッカー、ダミーですから」

「ダミー？」

「私に警備会社と契約するような金があると思います？」

「これぐらいだと、すぐに見抜かれますよ……それより、ちょっと上がっていいですか」

優が盛大に溜息をついた。ドアを少し広く押し開け、うなずく。

「駄目って言っても、どうせ上がってくるんでしょう？」

「いやあ、とにかくいてくれてよかったですよ」大友は営業用の笑みを浮かべながら階段をゆっくり上がり始めた。「今日の予定は？　何もなければちょっとつき合ってもらえませんか」

「何で私が、子どものサッカーの試合なんか見に行かなくちゃいけないんですか」

地下鉄に乗った後も、優は不機嫌なままだった。だったら来なければいいのに、と思ったが、優にすれば、どんなことに対しても一応文句をつけるのは、一種のルーティーンなのかもしれない。どんな時でも、何をする時でも、一言言っておかないと始まらないタイプはいる。

「まあまあ。なかなか楽しいですよ」

「だけど、日曜日に……」

「独身者の日曜日は、寝てるだけでしょう」

「私は仕事です」

「だったら断ってもよかったのに」

「いや、それは別……」頰をわずかに膨らませて、優がそっぽをむいた。

どうせなら、地下鉄直通のロマンスカーに乗ればよかったかな、と思う。話のタネにもなるし……だがあれは、一日に数本しかないはずだと思い出した。

余計なことは言わない方がいいだろう。大友は暇潰しに、来る途中ですっかり読んでしまった新聞をまた開いた。いつもの癖で、家庭欄の「今日の夕飯」に目を通す。ここは案外馬鹿にならないコーナーで、気にいった料理があった時にはスクラップしている。そのまま得意料理にしてしまったものもあった。今日はトマトと豚肉の生姜味噌炒め。ソースにするならともかく、トマトを具材として炒めて上手くいくのだろうか。仕上げ間際に加えてさっと火を通すだけのようだが……から揚げに使った生姜が残っているから、今夜はこれにしてみるか。もちろん何もなければ、だが。

「こんなことしてていいんですか」相変わらずそっぽを向いたまま優が訊ねる。

「こんなことって？」

「容疑者を連れ出したりして。公私混同ですよ」

「現段階では、あなたは容疑者ではありません。それに上司にはちゃんと説明しましたから、大丈夫ですよ。今日はどうしても息子のサッカーの試合を見に行かないといけないし、あなたを泳がせておくわけにもいかない。こうするしかないんです。他に頼める人もいないので」

「あなた一人が担当ということですか」

「あなたの証言は、その程度の重みしかないということです」

殺気を感じて新聞から顔を上げると、優がすさまじい目つきでこちらを睨んでいた。

「あなたたちが真面目に調べていないからじゃないですか」

「どうも、変な感じですね」二人分で豚肉二百グラムにトマト二個か、と材料を頭に叩きこみながら大友は新聞を閉じた。「刑事と容疑者が呑気にサッカー見物なんてね」

「誘ったのはあなたですよ」むっとした優が言い返した。

「我ながら変だと思います。でも、あなたは僕の誘いに乗ったんですからね」

「勝手にして下さい」

優がトートバッグから「ジュリスト」を取り出して広げた。今日もスーツ姿。カジュアルな私服は持っていないのだろうか、と大友は訝った。土の校庭だし、最近は雨が降っていないから、相当埃っぽくなっているはずだ。せめてジーンズがいいのだが……しかし、服装にまで文句をつけたら、彼女は絶対に付いて来なかっただろう。今日は一緒にいることだけが重要なのだ。

十時四十五分、家に到着。これから出かけるとぎりぎりである。十一時集合だから遅刻にはならないだろうが、家に上がって一休みしている暇はない。ドアを開け、優斗に声をかけた。

「優斗！　出かけられるか？」

デイパックを背負った優斗がぱたぱたとスリッパの音を響かせ、玄関にやって来た。大友の後ろにいる優を見つけるとぴたりと動きを止め、固まる。

「ほら、緊張するなよ。お前のファンを連れて来たぞ」

「ファンじゃないんですけど」優が背後でぶつぶつとつぶやく。

「こんにちは」戸惑いがちに優斗が挨拶する。大友の背後で、優がぼそっと挨拶を返すのが聞こえた。

「優斗、弁当忘れるなよ」

「はーい」

優斗が背中を――デイパックを見せて部屋の奥に引っこんだ。すぐに籠製のバッグを両手に持って戻って来る。大友はバッグを受け取ると、靴を履くよう優斗を促した。鍵を閉めると、優斗が自然に大友の横に立ち、優と向き合う格好になる。大友は息子の背中に手を当て、優を紹介した。

「あのな、この人は篠崎優さん。お前と同じ字だ……うちの息子の優斗です」

「こんにちは」優斗がまた頭を下げる。優は何とか笑みに近いような表情を浮かべて頭を下げた。言葉はなし。顔を上げた優斗が、少しだけ傷ついた表情を浮かべる。

「こんにちは」

やや強張った口調で優が挨拶を返す。それを聞いた優斗の顔に、ぱっと笑みが広がった。

「さて、行きますか。急がないと遅れるぞ……優斗、お前は走っていけ。ちょうどいいウォームアップだ」

「了解！」優斗がさっと敬礼の真似をし、優の横をすり抜けて階段を駆け下りた。

「学校の行事になかなか参加できないのが悩みなんですよね。時々、息子が可哀そうになります」大友は優斗の後姿を目で追った。小さいなりに精一杯走り、家の先の角を曲がったところだった。

「それで今日は、どうしても試合が見たかったんですか」

「この前の試合もすっぽかしてしまったんですよ。こんなことが続いたら、息子に嫌われますからね。さっさと反抗期になってくれた方が気は楽なんですけど、なかなかね」

言いながら、大友はアパートの階段を降り始めた。優が後を追って来る気配がないので、途中で手すりを摑んで振り返る。優は両の拳を軽く握って、その場に立ち尽くしていた。肩にかけたトートバッグがわずかに震えているように見える。

「親って、充分話をしたと思わないうちに死んじゃうんですよ」顔を伏せたまま、優がつぶやいた。

「親だけじゃなくて、妻もです」

一瞬、二人の間に微妙な空気が流れた。それほど遠くない過去に身内を亡くした共通点を持つ二人。親と妻の違いこそあれ、悲しむ気持ち、未だに残った空洞が埋まらない空しさは同じはずだ。

作戦成功だろうか、と大友は期待した。優斗をだしにしたのは申し訳なかったが、ただ話し続けているだけでは、優は自分の言葉に耳を傾けないような気がしていた。百の言葉よりも、たった一つのシーンが人の心を動かすこともある——そう言ったのは、劇団の仲間の佐久間《さくま》だった。美大の学生で、舞台装置を一手に引き受けていた彼は、「お前らが一言も喋らなくても、俺が作った舞台で客を泣かせてやる」といつも豪語していたものである。その志は正しい。そして僕は今日、単なる書割ではなく、自分の私生活を晒す舞台を用意した。優の心がどう動いたか、これからゆっくり探っていくつもりだった。

学校につくと、まずコーチをしている小学校の先生に挨拶。次いで、父兄——圧倒的に母親が多かったが——が陣取っている場所へ移動し、顔見知りに次々と愛想を振りまいた。いつもは軽口で話しかけてくる人も多いのだが、今日は優が一緒にいるせいか、好奇の視線を浴びせられる。これは失敗だった、と悟った。噂はあっという間に広まってしまうだろう。大友、ついに新しい女を見つける——馬鹿らしいと思いながら、大友は優を相手に演技を始めた。

「今日はどうもすいませんでした」

「いえ」訝りながら優が応じる。

「わざわざつき合ってもらって……仕事も忙しいのに」

「はい？」優が怪訝そうな表情を浮かべて首を傾げる。

「優斗も喜んでますから。このお礼はどこかで必ずします」にこりと笑って完了。周りの顔見知りには、同僚を無理に試合に連れて来た、と勘違いして欲しかった。もっともそれでも、「大友は同僚に手を出したのか」と噂になってしまうだろう。馬鹿馬鹿しい。

結局どうでもいいのだと開き直り、大友は座りこんでビデオカメラを取り出した。父兄席はサイドライン際に設置されており、素人の腕ではとても子どもの動きを追いきれないのだが、まだしもカメラよりはましである。写真ではどうしても、決定的瞬間を逃してしまうのだ。ビデオカメラなら、何とか写ってくれるだろう。思い切り手ぶれしていたとしても、ないよりはましだ。僕と違って、菜緒はカメラもビデオも腕は確かだったたが……。

「あなた、ビデオ撮影は得意ですか？」

「触ったこともないです」相変わらずぶっきらぼうな調子で優が答える。

校庭が狭いので、サッカー用のグラウンドを作ってしまうと、他のチームは余ったスペースでちょこまかと練習するか、休憩するしかない。試合に備えて、優斗たちはランニングしていた。小学二年生がランニングといっても、隊列がきちんと揃うわけもなく、只の駆けっこになっていたが。優斗がこちらをちらちらと気にしているのに気づき、大友は手を振ってやった。優斗がにこりと笑い、手の振りを大きくして隣の選手を追い越して行く。

「手ぐらい振ってやって下さいよ」

「何で私が」

「せっかく来たんだから、それぐらいしてあげてもいいでしょう。息子も喜ぶ」

「私はあなたの奥さんじゃありません」

「そういう問題じゃないんだけどなあ」

「黙って私を監視してたらどうですか」優が声を張り上げたので、周囲の人たちがぎょっとして二人を見やる。「もちろん私は、逃げも隠れもしませんけどね」

「ただ座ってるだけじゃ、面白くないでしょう」

「何をしてても面白くないですよ」

余計なことは言わぬが花か……大友は彼女の存在を頭から消し、ビデオカメラのモニターに意識を集中した。そうしても、絶えず優の存在を意識せざるを得なかったが。とにかく彼女は、常に苛立ちのオーラを放っているのだ。

優斗たちの試合が始まった。とはいっても二年生である。まだサッカーの基礎もろくに教わっていない状態なので、とにかくボールがあるところに選手が集まって、団子状態になってしまう。ドリブルを始めると勝手に転ぶ子、バックパスではなく、明らかに間違って味方陣地の方に思い切りボールを蹴ってしまう子……微笑ましいといえば微笑ましいが、子どもたちはあれで楽しいのだろうか、と大友は首を捻った。

しかし父兄席の応援は凄まじかった。それほど人数がいるわけではないのに、ピッチに出ている子どもたちよりも遥かに騒いでいる。子どもの名前を呼ぶ者、悲鳴を上げる者、指笛で盛り上げる者……当然、優はその波に呑まれることはない。両膝を立てて腕で抱え、ぼんやりと視線を漂わせるだけだった。

足の遅い優斗はどうしても遅れがちになり、なかなかボールに触れない。ピッチで一人ぽつんと佇んでしまうこともしばしばだった。一応、ポジションはボランチのようだが、出遅れて味方のバックスに抜かれてしまう場面もしばしばあった。あいつ、自分が何をしてるかも分かってないんだろうな。サッカーには向いてないんじゃないか、と大友は可哀想になった。むしろ、役者になった方がいいかもしれない。親馬鹿だと分かっていたが、可愛い顔立ちなのは間違いないのだから。菜緒は「児童劇団にでもいれようか」と本気で言っていた。CMの仕事ぐらいすぐに取れそうだし、そうしたら自分はステージママになってもいい、と。親が刑事で息子がタレントじゃ冗談にならないからやめてくれ、と止めていたのだが、彼女は案外本気だったかもしれない。

前半が終わる間際、優斗のチームがコーナーキックを得て、選手たちが一斉に上がって来る。優斗はまるで周囲のご機嫌を伺うように、きょろきょろと左右を見回しながら、ゴール前に集まった選手たちの輪の中に入った。

一人だけ、それなりに上手い子がいて、コーナーキックは任されていた。とはいえ所詮二年生だから、ゴール前まで綺麗に蹴りこむことはできない。低い弾道で蹴ったボールがワンバウンドして相手チームのディフェンダーに当たったが、クリアできない。密集した選手たちの間を、ボールが行き来し始めた。まるでピンボールだな、と皮肉に思った次の瞬間、わあっと歓声が上がる。押しくらまんじゅうのように集まった選手の輪の中心に優斗がいるのを見て、大友は面食らった。何だ？　あいつがゴールを決めたのか？

「息子さん、ゴールでしたね」優がぽつりとつぶやく。

「しまった、見逃した」大友は胡座《あぐら》をかいた腿を思い切り叩いた。「あんな密集の中じゃ、何が何だか分からない」

「たまたまだと思いますけど、目の前にボールが来て蹴った——足に当たったんですよ」

か。

「まぐれですか」

「それでもゴールはゴールだし」

「ということは、あいつの初ゴールですよ」大友は胸が弾むのを感じたが、見逃した、という後悔が次第に募ってくる。優斗は、自分がゴールしたのを分かっているのだろうか。


分かっていた。優斗は選手の輪から外れ、ベンチの方に戻って来る。立ち上がって拍手するコーチに向かって、生意気にも右腕を突き上げ、次いで応援席に視線を投げる。大友が拳に固めた右手を上げてやると、にっこり笑って手を振り返してきた。

いつの間にか、優が拍手している。振り返ってその顔を見ると、相変わらず無表情——いや、少しだけ口角が上がっていた。作戦はゆっくりと進行している。優斗の笑顔は、ある種の人間に対しては大きな武器になるのだ——例えば強面の福原や柴はこの笑顔に弱い——と、大友は改めて意識していた。そして優も、「ある種の人間」なのだ。一見強く見えながら、どこかに寂しさを抱えた人間。


「何が一番驚いたかって、お弁当でしたね」

帰りの電車の中で、優が穏やかな声で言った。いつの間にか棘々した態度は影を潜め、表情も穏やかになっている。試合で疲れた優斗は聖子の家に預け、今日の夕食と明日の朝食も頼んできた。何があるわけではないが、急遽優に対する張り込みを再開しなくてはならなくなった場合に備えて、である。聖子は嫌々ながら引き受けてくれたが、日々彼女との関係は難しくなっている気がする。

「そうですか？」

「お弁当食べたのなんて、いつ以来かしら」

「僕もそうかな。滅多に作らないから」

「そうなんですか？」

「小学校は給食があるから」

「……美味しかったです」

「どうも、お粗末さまでした」大友は丁寧に頭を下げた。

「でも、大変ですよね。子どもさんの世話をしながら仕事なんて」優が、サッカーボールの形をした携帯ストラップを弄んだ。優斗からのプレゼントである。

「慣れましたよ。ただ、どっちも中途半端になってるんじゃないかって考えると怖い。あいつのために全力で何かしてやってるわけじゃないし、仕事も、ね」

「一線でばりばりやりたいんですか」

「まあ、それは、今の仕事よりは……」

「子どもさんが足かせになってるなら、再婚すればいいのに」

「自分だけの都合で再婚はできませんよ。だいたいそれは、息子にも相手の女性にも失礼じゃないですか。優斗がもっと大きくなったら考えるかもしれないけど」

「子どもはすぐに大きくなりますよ」

「その分、こっちも年を取るわけだ」

「確かに時間の経つのは早いです」

無理なく転がる会話を、大友は心地好く感じていた。今はこれでいい。あまり急に話を進めると、優はまた頑なな態度に戻ってしまうだろう。ゆっくりと、気持ちを解きほぐしていけばいい。いずれは本音を話すだろう、という予感があった。ただし特捜本部はまったく別のことを考えている。渋谷を犯人だと証明して、早く事件に幕引きをしたいのだ。だがそれは相当困難だろう。物証、なし。完全な証言も得られていない状態で、渋谷はもうこの世にいない。今さら何ができるのか。

「今日は何か……ありがとうございました」

「たまにはこういうのも息抜きになるんじゃないですか」

「そうかもしれません」優が素直に認める。「こういうの、今までなかったですね。私の子どもの頃も」

「そうですか？」

「あの辺、小学校も中学校も小さいんですよ。子どもが少ないから……だからこそ、先生も父兄も学校行事は一生懸命盛り上げようとしたんだけど、とにかく人が集まらないから、ささやかな感じなんです。運動会なんか、あれでよく一日中できたなって思いますよ。それにうちは、父も母も学校の行事にはあまり参加してくれなかったから」

「商売をしてると難しいでしょうね」

「そういうわけじゃなくて」優が寂しそうに笑った。「ああいう行事が嫌いだったんです。馬鹿馬鹿しいって……特に父親が。小さい時は泣いて『来てくれ』って頼んだこともありましたけど、そのうち諦めました」

「ご両親にはご両親なりの都合があったんだと思いますよ」

「だけど、子どもは傷つくんです」優が唇を嚙んだ。「二十八にもなってこんなことを言うのも子どもっぽいんだけど、本当にそんな感じですよ」

「それは、あなたが親になっていないからでしょう」

「すいませんね、独身で」優の口調に皮肉が戻った。

「悪気はないけど、本当にそうですよ。親になってみれば、子どものために百パーセント時間を使うのが難しいのはすぐ分かります。そうしたくても、それこそ大人の事情があって上手くいかない」

「そうですか……」

「あなたは、子どもの頃の事情がトラウマにでもなってるんですか？」

「そんなこと、ないですけどね。ちょっと寂しいだけで。でも、あの辺りの子は、皆そうだったんですよ。親が商売をしている子が多かったんで、多かれ少なかれ、寂しい思いをしてたんじゃないかな」

「家族は難しいですよね」

「本当に再婚しないんですか？　周りのお母さんたちの目、気づいてないんですか」

「何が？」

「皆きらきらしちゃって。気づいてないとしたら、大友さん、とんでもなく鈍いですね」

「どうでもいいことは視界に入らないんですよ。得な性格でしょう？」

「それ、どうでもいいことなんですかねえ」優がゆっくりと溜息をついた。

その後は当たり障りのない会話を続けながら、二人は地下鉄に乗り継ぎ新御茶ノ水駅まで行った。朝と同じコースをたどって彼女を家に送り届ける。

「本当は夕飯も奢らないといけないんですけどね」階段を上がりかけた優に、大友は肩をすくめて見せた。

「別に、デートじゃないんですから」

「そうだけど、礼儀として」

「早く優斗君のところに帰ってあげた方がいいんじゃないですか。せっかくの日曜の夜ですよ」

「じゃあ、そうしますか。今日は無理に誘ってすいませんでした」

「いえ……」

優が軽く頭を下げる。何か言いたいことがあるようだったが、結局言葉は呑みこんでしまった。今日一日で何か具体的な進展があったわけではないが、彼女の固い外壁を少しはこじ開けることができたはずだ、と大友は自分を納得させた。

勝負はこれからだ。

4

深夜、携帯電話が鳴る。鳴って一瞬で切れたが、それでも大友を眠りから引き戻すには十分だった。ベッド脇に置いた充電器から電話を取り上げ、着信履歴を確認する。見慣れぬ携帯電話の番号が残っていた。時刻は午前三時……どこの番号だろう。どこかで見た事があるのだが……。

しばし頭をひねった後、優の携帯電話のものだと気づいた。こんな時間に？　嫌な予感に襲われ、かけ直してみた。つながったが彼女は出ず、ほどなく留守番電話に切り替わってしまう。

何かの間違いだろう。そう考えようとしたのだが、どうしても気になる。一度は布団に潜りこんだものの、心に引っかかって眠れない。本格的にベッドから抜け出し、リダイヤルして優の携帯を呼び出す。先ほどと同じように、五回呼び出し音が鳴ったところで、留守番電話機能のメッセージが聞こえてきた。

「ちょっと待てよ……」独り言を言いながら、部屋の中央で立ち尽くす。午前三時に謎の電話。相手は出ない。どう考えても何かあったと考えるのが筋だ。しかしこの時間では確認のしようがない――行ってみるか。優斗を預けてきたのは正解だった。こんな時間に優斗を家に一人残してはいけない。

　大急ぎで着替え、凍りつくような水で顔を洗って眠気を追い払い、家を出る。普段あまり乗らないマイカーに乗りこみ、都心部に向けて車を走らせた。

　大友の家がある町田の市街地は、幹線道路から微妙に外れた場所にある。都心へ行くのに世田谷通りを延々と走って行ったら、時間がどれだけかかるか分からないし、国道二四六号線や東名高速の横浜町田インターチェンジまではかなりの距離がある。今夜大友は迷わず、東名を使った。一週間で一番空いている日曜深夜――月曜未明なのだ。

　案の定、東名高速も首都高もがらがらで、インターチェンジに乗ってから三十分ほどで優の家に着いた。当然周囲には人通りもなく、静まり返っている。闇に沈んだ街の中で、二階の灯りが煌々《こうこう》と灯っているのが異常な雰囲気だった。彼女は照明を点けっぱなしにして寝るようなタイプとは思えないのだが……迷わずインタフォンを鳴らす。返事はない。警備会社のステッカーにちらりと目をやって、ドアに手をかける。鍵がかかっていない。意を決して、ゆっくりと階段を上り始めた。軋《きし》み音のする木製の階段なので、相手――上に誰かいるとしてだが――に気づかれたくはない。

　階段の一番上まで来て、足音を立てないよう、ゆっくりと呼吸を整える。その時点で大友は、既に異変に気づいていた。ドアが細く開き、灯りが漏れている。これはあり得ない。一人暮らしの女性が、ドアを開け放したまま眠るとは考えられなかった。ましてや、まだ冬の名残で寒い夜である。

大友はハンカチを使い、慎重にドアを開けた。人一人が入れるほどの隙間が開くと、首を突っこむ。玄関の灯りは点っていないが、その奥の部屋から光が漏れていた。じっと同じ姿勢を保ったまま、人の気配を感じ取ろうとする。ない。空気は冷たく凍りついていた。

思い切って玄関に入り、声をかけてみる。

「篠崎さん？」自分の声が空しく響いた。もう少し声を大きくして、もう一度。「篠崎さん？　いませんか？」

いなかった。同時に大友は、彼女に厄介ごとが降りかかったと確信した。短い廊下に血痕。それほど大量ではなく、既に乾きかけていたが、新しい血なのは間違いない。

クソ、これは僕のミスだ。彼女が逃げる心配はないと、今夜の見張りをさぼったのが悪い。誰かが彼女を襲う——その考えをまったく考慮にいれていなかった自分の愚かさを呪う。僕がここで張ってさえいれば、こんなことにはならなかったのだ。部屋の中で死んでいる優、拉致され、どこかで監禁されている優。様々な姿を想像すると吐き気がしてきたが、それでも一人部屋に踏みこまないだけの理性は残っていた。外に出て、神田署に連絡を入れる。携帯電話を持つ手の震えを抑えるのに、一苦労した。

当直で神田署にいた鑑識の係員たちが、すぐに駆けつけてくれた。電話を切って十分後には、大友は係員たちと一緒に部屋に踏みこんでいた。

「少なくともこれぐらいの出血なら、命に別状はないでしょうね」

若い鑑識の係員、長池《ながいけ》が呑気な口調で言った。大友はとても安心できないと思いながら、彼を睨みつけた。血痕がもう一か所、板敷きの居間の床に残っている。直径が五センチほど。歯を抜いても、これぐらいの出血はあるだろう。確かに命に関わるものではない……しかし、鋭利な刃物で刺された時の傷は、案外出血が少ないものだ。むしろ内出血として広がり、外部へ失われた血の少なさからは想像もできない死に至ることもある。だがこの状態では優は死んでいない、と大友は自分に言い聞かせた。ただし彼女が傷ついているのは間違いなく、気持ちが落ち着くことはなかった。

居間には、激しく争った跡はなかった。だが、テーブルと椅子の位置が、記憶にあるのとは少しずれている。椅子は四脚ともばらばらの位置で、誰かがテーブルの下に隠れていたのを無理矢理引っ張り出された感じだった。誰か――優。

大友は、署から駆けつけてきた刑事たちの中に上野がいるのを見つけた。

「泊まってたのか？」

「ええ、昨夜遅かったんで」上野が眠気を弾き飛ばそうとするように、目をぱちくりさせる。

「悪いけど、近所の聞き込みをしてくれないか」

「いいですけど、この辺、民家なんかないじゃないですか」上野が不満そうに頬を膨らませる。

「ないこともない。それと、会社も当たってくれ。もしかしたら徹夜仕事をしていた人がいるかもしれない。彼女が拉致されたとしたら、相当大きな物音がしたはずだ。この辺は夜は静かだから、何か気づいた人がいると思う」

「分かりました」

欠伸を嚙み殺しながら、上野が出て行った。「退屈だ」と言いたいわけではなく、純粋に眠気と戦っているのだろうと、大友は善意に解釈することにした。

三階の部屋まで捜索の手を伸ばす。先日訪れた時には入らなかった優の部屋も調べた。ベッド、机、本棚。三点セットのようなものだが、本棚を埋め尽くした本の量に大友は圧倒された。二面は完全に本の背表紙による壁になっている。きちんと入れられなかったものは、横倒しに積み重ねられており、どれだけの量があるのか想像もつかない。さすが、古書店の娘は本好きなのかと思ったが、ほとんどが法律関係の専門書だった。眺めているうちに、大友は「モーレツ」というほとんど死語になった言葉を思い出す。彼女がデスクに向かい、必死で勉強している様は容易に想像できた。

ベッドの掛け布団はめくれている。明らかに誰かが寝ていた形跡があったが、こちらには血痕はなかった。何か物音に気づいた優がベッドを抜け出し、二階の居間に足を踏み入れたところで襲われた――という感じだろう。

デスクには小さな丸い置き時計とノートパソコン。電車の中で読んでいた「ジュリスト」が開いたまま置いてあり、彼女は寝る直前まで著作権問題について調べていたようだ。刑事事件が専門かと思っていたが、こういうことも勉強していたのか……ひっくり返して調べると、去年の夏に発行されたものだった。電子書籍関係で世間が騒いでいた頃だ、と思い出す。

他の刑事にタンスと押し入れの捜索を任せ、大友は外へ出た。まだ街は真っ暗で、街灯の灯りも頼りない。遠くで車が走る音が聞こえては消えていく。街は完全に眠っていた。上野がもう一人の刑事と一緒に、路地から路地へと歩いて行くのが見えた。

クソ、どこへ行ったんだ。

おそらく拉致される直前、彼女は僕に電話して助けを求めようとした。一一〇番通報した方がよほど早いのだが、それだけ動転していたのだろう。もしもあの時電話に出られたら。そうでなくても、直後に神田署に出動を要請していたら。

悔やまれる。刑事になって最大の失敗だ、と自分の頭を拳で殴りつけた。捜査一課の仕事は大抵、事件が起きてから始まる。人が殺された、強盗の被害に遭った、放火された——そういうことに慣れっこになってしまっていたが故に、感覚が鈍っていたのかもしれない。「事件を解決する」という考えしかなく、「誰かを守る」意識はまったくなかった。

もう一度、彼女の携帯に電話を入れる。つながった。出てくれと祈りながら呼び出し音を聞いているうちに、また留守電に切り替わる。クソ、つながるんだから、地下などに拉致されてはいないはずだ。もう一度……今度はすぐに、「おかけになった電話は――」というお馴染みのメッセージが流れてくる。犯人に気づかれて電源を切られたか、それこそ地下に拉致されたか。

「大友さん」

どこまでも沈みこんでいく意識を引き上げたのは、長池の呼び声だった。慌てて振り向くと、階段の上、ドアから顔だけをのぞかせている。大友の姿を認めると、右手を突き出して証拠品の入った保存袋を突き出した。

「何か、ヤバい感じですよ」

目を凝らす必要もなく、空のペットボトルだとすぐに分かった。乏しい光に照らされ、中が濡れててらてらと光っている。


「ペットボトルの中は灯油ですね」署に戻ってすぐ、長池が声をかけてきた。「予備検査の段階ですけど、まず間違いないです」

大友は、特捜本部の長テーブルに置かれたペットボトルを手に取り、蛍光灯の灯りに翳した。底にほんの少し、透明な液体が入っている。粘性があるようで、揺らすとねばっとした跡が内側に付着した。

「大友、どういうことだ」

声に振り向くと、岩永が険しい表情を浮かべて立っていた。呼び出され、慌てて出てきたのだろう、髭も剃らず、ネクタイもしていない。普段の彼に比べれば、ひどくみすぼらしい印象だった。

「篠崎優が拉致されたようです」

「それは聞いた……そのペットボトルは？」

「彼女の部屋から見つけました。中身は灯油だと思います」

「灯油」繰り返し言って、岩永がうなずいた。「インチキだな」

「ちょっと待って下さい」大友はペットボトルを顔の高さに上げた。「彼女がこれを持っていたんですよ？　放火につながる証拠じゃないですか」

「そうは言えないだろう」岩永がにやりと笑った。やけに自信ありげで、目には大友をからかうような色が浮かんでいる。

「どういうことですか？」

「聞いてないのか？　昨夜、シブタニスポーツの二号店で、一・五リットル入りのペットボトルを見つけたんだ。中にはかなり灯油が残っていた。これで渋谷の犯行は決定的だな」

「まさか」大友は小声でつぶやいたが、何故「まさか」なのか、自分でも分からなかった。

「とにかく、拉致は悪質な犯罪だ。この件はお前に任せる」

「人手が必要ですよ。彼女が拉致されてから、かれこれ……」大友は腕時計を見た。「三時間近く経っています。どこまで連れていかれたか分かりません。捜索網を広げないと」

「その辺は、お前の判断でやってもらって構わない。暇な連中がいるだろう？　高畑とか、柴とか。その辺の連中を好きに使え」

「特捜本部は何もしないんですか」

「渋谷の方の裏づけ捜査が忙しいからな」岩永が肩をすくめた。「まあ、緊配ぐらいは、交通課と地域課に協力してやってもらおう。そこから先は、お前の判断で何とかするんだな。そもそも篠崎優のことは、お前に任せたと言ったはずだ」

「しかし――」

「今日の――いや、もう昨日か、デートはどうだった？　楽しんだんじゃないか？　それで気が抜けて女を拉致されてるようじゃ、お前もまだまだだな」

「それが気に入らないなら謝りますが、人手が必要です」大友はなおも食い下がった。

「馬鹿野郎！」岩永が突然怒りを爆発させる。「こっちはな、お前の失敗を尻拭いするほど暇じゃないんだよ。篠崎優が拉致されたのは、明らかにお前のミスだろうが。責任は自分一人で取れ！」

本音はそれか……大友は歯を食いしばったまま一礼し、特捜本部を出た。署の前にある駐車場に停めた自分の車に戻ろうとした時、ちょうど上野が帰って来た。

「あ、大友さん、すいません」暗い表情で頭を下げる。「報告したいんですが……」

「車に乗ってくれ」大友はロックを解除して、助手席のドアを開けてやった。

「上へ行かなくていいんですか？」上野が怪訝そうな表情を浮かべる。

「たった今、管理官から追い出されてきた。この件は僕のミスだから、一人でやるようにって言われたよ」

「ええ？　それはひどいなあ」上野がわざとらしく顔をしかめる。「一人で捜すのは無理ですよ。手伝いましょうか？」

「管理官にどやされるよ。取り敢えず、今分かっている情報を教えてくれればいい」

「ええとですね……」

手帳を繰る上野の表情が明るくなる。何か手がかりを摑んだな、と大友はそれにすがることにした。

「近くに新聞販売店があるんですが、午前三時過ぎに、車が急発進するのを見た人がいます。あの辺、夜中には車なんかほとんど通らないんですが」

「車種は？」

「そこまでは……ただ、排気音を聞いた限りだと、結構大きい車じゃないかっていう話でした」

「見てはいないんだな？」

「音だけです」

「仕方ない。他には？」

「もう一人、雑貨屋って言うんですか？　そこのじいさんが、同じような急発進の音を聞いていています。年寄りなんで、すぐ目が覚めちゃうみたいですね。ただ、こっちも車は見ていません。今のところ、証言はそれぐらいですね」

「拉致されたのは間違いないんだろうな……」我ながら自信のない声だと思いながら大友は言った。

「でしょうね。取り敢えず、近場をぐるっと回って来たんですけど、大友さんの言う通りで、仕事をしていた会社もあるみたいですよ。まだ灯りが点いてるビルがあったんで、呼んでみたんですけど返事がありませんでした。寝てるのか、無視してるのかは分かりませんけど」

「どこのビルか分かるか？」

上野が手帳のページを破き、簡単な地図を書きつけた。線はぐねぐねと曲がり、字はのたくっていたが、大友はあの付近がすっかり馴染みになっていることもあり、すぐに位置関係を把握できた。

「助かる。これから訪ねてみるよ……ところで昨夜、シブタニスポーツの二号店からペットボトルが見つかったんだって？」

「ええ」

「君も捜索《ガサ》に加わってたのか？」

「はい。自分が見つけたわけじゃないですけど」

「どこから出てきた？」

「二階の事務室……っていうか、倉庫ですね」

あの場所か。大友は訪ねた時の様子を思い出した。靴の箱がレンガ壁のように積み重なっていた狭い部屋。どうしてあそこを捜索することになったのか……だいたい渋谷が、そんな物を隠していたのが理解できない。さっさと捨ててしまえば、安心できたはずである。よほど抜けていたのか、あるいは怯えていたのか。人を殺し、自分が放った火が燃え広がって動転したら、人間は何をやるか分からない。まだ灯油の残るペットボトルという重大な証拠を手に握ったまま、自分の店まで走って帰ってきた可能性もある。

「篠崎優の家からも、灯油を入れた痕跡のあるペットボトルが出た」

「何ですか、それ」上野が頭から突き抜けるような声を出した。「あり得ないでしょう」

「実際、見つかったんだ。そっちは五百ミリリットルだったけど。押し入れに隠してあったそうだ」

「あの女、また俺たちを騙そうとしてたんじゃないですか」憤慨した口調で上野が言った。「また変な証拠を出して、こっちを混乱させようとしてたんですよ、きっと」

「ただし、どっちのペットボトルが犯行に使われたものかは分からないんじゃないかな。証明しようがないだろう」

「それはそうですけど……」上野が不満そうに言った。

「とにかく、ありがとう。自分一人で、やれるところまでやってみるよ」大友は上野の肩を叩いて放免した。

優の家に向かって車を走らせながら、大友はこんな時、福原だったらどんな格言を吐くだろう、と考えていた。格言どころではなく、この状況では単なる説教になるかもしれないが。

5

もう一度優の家に戻る。夜も明け切らぬ闇の中に沈んだ、冷たい生活空間。大友は腰に手を当てて優の部屋の真ん中に立ち、室内をぐるりと見回した。部屋の主役である法律書以外に、個人の嗜好を感じさせる物は何もない。それこそ専門図書館のような部屋……彼女は己を殺していたのか？　そうではないだろう。野心に富んでいたはずだし、正義感も——その方向が合っているかどうかはともかく——強い。ただ、女性的な雰囲気に乏しいだけなのだ。

それも別に悪いことではない。そういえば僕だって、男っぽいかといえばそんなこともないのだから。男だ、女だとあれこれ言うより先に、やらなければならないことはいくらでもあるじゃないか。

がたがたいう窓を開け、冷たい外気を導き入れた。上野が探し出してくれた、ずっと灯りが点いているというビルが家の正面にある。確かに、三階——ちょうどこの部屋と同じ高さにある窓の明かりが灯っていた。そこを人影が過ぎるのが見える。やはり徹夜で仕事をしているのか。大友は慌てて部屋を出て、隣のビルに駆けこんだ。

この界隈によくある、鉛筆のように細長い雑居ビルだった。バブルの時代に土地が切り売りされた結果、ビルは細く、高く上に伸びていくしかなくなったのだ。ホールに入ると、一フロアに一部屋の造りだと分かる。案内板は七階まで全て、会社の名前だった。エレベーターで三階へ上がり、ドアを思い切りノックする。インタフォンは無視する人間でも、ノックされるとつい応じてしまうものだ——その方が緊急性が感じられるから。

一分ほど待っていると、やっとドアが細く開いた。マンションの部屋と同じようなチェーンが一杯に引っ張られ、寝ぼけ顔の、三十歳ぐらいの男が顔を見せる。どこでどんな風に寝ていたのか、髪は思い切り逆立っていた。

「何すか」

「警察です」男の眼前にバッジを突きつける。「ちょっとお話を伺いたいんですが、よろしいですか」

「いや、あの、仕事中で」突然言葉がもつれる。

「時間は取らせません。お願いします」丁寧だが有無を言わさぬ口調で言って、大友は相手の顔をじっと見つめた。

「ええと、あの……」男の目に戸惑いが浮かぶ。「外じゃ駄目なんですかね」

「申し訳ないけど、中へ入らせてもらいますよ」この部屋の窓から何が見えるか、確認しておきたかった。

「いや、だけど、ちょっと」男がしどろもどろになった。

「あなたがここで麻薬を作っていても、今は見逃します。もっと重要な事件の捜査なんです」

「本当に？」

「担当も違うし」

「本当にいいんですね？」

やけにしつこく念押しする。もしかしたら本当にドラッグの精製でもしているのかもしれないが、今はそんなことよりも重要な問題がある。

「死体がない限り、目を瞑《つむ》ります」

「じゃあ……」

男が一度ドアを閉め、チェーンを外した。大友はドアに手をかけて大きく開き、部屋に足を踏み入れた。普通のマンションと同じ造りで、玄関で靴を脱ぐようになっている。脱ぐ手間も惜しかったが、仕方なく礼儀は守ることにした。転がるように室内に踏みこむ。一面グレイのカーペット敷きで、広さは十二畳ほどだろうか。入って正面に窓とデスク。デスクの上では、パソコンの画面でスクリーンセーバーが踊っていた。ちらりとそちらを見てから左の棚に目を移すと、大量のアダルトＤＶＤが積み重なっているのが見えた。右側には段ボール箱。その前にくたびれたソファが置いてあり、汚い毛布が丸まっている。

「裏モノか？」

「ええ、だから……」男がうつむいた。これでは確かに、警察官を部屋に入れるわけにはいかないだろう。

「見なかったことにする。それより、教えてくれ。ここで徹夜で仕事してたのか？」

「ええ。納期が……」

「窓を開けるぞ」言って、大友は窓に手をかけた。マウスか何かに触れてしまったようで、スクリーンセーバーが解除され、編集中のビデオの画面が現れた。無視してデスクの上に身を乗り出し、窓の外に顔を突き出す。「向かいの家、見えるよな」

「ええ」

「時々覗いたりしてないのか？」

「冗談じゃない」男が顔の前で思い切り手を振った。充血した目が潤んでいる。「そんな、覗きみたいなこと……」

「覚えてないか？　夜中の三時頃に、車が急発進したはずだ」

「ああ」男がもじゃもじゃの髪に手を突っこんだ。「ありましたね」

「覚えてるんだな？」大友は男の肩を摑んで揺さぶった。「外、見なかったか？」

「見ましたけど……何か、悲鳴も聞こえたから」

「よし。どんな車だった？」大友は勢いこんで訊ねる。悲鳴の件が気になる。

「どんなって言われても……」男が体を捻って大友の縛《いまし》めから逃れ、人差し指をくるくると回した。「車のこと、よく分からないんで」

「色でも形でも何でもいい。思い出してくれ」

「ええと」男が顎に人差し指を当てた。「色は黒で、背が高い車……」

「トランクは？」

「なかったですね」

「ワゴン車か？　ワンボックスカーか？」

「違いは何なんですか」

子どもと話すようなものだ。いや、優斗の方がよほどましか。あいつはやけに車に詳しいから……「モーターマガジン」を眺めて喜んでいる小学生など、日本中であいつぐらいではないだろうか。スペックが分かるはずもないのに。大友は手帳を取り出し、ワゴン車とワンボックスカーのシルエットを描いた。

「どっちかな？」

「こっちですかね」男がワンボックスカーを指差した。

「ナンバーは」

「それは見てません。ほとんど真上からだったから」

大友は男に、窓から外を見るように指示した。男が窓枠に手をかけて、思い切り上体を乗り出す。

「どの辺に停まってた？」

「ちょうど向かいの家の前なんですけど……でも、どこに停まってたかは分かりませんよ。音で、その辺にいたんだろうなって。俺が見た時は、もう結構遠くへ行ってたから」

「悲鳴の話なんだけど、男だった？　女だった？」

「女だと思いますけど、はっきりそうかって言われると……」自信なさげに口を濁す。

「その車が前の家を見張っていたとか、そういうことはありませんか」

「気がつきませんでしたね」

大友は名刺を取り出し、自分の携帯電話の番号と特捜本部の番号を丁寧に書きつけて渡した。

「何か思い出したら電話してもらえますか？　いや、是非思い出して欲しい」

「そんな無茶な」

男が苦笑したが、大友は真剣な表情で一歩詰め寄って、表情を凍りつかせた。

「君は、僕には借りがあるんだよ」DVDが並んだ棚に目をやる。「この件が表に出ないようにするためには、是非僕に協力して欲しい。これでも口は堅い方だから」

「そんな無茶苦茶な……もう何も覚えてませんよ」

「人間って、意外と自分の記憶をコントロールできないものなんだ。忘れていたと思っていたことを実は覚えているっていうのも、そんなに珍しくない」大友は男の鼻先に指を突きつけた。「頼むよ。きっと何か覚えているはずだから」

「そんな……」男の両の口角がぐっと下がった。「まったく、強引ですね」

「仕事だからね」

「何だか逆らえないのは何でなんでしょうね」

「さあ。もしかしたら天性の才能かもしれない」

「AVのスカウトマンとか、どうですか？　女の子を口説くのも得意そうだし」急に男が馴れ馴れしくなった。

「余計なことを言ってると、このビデオの件も黙っているわけにはいかなくなるよ」肩に手を置き、少しだけ力を入れてぎゅっと握った。男の顔が引き攣り、無理矢理笑おうとした表情が崩れ去った。


すぐに道路に出て、優の家の前を調べた。まだ薄暗く、息も白い中、腰をかがめて道路を舐めるように見ていく。車が何か残していないか……鑑識のプロに任せたいところだが、ひとまず自分の目で確認しておきたい。朝日がゆっくりと街を照らし出し始め、屈んで目を凝らす必要はなくなったが、ずっとうつむいて歩いているうちに首が痛くなってきた。道路を右から左へ渡りながら調べ、今度は左から右へ。こういうのはブストロフェドン——牛耕式と言うんだったか。どうしてこんな役に立たないことを覚えているのだろうと自嘲的に考えながら、ひたすら視線を道路に這わせる。

首を上げ、下ろした瞬間に、何かが朝日を受けて光るのが見えた。電柱の陰に屈みこんで、ハンカチを使って拾い上げる。指輪だった——見覚えがある。優が右手の薬指にしていた指輪。何の飾りもないシンプルな銀製で、彼女が身に着けていた唯一の装飾品だ。どんなに乱暴にされても、指輪は簡単に落ちるものではないが……優が自分の危機を知らせるために、わざと落としたのではないか、と思った。僕に対するメッセージ。大友はハンカチごとぎゅっと指輪を握り締め、確かにメッセージを受け取った。


次にするのは、援軍を呼ぶことだった。この辺で聞き込みを続けるにしても、何か他の手がかりを探すにしても、一人でやれることには限りがある。

午前六時半。この時間だと、柴は起きているかどうか、ぎりぎりだろう。だが大友は迷わず、彼の携帯に電話を入れた。

「ああ」もしもし、ではなく怒ったような疲れたような声で柴が応じる。

「僕だ」

「テツ？　何だよ、こんな時間に……まだ六時半じゃねえか」

「篠崎優がいなくなった。拉致されたようだ」

「お前、今どこにいる？」柴の声が瞬時に目覚める。

「彼女の家の前だ」大友は手短に事情を説明した。柴は無言で聞いていたが、そのうち何かごそごそと音が聞こえ始める。素早くベッドを抜け出して着替えを始めたのだろう、と想像した。

「そっちへ行くから三十分待ってくれ」

「本庁の方、行かなくて大丈夫か？」

「適当に誤魔化しておく」

「僕と動いていることは、絶対にばれないようにしろよ。今、立場が悪くなってるんだ」

「それは指導官が何とかしてくれるさ……おい、人手は足りないよな？」

「拉致事件だとしたら、二人でも無理だ」

「高畑も呼ぶか？　あいつも、昼間の仕事は適当に誤魔化せるはずだぜ」

そうするか。岩永も、高畑や柴を好きに使え、と言っていた。いわば管理官のお墨つきを得たわけだから、何か問題が起きても言い抜ける材料にはなる。

「分かった。僕から話しておく」

「これでないとな」柴の声が弾んだ。「面白くなってきたじゃないか」

「勘弁してくれ。彼女はたぶん、危険な状態にあるんだぞ」

「分かってるよ。だけど、気合は入るじゃないか」

大友の返事を待たずに、柴は電話を切ってしまった。暴走気味なのはいつもの通りだが、今回は人の命がかかっている。セーブすべきところはセーブしてもらわないと、と大友は気持ちを引き締めた。

三人は、優の家が監視できる路上に停めた大友の車の中にいた。柴が仕入れてきた朝食を食べながら、作戦を打ち合わせ中である。大友と柴が前に座り、後部座席は敦美が一人で占めていた。

「テツ、この車、狭いんだけど」サンドウィッチを頬張りながら、敦美が文句を言った。大友の車は、真っ赤なアルファロメオの147だ。元々は菜緒の愛車で、彼女が生きていた頃は、大友がハンドルを握ることはほとんどなかった。優斗と二人で乗っている分には狭い感じはしないのだが、基本的にコンパクトな車なので、後部座席はそれほど広くない。特に体格のいい敦美が乗っていると、いかにも苦しそうだった。実際彼女は体を斜めにして、足を横に投げ出している。

「申し訳ない。次は大きな車を買うから」

「しょうがないな……」敦美が髪をかき上げ、紙パックの牛乳を啜った。どうやら今朝は、珍しくアルコールっ気がないらしい。日曜の夜ぐらいは休肝日と決めているのだろうか。

「とにかく分担を決めようぜ」柴が握り飯の袋を丸めた。

「そうだな。柴は、携帯電話の追跡をしてくれないか？　午前三時ぐらいまでは、電話が通じていたんだ。その後でつながらなくなったけど、最後の着信から居場所が割り出せるんじゃないかな」

「了解。じゃあ、本庁に戻ってこそこそ調べておくよ」

「悪い」

「いやいや……ただし今度、お前の奢りで一杯いこうぜ」

「私もそれで手を打つわ」敦美が同調した。

「君は勘弁してくれ」大友は泣きを入れた。一晩呑んだところでたかが知れているが、敦美が一緒となると話は別だ。

「大人しく呑むから……それじゃ、私たちは近所の聞き込みでいいわね」

「そうしよう。まだ完全に潰しきれてないんだ」

「でも、不思議な感じよね」ごみをまとめながら敦美が言った。「こんな、千代田区の真ん中でも人が住んでるんだから」

「意外と夜間人口も多いんじゃないかね」柴が応じた。「最近、マンションも増えてるだろう」

「そうだな」相槌を打ちながら、大友は今後のスケジュールを考えた。聞き込みに使える時間は、当面二時間ほどだろう。その後で新神田弁護士事務所に連絡を取り、黒原にも話を聴かなくてはならない。もしも身代金目的の誘拐だったら、あの事務所に要求が行く可能性が高いはずだ。

「しかし、何か変だな」ドアを押し開けながら柴が言った。

「何が」

彼の疑念が何なのかは分かっていたが、敢えて訊ねてみた。大友も外に出て、ルーフに肘をついて彼と向き合う。敦美は助手席側のドアから、身をよじるようにして——3ドアハッチバックなので、後部座席への出入りには柔軟体操のような動きを強いられる——外へ出た。

「あらゆることが、だよ」柴が大きく腕を広げた。「何で特捜本部は、こんなに篠崎を嫌うんだ？」

「それは、自分たちがコケにされたと思ってるからでしょう」敦美が反応する。

「だけど、拉致事件だぜ？　それなりに人手を割くのが普通だろう」

「しかし、特捜本部が責任を持つべき事案かどうかは分からない。現段階では、所轄レベルで判断すべきなんじゃないかな」大友は言った。

「だったらどうして所轄は動かない？　特捜に動きを押さえられてるんじゃないか？」

「そうかもしれないけど、黙ってそれに従う理由が分からない」大友は首を振った。

「だから、この事件は変なんだよ……じゃあな。後で連絡する。そっちも何か分かったら電話してくれ」

「ああ」

柴の背中を見送ってから、大友は敦美と顔を見合わせた。

「君も変だと思うか？」

「最初からおかしいと思ってたわ。私は特捜本部の動きよりも、彼女の行動の動機が謎なんだけど」

この件はまだ話していなかったと思い出し、優の家からペットボトルが見つかったことを話した。敦美の眉がきゅっと上がる。

「つまり、全く別の証拠を隠していたということ？　何だか順番に出そうとしてたみたいじゃない。一つが手詰まりになったら、今度は新しい証拠」

「普通の人はそんなことをしないね」

「となると、少なくとも自首してきたことに関しては、無視していいかもしれない。真面目に取り合うだけ無駄だわ」

「動機はあるはずなんだ。警察を引っかけようとした動機が……彼女が、単なる悪戯でこんなことをするとは思えない」

「あら、篠崎優という人間について、ずいぶん詳しくなったみたいね」

敦美が皮肉っぽく言った。何となく逆らえないように感じ、大友は昨日の出来事を話した。

「優斗君をだしに使って、彼女を懐柔したわけ？」

「実際、少し態度は変わってたよ。もう少し押したら、何か筋の通ることを喋ったかもしれない」

「そうなんだ……」敦美が車のルーフを拳で軽く叩いた。「とにかく、まずは目撃者探しね。聞き込みを始めましょう」

「ああ」

敦美が手回しよく準備してきた住宅地図を広げる。大友は既に当たり済みのところに、「1」と数字を打っていった。一回りしてなお手がかりが摑めなければ、二巡目に入らなければならない。

「それじゃ私は、右半分を。靖国通りの向こうは無視していいわね？」

「ああ」

「了解。それじゃ」

軽く手を振って敦美が去って行く。彼女の背中に軽くうなずきかけてから、大友は踵を返して歩き出した。何か手がかりを……優が拉致されて既に五時間近く。犯人の意図が摑めないが、危急の状況に変わりはないのだ。

それにしても……何かが、根本的に何かがおかしい。違和感の源泉を摑めぬまま、大友はドアをノックし始めた。


「いなくなった？」

ドアノブに手をかけたまま、黒原の動きがぴたりと止まった。事務所に電話を入れても誰も出ないので、大友は業を煮やして直接押しかけて待っていたのだ。

「拉致です。彼女の意思でいなくなったとは思えません」

「誰がそんなことを」

「それが分かれば、そっちの線を探っています。ちょっと話を聴かせてもらえませんか？」

「ああ、こりゃ失礼」黒原が慌てて鍵を開ける。手慣れた侵入盗なら、十秒で突破できそうな古い鍵だった。

事務所の窓には全てブラインドが下ろされており、薄暗い。派手に音を立てて次々にブラインドを開けながら、黒原が状況を訊ねた。深夜に電話がかかってきたことから、彼女が行方不明になり、家に血痕が残っていたことまでを手際よく説明する。不審なワンボックスカーの発進音が聞かれたことも。

「ということは、本格的な事件か……」呻くように言って、黒原がソノァに音を立てて腰を下ろした。「冗談じゃない。優は無事なんですか」

「怪我は大したことはないと思います。それに車に乗せられる時には、意識ははっきりしていたはずです」

「どういうことかね」

「自分の指輪を落としていったんですよ。目印みたいなものだと思います」

大友はハンカチを広げ、優の指輪を示した。黒原が身を乗り出して確認する。

「ああ、これはたぶん……彼女のだな。何の特徴もないから断言はできないが」

「ＤＮＡ鑑定に回します。汗から分析できるかもしれない……黒原さん、彼女は最近、何かのトラブルに巻きこまれていませんでしたか？　弁護士を拉致するなんて、常識では考えられませんよ」

「彼女が扱っていた事件の関係者で、こんな荒っぽいことをする人間がいるとは思えない。こういう手口は、ヤクザとか外国人の専売特許だと思うが」

「仰る通りです」大友はうなずいた。外国人同士の拉致、誘拐事件がどれほどあるか……内輪で解決しようとして、警察に届け出られない案件も相当ある。ヤクザにしてもそうだ。誰にも知られぬまま、海に、あるいは山に捨てられた遺体の数は見当もつかない。もっとも、そういう事件の影響が一般人にまで及ぶことはまずないから、無視してしまってもいいのだが。

「それにしても、本当に心当たりはないんですか？」

「ない」黒原が断言した。「彼女が扱う事件に関しては、私も全て把握するようにしている。大事な所員の仕事には責任を持たないと」

「しかしあなたは、彼女が実際に渋谷さんと接触していたのをご存じなかった」

「何だって？」黒原の顔が蒼褪《あおざ》める。「そんな話は聞いてないぞ」

「彼女は報告していなかったんですね？」友人たちからこの情報を聞いた時、大友は黒原が自分に隠し事をしたのではないか、と疑念を抱いた。優が自首してきたことにも、黒原が絡んでいる——あるいは裏で全ての糸を引いている——可能性を考えたほどだった。

「聞いていない」黒原が顎を胸に埋めた。「もちろん、単に誰かから相談を受けただけなら、私が聞いていないない可能性もある……」語尾は空気に溶けてしまった。

「その件が関係している可能性は否定できません」

「ちょっと待ってくれ」ソファを軋ませながら、黒原が身を乗り出す。「この件の関係者は何人いるんだ？　渋谷という青年と、うちの優と二人じゃないんですか。その片方は死んでいる」

「そうですね」不可解だ。筋が通らない。あるいは渋谷には共犯者がいて、優がその存在を知らずに、何かまずいポイントに足を踏み入れてしまったとか。クソ、曖昧な想像しか出てこない。目隠しをしたまま絵を描いているようなものだ、と大友は唇を嚙んだ。

「勘弁してくれ……」黒原が泣きを入れた。「警察は、ちゃんと捜してくれているんでしょうね」

「もちろんです」今のところ、真剣になっているのは三人だけだが。

「できる限り協力するが、今のところ、これ以上のことは分からないな」黒原が弱音を漏らす。

「何でも構いません。何か思い出したり、新しい事実が出てきたら、すぐに連絡して下さい。彼女から電話があったり、金の要求があった場合も――」

「身代金目的の誘拐だと言うのかね」黒原が大友の言葉を遮った。顔には自嘲的な笑みが浮かんでいる。「だったら犯人は大馬鹿者だな。この事務所に金がないことぐらい、調べればすぐに分かるのに」

「その件については、私の口からは何とも申し上げられません」大友は首を振った。

「今のところは、あらゆる可能性を否定しないで捜査を進めようと思います」

「つまり、何も分かっていないということだな？」

やけに勘の鋭い老弁護士にきつい視線を送ってから、大友は立ち上がった。この件の背後で何が動いているのか、考えただけでうんざりする。

6

「何で立川なんだ？」助手席に座る柴が訊ねた。

「それはこっちが聞きたい」ハンドルを握る大友は肩をすくめた。「電話の発信情報は間違いないんだろうな」

「電話会社がヘマしたんじゃない限り、な」

「それはあり得ないでしょう」後部座席から身を乗り出し、シートの隙間から顔を突き出して敦美が言った。「たぶん犯人は最初、彼女が携帯を持っているのを見逃していたのよ」

敦美の言いたいことは大友には分かった。僕が何度も電話しているうちに気づいて、電源を切るか破棄した――そう考えるのが自然だろう。その最終ポイントが立川なのだ。

大友は、完全に優とすれ違いに動いていたことになる。

「犯人、少し間抜けじゃないかね」柴が感想を漏らした。「最初にボディチェックぐらいしておくべきだったんだ。それにお前、何度も電話を鳴らしたんだろう？　それに気づかないのも馬鹿だぜ」

「拉致に使われたのはワンボックスカーだと思う。彼女を後ろの席に押しこめていたら、運転している人間には聞こえにくいはずだ。マナーモードになっていたかもしれないし」

「その辺のことは、今考えても仕方ないでしょう」敦美が釘を刺す。「彼女を捜し出すのが先決よ」

柴が反論もせず、きつく唇を引き結んだ。拳を顎に当て、じっと前方を凝視する。車は中央道を西へひた走っており、間もなく国立府中インターチェンジに辿り着く。

「捜索のポイントは？」ウィンカーを左へ出しながら大友は訊ねた。

「多摩都市モノレールの立飛《たちひ》駅周辺、半径二百メートル……おい、地図はあるか？」

「グラブボックスに道路地図が入ってる」

柴がグラブボックスを探って、分厚い地図帳を取り出した。すぐに立川のページを見つけ出し、指でなぞる。見る間に眉間に深い皺ができた。

「相当広いな」

「半径二百メートルって言ったらかなりのものよ。ちょっと地図、貸してくれる？」

柴が腕だけを伸ばして、敦美に地図を渡した。バックミラーを覗くと、敦美がシートに背中を埋め、真剣に地図を精査しているのが見える。

「何にもないところみたいね」敦美がぽつりとつぶやく。彼女の言う通りで、JR立川駅の北側に当たるこの地域は、これから整備が進められる一角だ。警察関係では立川署、第八方面本部、第四機動隊の庁舎、その他にも自治大学校や地裁など官公庁、それにスーパーなどの物流センターがあるが、土地はまだ空いており、モノレール沿いにだだっ広い空間が広がっているはずだ。特にモノレールの西側にその傾向が強い。

「ここからだと、どこへでも行けるわね」

「ああ」大友は認めた。立川を起点にすれば、昭島を抜けて国道十六号線、武蔵村山から新青梅街道、あるいは中央道へ戻って、八王子方面へ——いや、違う。

「近くにいると思う」料金所を前にブレーキを緩く踏みこみながら、大友は言った。

「どうして」敦美が訊ねる。

「最初から遠くへ逃げるつもりだったら、わざわざここで高速道路を下りる意味がない。中央道をずっと突っ走っていけばいいんだ。最後に電波が切れた近くにいるはずだ」

「半径三十キロぐらいには絞りこめるかね」柴が皮肉を飛ばした。

「それでも、この先山梨や長野まで対象に入れなくちゃいけないほどじゃないと思う」自分を鼓舞するために大友は言った。「二人には悪いけど、もう少し手伝ってくれ」

「当たり前だよ。乗りかかった船ってやつだ。福原さんならそんな風に言うんじゃないか？」

「それは格言じゃなくて、ただの慣用句」敦美が突っこんだ。福原の格言好きは、刑事部内で広く知られているのだ。

「違いがよく分からないんだけど」真剣な様子で柴が首を傾げる。

「あんたは、中学生ぐらいから国語をやり直した方がいいわね」

「ほざけ」

柴が笑い飛ばし、窓を開けた。湿った寒気が車内に流れこみ、大友は思わず身をすくめた。三月とはいえ、今日は真冬並に冷える。優は軽装――もしかしたらパジャマ姿かもしれない。直接的な暴力は受けなくとも、寒さが人の命を奪うこともある。大友は無意識のうちに身震いしていた。


「それにしても、本当に何もないわね」車を降りると、敦美が感想を漏らした。確かに……モノレールが上を通る片側二車線の広い道路の脇に、フェンスに囲まれた広大な敷地があり、中には体育館のような素っ気無い建物が建ち並んでいる。「物流センター」などの看板が見えるので、一種の倉庫街だと分かった。一方、まったく建物が見当たらない空き地もある。

「捜すのは、厄介なような、そうじゃないような、だな」柴が遠くを見ながら言った。

「ここで別れよう」大友は提案した。「柴はこの敷地の中を当たってくれ。物流センターでも、人ぐらいいるだろう。広いから、僕の車を使ってくれ」

「お前はどうする？」

「他の場所を当たる。確か、高松駅の近くに、拘置所の宿舎なんかがあったはずだ」

「一軒ずつノックして回るつもりか？」

「それしかないだろう」

大友と敦美はモノレールに沿って、高松駅まで一駅分歩いた。駅前には広大な駐車場が広がっており、まったく手つかずで草が生い茂る空き地もあった。マンションや団地、公共施設はかなり大きいのだが、周囲の空間が開き過ぎているために、ごく小さな物と錯覚してしまう。午前中で人は少なく、なかなか話が聞けなかった。一時間もノックし続け、インタフォン越しの会話を続けた結果、腰が痛くなってきた。団地の前で落ち合った敦美も、疲労の滲んだ表情を浮かべている。

「何とも言えないわね……」溜息を漏らす。

大友は携帯電話をチェックした。着信、なし。会社関係を調べている柴からも、連絡はなかった。

「裁判所でも当たってみる？　すぐ近くよ」

「それも手だな」二人は並んで歩き出した。人の気配がほとんどない。時折車が行き過ぎるだけで、まるで寂れた地方都市の様相だった。数百メートル先には、乗降客の多いＪＲ立川駅があるのに……。

物流センターが集まる敷地を右手に見ながら、裁判所の方に向かって歩いて行く。途中、見かけた人に次々と話を聴いてみた。

「ワンボックスカー？　見てません。車なんか興味ないから」三十歳ぐらいの女性は、鬱陶しそうに顔をしかめて立ち去った。「分かりません」と言ったのは、五十歳ぐらいの警備員の制服を着た男。「すいません、急ぐんで」と顔を伏せて逃げていったのは、制服を着た女子高生だった。

「あなたの魅力も、あの年代だと通用しないの？」

敦美が皮肉を飛ばしたが、やり返す気力もなく、大友は無言で首を振った。

裁判所で、職員たちに話を聴く。こちらも空振りだった。誰も黒いワンボックスカーなど見ていない。さっさと見切りをつけて、モノレールの東側を当たるべきかもしれない、と大友は思った。そちらは住宅地で、目撃者探しはもう少し容易《たやす》いかもしれない。

「テツ、あれ」不意に敦美の声が尖る。彼女が指差す方——駅前の公園と独立行政法人の研究所に挟まれた路上——を見ると、背広姿で寒そうに震える男たちが数人、ワンボックスカーの前で固まっていた。ワンボックスカー？　しかも黒？　大友は思わず駆け出した。

「すいません！」声を張り上げると、男たちが一斉に大友を見る。立ち止まり、息を整えてから話し出した。

「そのワンボックスカー、どうかしたんですか」聴きながら、素早く車を確かめる。トヨタ製、七人乗り。これがあの車だとすれば……想像していた通りだ。優が三列目の座席に座らされていれば、運転している人間は彼女の携帯の着信音を聞き取れないかもしれない。

「ずっとここに停まってるんですよ」一番背の高い男が、しかめ面を作って答える。

「いつからですか？」

男が腕時計に視線を落とした。

「かれこれ三時間……いや、分からないですね。我々が出勤してきてから、ずっとだから。もっと前からあったのかもしれない。それで、そろそろ警察に電話しようと思いまして。邪魔で仕方ないんですよ」

男が肩をすくめる。確かに、ワンボックスカーは緩い左カーブの中ほどで停まっている。突っこんでくる車からは死角になる位置だ。

「我々が警察です」大友はバッジを示した。「触らないで！」

警告すると、背の高い男がはっとして手を引っこめた。どれだけべたべた触りまくったのだろう、この連中の指紋も確認しておかなければならない。鑑識の連中には大変な手間になると、大友は心の中で手を合わせた。

「車の持ち主、割れたわ」敦美が携帯をふりながら、こちらに向かって来た。ナンバーから照会したのだろう。

「何者だ？」依然として車を取り囲んでいる男たちに聞かれるのは承知で、大友は訊ねた。

「福島茂之《ふくしましげゆき》、三十二歳、家は世田谷ね。住所からすると、下北沢駅の近くかしら」

「分かった」大友は男たちに向き直った。「今、所轄の交通課を呼んで牽引させます。すぐ済みますが……申し訳ないですが、皆さんの指紋を採らせていただきます。この車は犯行に使われた可能性があるんです」

男たちの顔が一斉に引き攣った。全員、研究所の真面目な職員、あるいは研究スタッフだろう。何で指紋を……と思っているに違いない。だがこれは、絶対に必要な検証なのだ。男たちを一時研究所の中に押しこめて、大友は所轄の立川署に電話を入れた。交通課につないでもらい、事情を話す。

「それは、刑事課の話じゃないのかな……事件絡みだとしたら」矢内《やうち》と名乗った交通課長は、いかにも面倒臭そうだった。これ以上仕事を増やしてくれるな、と言わんばかりの物言い。

「通行の邪魔になってるんです。取り敢えず、ここから動かさないと。署に運んだ後、どこが調べるかはそちらで決めていただければ……迷惑している人がいますから、お願いします」

「……了解」

矢内が声を絞り出すように言った。自分で牽引作業をするわけでもあるまいに、どうしてこう面倒くさそうにするのだろう、と大友は不思議に思った。

次いで柴に連絡を入れ、それらしい車が見つかった、と説明する。

「分かった。その福島とかいう男の家に突っこんでみるか？」

「ちょっと待ってくれ。拉致に使われた車だと断定できない限り、無駄になる」

「その車から、篠崎優の指紋でも出てくればいいわけだ」

「ああ。照合は可能だ。自首してきた時点で、採取しているから」

「よし、とにかくそっちへ行く。研究所の近くだな？　交通整理の手が必要だろう」

「そんなことまでしなくてもいいんだよ」

「人手はいくらでもあった方がいい」

柴が電話を切る。大友が苦笑しているのを、敦美が見咎めた。

「何笑ってるの？」

「柴の張り切りぶりにやられた」

「あの男、異常よね。あんなに仕事が好きな人間、いないわよ」

「仕事が好きというか、お祭りが好きなんだ。あいつ、浅草の生まれだから」

「初耳よ」敦美が目を見開いた。

「子どもの頃から三社祭を見て育ったから、お祭り騒ぎを見ると血が騒ぐそうだ。今でも三社祭の時は休暇を取るぐらいなんだ」

「正真正銘、馬鹿じゃない」

「否定はしない」

「だけど、これのどこがお祭り？」

敦美が周囲を見回した。春はまだ遠く、冬枯れした街。物流センターの方には建物が固まっているが、その他の場所には空き地が目立つ。畑でもなく、山林でもなく、ただ何もない場所。今や東京では希少な存在になった、単なる空き地が、ここでは幅を利かせていた。夜明け前、ワンボックスカーがここへ到着する様を想像する。引きずり出される優。だが、そこから彼女はどこへ行った？　歩いて連れて行かれたとは考えられない。別の車に乗り換えるのが自然だ。わざわざ二台目を用意していたとしたら、犯人たちが用心深い証拠だろう。それにしても目的は何だ？

答えようのない質問を自分にぶつけていると、目の前の空き地の風景にも劣らない空しさが、胸の中に流れこんでくるのだった。

立川署の交通課が到着するまでの時間を利用して――近い割にやけに遅かった――大友たちはなるべく手を触れないように気をつけながら、車を観察した。外見は、特に異常がない。妙な改造も施されていないようだ。サイドウィンドウにはカーテンがかかっており、運転席と助手席、それに正面からしか車内を覗きこめない。見た限り中は特に乱れた様子もなく、綺麗に片づいていた。

「踏みこんだら？」敦美があっさりと言った。

「まずいだろう。鑑識を待った方がいい」

「でも、早く判断しないと……これが犯行に使われた車なのかどうか」

甲高いブレーキ音が響く。やっと所轄の連中が到着したかと思ったら、柴だった。あの男は……僕はこんな風に乱暴に、車のペダルを操作することはない。

「何やってるんだよ、馬鹿みたいに張りついて」

「鑑識待ちなんだ」

「そんなまだるっこしいことしてる場合か？」柴が大友を一睨みし、助手席のドアに手をかける。一応、ハンカチを使う冷静さは残っていたが。

「おい――」

「もう開けたよ」ドアがスライドする音に柴の声が重なる。彼は他のところに手を触れないようにしながら、中を覗きこんだ。「えらく綺麗な車だな。何にもないぜ……おっと、これは何だ？」

柴がしゃがみこんだ。ドアを開けた拍子に何かが落ちたらしい。彼の足下を見て、大友は一気に鼓動が跳ね上がるのを感じた。サッカーボールのついたストラップ。

「触るな！」

思わず大声を出した。柴が怪訝そうな表情を浮かべて立ち上がり、大友の顔を見詰める。大友は唇を引き結んだ。

「この車には、間違いなく彼女が乗っていた」

素早くうなずくと、柴が大友のアルファに駆け戻った。エンジンをかけると、タイヤを鳴らしてすぐに走り去る。行き先は下北沢だ。

「あの馬鹿、理由も聞かないで」敦美が溜息をついた。「だけど、どうして分かったの？」

大友はアスファルトの上に転がったストラップを拾った。

「これは、優斗のなんだ」

「何、それ」敦美が顔をしかめる。「また話が複雑になるの？」

「違う。昨日、優斗が彼女にプレゼントしたんだ。彼女はその場で、自分の携帯につけていた」

「ということは、これは——」

「二つ目の目印」

優はパンを持っていれば良かったのだ。そうすれば、少しずつちぎってまいていき、自分の足跡を残せたのに。もちろんそんなものは、散歩中の犬に食べられてしまうかもしれないが。

「少なくともここでは、彼女は生きていた」自分を納得させるように、敦美が低い声で言った。

「そうであって欲しいね」応じながら、大友は胸の中で盛り上がってくる嫌な予感を、どうしても消せなかった。

「――ですから、篠崎優を拉致した車が見つかったんです」

「分かった。引き続き捜索を続けてくれ」

「待って下さい、管理官！」さっさと電話を切ろうとした岩永に向かって、大友は声を張り上げた。「彼女はおそらく無事です。早く捜し出せば、救助できるはずです。見殺しにするんですか」

「こっちは本筋の捜査で手一杯なんだ。所轄にでも何でも、手伝わせればいいだろう。車が見つかったのが立川なんだから、立川署に任せたらどうだ？」

「それは管轄的におかしいでしょう」

「俺に一々指図するな！」

岩永が怒鳴った。演技ではなく本当に怒っていると判断して、大友は一歩引いた。

「……分かりました。では、こちらの判断でやります」

「勝手にしろ」

電話を切り、岩永の態度を何とか理解しようとした。意図は分からないが、優は警察を混乱させた存在である。そんな女の身に何があっても知ったことか、と考えるのは当然の発想だ。警察官も人間なのだから、コケにされたと感じれば感情的にもなる。そう考えても、岩永の態度は理解不能だった。拉致され、おそらく命の危機に晒されている人間がいるのに、何もしようとしない。もちろん、特捜本部には本筋の捜査があるし、それを疎かにするのは許されないのだが……問題は、大友がまだ、優の行動に納得していないことだ。完全に事件と関係ないとは言い切れない。少なくとも彼女は、死ぬ前の渋谷に会っているのだ。何か相談を受けていたに違いない。

「それで、どうしろと？」

矢内が疑わしげに大友を見た。立川署の交通課には、全課員が揃っているようで、たくさんの視線が自分に突き刺さってくるのを大友は意識した。

「この捜査、手伝っていただけませんか？」

「話は聞いたけどね」矢内が手帳をめくった。「発生場所が神田署管内じゃないか。うちが手を出すのは筋違いだと思う」

「神田署は、例の強盗放火事件の特捜本部で手一杯なんです。何とか協力してもらうわけには――」

「無理だよ、無理」矢内が首を振った。「管轄の違いは無視できない。特別な事情がない限り、それが決まりだからね」

大友は歯軋りをした。馬鹿馬鹿しいとは思うが、管轄を無視したら、警察という組織が成り立たなくなるのも事実だ。しかし今こそ、「特別な事情」ではないのか。

「人命がかかっています。人手が必要なんです」

「気持ちは分かるけど……そういう特命でもあるならともかく、ね。そこは分かってくれよ。こっちは宮仕えなんだから」

矢内が泣き落としにかかった。制服を着ている期間が長かった人間に特有の保身術。

面倒なことをせずに済むなら、頭でも何でも下げる。

「しかし、課長――」

大友も泣き落としにかかろうとしたが、かかってきた携帯に邪魔された。柴だろうと思ったが、出てみると福原だった。

「容疑者が拉致されたと聞いたが」

「ええ。今、その件で走り回っています」大友は矢内に背を向け、携帯電話を手で覆って話し始めた。「立川署管内で車を発見したんですが……指導官、お願いしてもいいですか」

「お前のお願いは、いつでもろくなもんじゃない」いかめしい口調で福原が言った。

「自分でもできるだけのことはしますが、今は人手が必要なんです」

「……俺にどうしろと?」

虎の威を借る狐、とはこのことだ。みっともないのは自分でも分かっていたが、今はプライドも何もいらない。こうしているうちにも命の危機に晒されているかもしれない優を助けるのが、最優先事項なのだ。

渋る福原を説得し、大友は矢内に向き直った。矢内は嫌そうな表情を浮かべ、椅子に背中を押しつけている。大友は彼に向かって携帯電話を差し出した。

渋々受け取った矢内が、相手の声を聞いた途端、ぴんと背筋を伸ばす。今にも立ち上がりそうだった。ひたすら「はい、はい」と繰り返し、手帳にボールペンを走らせる。

電話を切った時には額に薄っすらと汗を浮かべており、恨みがましい視線を大友にぶつけてきた。

「ひどいね、あんたも」

「申し訳ありません」大友は頭を下げた。「でも、仕組んでいたわけじゃないんです。たまたまですから」

「どっちでも同じだよ。こっちが絶対に逆らえない人を引っ張り出してくるんだから」

「ご協力、感謝します」大友は真面目な口調で言って、顎に力を入れた。利用できるものは何でも利用する……そもそもこの騒動に自分を引き入れたのは福原なのだから、少しは働いてもらわないと、という気持ちもあった。

「仕方ないな……」矢内が頬を擦りながら立ち上がった。「ちょっと署長と話してくる。周辺を捜索するなら、人手が必要だからな。地域課の連中の手も借りよう」

「よろしくお願いします」

大友は頭を下げて、矢内の後姿を見送った。一歩遅れて交通課の外へ出る。ロビーに出ると、それまで黙っていた敦美が口を開いた。

「指導官を使ったの？」

「使った？　人聞きが悪いな。ちょっと口添えしてもらっただけだよ。だいたい、あんなタイミングで電話をかけてくる方が悪い」

「テツって、時々ものすごく悪い人間になるよね」

「そうかな」

「そうでもないと、警察の中で生き抜くのは難しいかもしれないけど」

「何かあったのか？」元気のない敦美の口調が気になった。

「別に、そういうわけじゃないけど」敦美が首を振ると、髪がふわりと揺れた。コートの前をかき合わせ、身震いする。「いろいろ難しいのよ。私はテツに比べたら世渡りが下手だから」

「褒めてるつもりかもしれないけど、あまり嬉しくないのはどうしてだろう？」

「そんなこと、自分で考えなさい」

敦美がすたすたと歩き出した。一人になりたい時もあるのか……大友は少し遅れて敦美の背中を追った。


立川署は、一度動き出すと早かった。周辺の捜索と検問を始め、犯人探索の網を広げる。そうなると大友たちはかえって邪魔になるのが分かっていたので、車の発見現場から再び署に引き返し、ワンボックスカーの検証につき合うことにした。

初めて自分でも車内に入ってみた。確かに何もない。最近の車はほとんどカーナビつきだから、道路地図がないのは分かるが……車検証を見て、持ち主の名前を再度確認する。

「福島茂之ね……何者かしら、こいつ」セカンドシートに座った敦美が車検証を改める。

「それは柴が調べ出してくれるんじゃないかな」

「また暴走しないといいんだけど」

「あいつも馬鹿じゃないよ」

「本当に？」

どうやら機嫌が直ったようで、敦美がくすくすと笑う。大友は一安心して、サードシートを調べ始めた。既に鑑識が粘着シートを使って徹底的に調べているのだが……プロでも見落としはある。折り畳めるシートの隙間に指先を突っこみ、はいつくばって舐めるように床も見ていく。車の登録は二年前で、運転席と助手席以外のカーペットはほとんど痛んでいない。優は裸足のまま連れ出されたのか、靴跡などはまったく見当たらなかった。

無理な姿勢を続けたので、腰が痛くなった。呻き声を上げながら立ち上がる。

「だらしないわね」敦美が鼻を鳴らす。

「しかし、こういう車に乗ってる人間っていうのは、どんな奴なんだろう」両手を叩き合わせながら、大友はサードシートに腰を下ろした。「大きいだけで燃費も良くないだろうし、走っても面白くない」

「走り屋みたいな言い方ね……確かにあなたの車はそういう感じだけど。ホットハッチってやつ？」

「あの車は菜緒のだよ」

「そうか……」ぱたんと音を立てて車検証を閉じ、敦美がドアを引いて外へ出た。前席のドアを開け、グラブボックスへ車検証を放りこんで、車に寄りかかる。腕組みをして、車庫の暗い天井を仰いだ。

「何か気にかかるのか？」大友はスライドドアの隙間から顔を突き出した。

「彼女のこと。一日しかつき合わなかったけど、本音には迫れなかったわね」

「仕方ないよ。人に心を開かないと決めた人間を落とすのは大変だ。二勾留、二十日つき合っても何も言わない人間もいる」

「でもあなたは、少しだけ彼女の本音に近づいたんじゃない？」敦美が首を捻って大友の顔を見た。「何だか情けないわ。テツって、ずるいわよね」

「何が」言いがかりだと思いながら、大友は訊ねた。

「だって、何もしてないのに人の本音を引き出しちゃうから」

「そうかな」

「努力しないで、天性のキャラだけでそんなことされてもね」敦美が肩をすくめる。「何だか自分の人生を全否定されてるみたいな感じがするんだけど」

「それで君が気分を害したなら、謝る」

「だから、そういうのが……」敦美が苦笑した。ゆっくりと腕を解き、パンツの腿を両手で叩く。払い落とすべき埃など、まったくついていなかったが。「まあ、いいか。刑事らしくないのが、テツのテツたる所以《ゆえん》かもしれないし」

「意味不明だよ、それ」

「まあ、いいから」

何か反論しようと思ったが、鳴り出した携帯電話で邪魔された。体を捻ってジーンズ
——夜中に慌てて出てきてしまったので、今日はひどい格好だった——のポケットから
引っ張り出す。「柴だ」と敦美に告げてから電話に出る。

「どうだ？」いきなり質問から切り出してくる。

「髪の毛が見つかってる。この車に彼女が乗っていたことを補強する材料になるはずだ」

「よし。そっちでやること、まだあるのか？」

「いや。はっきり言えば、僕らは邪魔になっていると思う。嫌われ者だしな」

「だったらすぐこっちへ来い」柴の口調は強引だった。「お前も、ここは見ておいた方がいいぞ」

「一時間で行く」

電話を畳み、敦美の顔を見る。彼女は既に早足で歩き出していた。

7

下北沢駅の周辺は、新宿や渋谷の繁華街を五分の一ほどに圧縮したような混乱ぶりだ

った。道は狭く入り組んでおり、人通りも多く、歩きにくいことこの上ない。小さな芝居小屋が多いので、学生時代にはしょっちゅう足を運んでいたのに、既に街の記憶は薄れていた。南口を出て目の前にある喫茶店に飛びこんだが、店員は誰もこの辺の地理に詳しくないようで、二人はいきなり道に迷ってしまった。警察官として情けないことこの上ないと思いながら、あてずっぽうで「下北沢南口商店街」の看板がかかった緑色のアーチをくぐって歩き出す。建物の密集度が高く、特に飲食店が目立つ。昼食を食べ損ねているのに気づいたが、不思議と食欲はなかった。途中、学生時代に何度か入ったことのあるパン屋で、道を訊ねると同時にパンをいくつか仕入れる。柴への差し入れだ。

「そんなに間違ってなかったわね」並の男性なら早足でないと追いつけないようなスピードで歩きながら、敦美が言った。

「交差点まで行ったら左へ曲がって、その先の最初の交差点を右へ、だったね」

「そうすると茶沢通りに出る、と。案外駅に近いわね」

「ああ」

息が白くなるかならないか、ぎりぎりの気温だったが、歩いているうちに汗ばんでくる。彼女と歩くのは競歩をするようなものだ、と思いながらひたすら歩き続けた。

茶沢通りに出ると、ようやく一息つく。それまでのごちゃごちゃした雰囲気から解放されて、まともに呼吸ができるようになったようだった。茶沢通りは片側一車線の道路で、車の通行量が多い。飲食店などがほとんどだった駅前の道路と違い、普通にマンシヨンや一戸建てが立ち並ぶ住宅地になっていた。歩きながら、柴の携帯に電話を入れる。

「すぐ近くまで来てると思うんだけど」

「近くになにがある？」

　大友は周囲を見回した。目印は……レンタカー店の看板がある。それを告げると、柴は看板を背にして歩け、と指示した。最初の信号を左に入り、コイン式の駐車場を探して来い、そこに車を停めている、と。

　三分ほど歩いて駐車場を見つけた。二十台ほどが停まれるかなり大きなもので、柴は出口に一番近い位置に駐車場所をキープしていた。ハンドルを抱えこんで背中を丸めていたが、二人に気づくと軽く右手を上げて合図する。一度車を降りると、自分から後部座席に体をねじこんだ。大友が運転席に、敦美が助手席に落ち着いた。パンの入った袋を差し出すと、柴が「悪いな」と言いながら受け取る。

「それで、家はどこなんだ？」

「右斜め向かいに、青い壁のアパートがあるだろう？　そこの二階の一番道路寄りの部屋」

　二階建てのこぢんまりとしたアパートで、柴が示した部屋には小さな三角形の出窓があった。学生、あるいは若いサラリーマンが好んで住みそうなアパートである。立地条件もいい。

「普通のアパートみたいだな」

「今は誰もいないみたいだ。ところが、ちょっと聞き込みをしてみたら、面白い話が出てきた。中国人らしい人間が出入りしていたらしいぜ。何か匂わないか？」

「中国人だからって、何でも怪しいと考えるのはまずいよ。九十九パーセントまでは真面目な留学生や研修生じゃないか」怪しさを感じながらも、大友はまず柴の興奮を打ち消しにかかった。

「お前、時々嫌な奴になるな。そういう優等生的な言い方を聞いてると、背中が痒くなる」カレーパンに齧りつきながら柴が言った。「だったら、福島という男と中国人の関係をどう説明する？　出入りしてたのはいつも夜中らしいし、いかにも怪しいじゃないか」

「それだけじゃ、どうかな」大友は疑義を呈した。柴の頭の中が、中国人犯行説一色に染まっているのが目に見えるようだった。

「立川の方、どうなんだ？」柴が話題を変えてきた。「何か手がかりはあるのか」

「今のところはない」

「クソ」吐き捨て、柴がパンを飲み下した。「それにしても、どうしてあそこだったのかな」

「工事中の場所が結構あった。僕たちは潰し切れていないだけで、監禁場所としては悪くないと思う」

「そういう場所は、立川署で調べてくれてるんだろうな」

「それはもちろん、やってるはずだ」

「監禁場所じゃなくて別の車に乗り換えるにしても、あそこにした理由が分からない。あの車、ガソリンは入ってたんだろう？」

「ああ、まだタンクに半分ぐらいは残っていた。ただし、キーはついてなかったけど」

「となると、一時的にあそこに停めたとしか考えられない。だけど実際には、何時間も停めっ放しだったわけだろう？　放置だ。意味不明だよ」

「ちょっと待って」じっとアパートを観察していた敦美が鋭い声を上げた。「誰か来る」

大友はアパートに視線を移した。外階段を上がる二人組。二人とも申し合わせたように黒いブルゾンを着こみ、下はスリムなジーンズ。特に怪しい雰囲気ではなかったが、階段を上りきった後の次の行動で、大友の疑念は頂点に達した。

「福島の部屋へ行くわ」敦美が低い声で言った。

二人は、まるで自分の家に戻って来たような自然な様子で部屋の鍵を開け、そのまま中へ姿を消した。出窓の側を横切り、部屋の奥へ歩いていく影が見えた。こちらに気づいている様子はない。

「どうだ？　中国人に見えたか？」大友は柴に確認した。

「見ただけじゃ分からないな。踏み込むか？」

「いや、待とう」

「まだるっこしいこと、言うなよ」柴が身を乗り出した。「時間がないんだぞ。彼女が拉致されてから、何時間経つと思ってるんだ」

「それはそうだけど……」踏み切れない。大友は自分の優柔不断さに苛立ちながら、なおも躊躇っていた。

「出てきたわよ」敦美の指摘で、再びアパートに目をやる。入ってから五分と経っていなかった。何か忘れ物を取りに来たのかもしれない。

「どうする、テツ」柴が切迫した声で聞いた。

「後を追おう。柴、ここを頼めるか？」

「俺が行くよ。ずっと座りっ放しで、腰が痛くなってきた」

「私も行くわ。マル対は二人だし」

言って、敦美がすぐに車を降りる。シートを倒して、柴がその後に続いた。出て行く寸前、大友に声をかける。

「ここで張ってる必要もないと思うぜ。福島は帰って来ないような気がする」

「どうして」

「勘だよ、勘」柴が耳の上を人差し指で叩いた。「俺の勘も馬鹿にならないぞ」

「分かった。状況次第で僕も動くかもしれない」

「連絡は密に、な」さっと敬礼して、柴が去って行った。アパートに入った二人は、並んで駅の方に歩いて行く。特に言葉を交わす様子もなく、友人同士というよりは、他人がたまたま歩調を合わせているように見えた。十メートルほど離れて敦美、さらにその後ろに柴が続く。

すぐに動く気にはなれず、大友は柴に倣って、自分でも周辺の聞き込みをしてみた。立て続けに刑事が訪ねて来たので怪訝そうな顔を浮かべる住民もいたが、中国人らしい人間が福島の部屋に出入りしていたらしいことははっきりした。福島はどんな男か？　分からない。都心のアパートでは珍しくないことだが、誰も福島の顔を知らなかった。

大友は、ボールペンを使ってドアの新聞受けの蓋を開け、室内を覗きこんだ。短い廊下の向こうが部屋――それは分かったが、視界が狭いので、それ以上中の状況は確認できない。念のためにドアノブを摑んでみたが、当然鍵はかかっていた。もう一度郵便受けを覗く……視界の隅に何かが入った。人がいる？　確かに誰かが動くのが見えた。福島だろうか。いや、柴は「部屋には誰もいないはずだ」と言っていたし、ノックの音にも反応はなかったという。まさか、優がここに……鍵をこじ開けて踏み込むか、と一瞬考えた。だがそんなことをすれば、中にいる人間は気づいて何らかの対策を取るだろう。武器を持っていたら、丸腰の自分は対応できない。

一旦引くことにした。ここは待ちだ。相手に刺激を与えず、自分の存在を消して、ひたすら何かが起きるのを待つ。そうしている間にも優の命は危険に晒されているのだが、この部屋、そしてさきほど部屋を訪れた二人連れが、今のところ唯一の手がかりなのだ。逃すわけにはいかない。

車に戻って、待つこと一時間。午後も半ばを過ぎた頃、アパートのドアが開き、中肉中背の男が姿を現した。柴のノックを無視して隠れていたのか……腿の半ばまでの短いトレンチコートにニットキャップ。寒さを防ぐというより、印象を曖昧にするための手段のようだった。ジーンズのポケットに両手を突っこみ、急ぎ足で階段を下りると、右側――駅と反対側に向かって歩き出した。慌てて車を降り、跡をつけようと思ったが、男はすぐに「月極」の看板がある近くの駐車場に入った。自分の147に引き返し、エンジンに火を入れる。ほどなく、駐車場から白いヴィッツが姿を現した。レンタカー。大友はすぐに車を出し、少し間をおいて追跡を始めた。

相手は特に急ぐ様子もなく、茶沢通りに出て左折した。間に一台軽自動車を入れて、尾行を続ける。ひたすら南下し、ほどなく三軒茶屋の繁華街へ。ヴィッツの男は、バスに行く手を阻まれても焦る様子もなく、法定速度を守ってゆっくり走っている。緩い坂を上ると駅前で、首都高の高架も見えてきた。高速を使うつもりか……右折して国道二四六号線に入り、車の流れの中に紛れこむ。大友は左車線に強引に割りこみ、間に二台挟んでヴィッツを追った。念のため、柴の携帯に電話を入れる。

「部屋から人が出て来た」

「何だって?」柴が怒鳴る。「誰かいたのか? まさか、福島じゃないだろうな」

「分からない。年齢は同じぐらいに見えるけど……たぶん、部屋に籠って息を凝らしてたんだと思う。今、車で二四六号線を西へ向かっている。お前は?」

「渋谷の喫茶店にいる。二人はまだ一緒だ。誰かを待ってる様子だが……ちょっと待て、今来た。また電話する」

一方的に通話が切れた。大友は携帯電話を助手席に置き、前方に意識を集中した。車は環七を越え、駒沢付近に来ている。渋滞が始まっており、尾行は容易だった。のろのろ運転が続く中、ハンドルの上で手帳を広げ、ナンバーをメモする。そういえばあのアパートには駐車場がなかった、と思い出す。契約関係を調べてみないと分からないが、福島のワンボックスカーは、今自分が追跡しているヴィッツがいた月極駐車場に停まっていたのではないか、と想像する。何となくだが、やはりあのアパートが一種のアジト、あるいは出撃基地なのではないかと思えてきた。もしかしたら、部屋の中にはまだ人がいるかもしれない。それこそ、優が監禁されているとか……何とか室内の様子を確認し、さっさと踏みこんだ方が良かったのでは、と悔いる。

前の信号が黄色から赤に変わり、右折用の矢印が出た。慎重にブレーキを踏みこみ、前方を確認する。いつの間にか、ヴィッツとの間には車が三台挟まっていた。ハンドルを指先で叩きながら、信号が変わるのを待つ。この辺りでは、二四六号線と自由通りの交差点が常に渋滞するようだ。バックミラーを覗くと、後ろにも延々と車の列ができているのが見える。

ようやく信号が青になり、交差点の一番前で停止していたヴィッツが、ゆっくりと動き出した。それに釣られて大友もブレーキから足を離す。車が流れ始めた時、前方で激しくクラクションが鳴り響いた。反射的にブレーキを踏みつけた瞬間、激しい衝突音が響く。自分の三台前――ヴィッツのすぐ後ろにいた車の横腹に突っこんできた車の鼻先がめりこみ、隣の車線を走っていた車にぶつかる。急ブレーキの軋み音とクラクションの音で周囲が埋め尽くされた。大友は一瞬にして状況を把握した。自由通りから赤信号で無理に突っこんできた車が、事故の引き金になったようだ。ヴィッツは？　慌ててサイドブレーキを引いて車から飛び降りる。事故現場まで進み出て前方に目を凝らすと、ぎりぎりで衝突を避けたヴィッツの後姿は、既に小さくなっていた。現場は早くも大混乱の様相を呈している。巻きこまれた車は四台。ほぼ全車線を塞ぐ形になっており、交通の流れは完全に止まっている。この現場をすり抜けてヴィッツを追うのは不可能だ。
「クソ……」悪態をつきながら車に戻る。まずこの現場から脱出する方法を考えないと。そう思いながらも携帯電話を取り上げ、取り敢えず所轄に律儀に事故の通報をしてしまうのだった。

何もなくすごすご引き返すわけにはいかない。大友は事故現場付近を管轄する世田谷署に入り、レンタカーの照会をした。借りた人間は衛《え》藤信二《とうしんじ》、三十歳。免許証に記載された住所は目黒区のものだった。名前と住所が割れたのだから、この男を捕まえるのは難しくないだろうと判断し、福島のアパートに戻ることにした。大家か管理会社に頼みこんで、鍵を開けてもらうつもりでいた。世田谷署は、二四六号線と世田谷通りに挟まれた場所にあり、裏道を通れば、福島のアパートまで十分もかからないだろう。今後の計画を考えながら車に乗りこんだところで、電話が鳴った。

「おい、変なことになったぞ」柴の声には混乱が感じられた。

「どうした」

「例の二人組と会っていた人間なんだけどな、警察官みたいだぞ」

「何だって？」思わず電話をきつく握り締める。

「店を出た後尾行したら、渋谷分室に入って行ったんだよ」

「渋谷分室って、公安の連中が借りてる場所じゃなかったか？」

警視庁には本庁舎と各警察署の他にも、様々な施設がある。方面本部、機動隊の庁舎などはお馴染みだが、他にも民間のビルに間借りしている分室がいくつかある。出撃本部としての役割を持たせられていたりするのだが、一般人はほとんどその存在を知らない。

「そういうこと。俺も詳しくは知らないけど、これはどういうことなんだ？」

「それはこっちが聞きたいよ。あの二人組は？」

「やっぱり中国人だと思う。中国語を話してたからな」

「そっちはどうした」

「高畑が尾行してたけど、途中で見失った。山手線で別方向に分かれたから一人を尾行したんだけど、逃げられたようだ。気づかれてはいないはずだけどな。あいつも今、こっちに向かってる。お前はどうした」

「事故に巻きこまれた」

「何だって」柴の声が裏返る。「無事なのか？」

「こっちには怪我はないけど、相手には逃げられた」

「クソ、上手くいかないな」

「仕方ない」柴というより自分を慰めるために大友は言った。「それよりどうして、公安の連中が関係してるんだ？」

「分からん。お前は、篠崎優のことは、特捜の事件とは分けて考えてるんだろう？」

「表向きは」何がどう関係しているか分からない、というのが本当のところだ。

「本当は何かあると思ってるのか？」探りを入れる口調で柴が訊ねる。

「何とも言えないな」

「これからどうするよ」

「ああ……」二四六号線に出ようとする車が渋滞を作っている道路を見ながら、大友は相槌を打った。「頼みがあるんだ。中国人らしい二人組と会っていたのが誰か、割り出せないだろうか」

「できないこともない。張り込み、その後尾行だな」

「申し訳ない」大友は自然に頭を下げていた。「面倒な仕事ばかり押しつけて、悪いと思ってる」

「そんなことはいいけど……一つ、教えてくれないか」

「何だ？」

「お前が謝ると、何だか許そうって気になるんだけど、どうしてかね」

「さあ」

「そういう能力、俺も欲しいよ。上に睨まれた時、するっと逃げられそうじゃないか」

「そういうのは、自分では分からないんだ」

芝居の経験が生きているのかいないのか……学生のお遊び、素人演劇ではあったが、誰かを演じるやり方だけは本能的に身についているはずだ。謝罪する時は心から反省し、血の涙を流しても許してもらおうと頭を下げる人になりきる。そういうものだろうと頭では分かっているのだが、ではどうすればいいか、人に説明はできない。本当に本能的、感覚的なものなのだ。

「ま、解説できるようになったら教えてくれよ。俺だって上手くやりたいからさ。それでお前、これからどうする？」

「あの部屋に踏みこんでみようと思う」

「おいおい」

柴が目を細める様が容易に想像できた。そういうのはこっちの得意技だとでも言いたいのだろう。

「ちゃんと大家か不動産屋に話を通すよ。協力してもらえないようなら、何か別の手を考える」

「ああ……じゃあ俺は、これからしばらく連絡が取れない状態になると思う。何かあったら、こっちから連絡を入れるから」

「頼む」

電話を畳み、溜息を一つつく。次は敦美に電話を入れなければ……二人には、予想していたよりも面倒な仕事を押しつける結果になってしまった。この借りをどうやって返せばいいのだろう。敦美は笑って「酒を奢ってくれればいい」と言うだろうし、柴は「合コンをセッティングしろ」とにやりと笑うかもしれない。だがそんなことでは、この仕事での借りは返せない。考えてみれば僕は、たくさんの人に面倒をかけながら生きている。優斗を育てていくために多くの物を犠牲にし、その分のしわ寄せが他の人に行くのだ。本音では「いい加減にしろ」と言いたい人間がたくさんいるだろう。だが、今さらどうしようもない。そういう風に生きる道を選んでしまったのは自分自身なのだから。

せめて柴と敦美が、自分に対して裏表のない態度で接してくれていることを祈る。文句があるなら、遠慮せず言って欲しかった。

夕方近く、大友は恐る恐る聖子に電話を入れた。福島のアパート前で敦美と不動産屋の到着を待つ時間。一番面倒をかけている人間に対しては、どうしても義理を果たしておく必要があった。

「そう、何だか最近、ずいぶん忙しいわね」説明を聞いた彼女の口調は素っ気なかった。

「ええ」皮肉っぽい台詞が引っかかったが、余計なことは言うな、と自分を戒める。

「構わないけど、本当はどうしたいの？　このままじゃ、優斗を普通に育てていくなんて無理でしょう」

「今だけです。本当に今だけ。本来、こんなに忙しい職場じゃないんですから、イレギュラーですよ」大友は両目をきつく閉じ、鼻梁を揉んだ。言っているうちに疲れを感じる。何しろ昨日は夜中に叩き起こされ、その後も東京を東から西へと走り回っているのだ。睡眠不足と疲労、緊張感で軽い頭痛を覚えている。

「何でも自分一人で引き受けないで、もっと楽な仕事に変わったら？　そういう職場もあるでしょう」

「そうですね」例えば町田署の警務課とか。署員の面倒を見ながら雑務をこなし、毎日必ず定時に終わる。泊まり勤務などはあるにしても、時間の調整はしやすいだろう。希望すれば、叶わない異動でもない。だが一度そこへはまってしまったら、逃げ出すのは困難だ。例えば七年後、優斗が高校生になってすっかり手がかからなくなったタイミングを見計らって、「今から捜査一課に戻して下さい」と頭を下げても、希望が通る確率はゼロに近い。それに、捜査の現場から離れている期間が長くなればなるほど、勘は鈍るし体力も落ちる。刑事の能力とは、ランニングや筋トレで鍛えられるものではないのだ。

「少し真面目に考えた方がいいわよ。優斗だって寂しがってるし。あの年齢は、まだ親の助けが必要なんです」

「承知してます」

「本当に、結婚する気はないの？」

「ええ、まあ、今のところは」またその話か、と正直うんざりした。

「私が持ってきたお見合いも全部蹴っちゃうし、この前の合コンもぶち壊しになったんでしょう？」

「そうでした」

「子どもはね、おばあちゃんよりも母親に頼りたいものなのよ。たとえそれが義理の母親であってもね」

「僕が再婚したら、優斗は聖子さんから離れることになるかもしれませんよ。それでいいんですか？」

「大事なのは優斗の気持ちよ。私の気持ちなんか、何も関係ないから……それで、明日はどうなるの？」

「それはまだ分かりません。また後で連絡します」

「優斗と代わる？」

「いや……今、仕事中ですから」本当は声が聞きたかった。元気な声を聞くだけで、いつでも気持ちが鎮まる。特に今日のように疲れ、ささくれ立っている時には、優斗の声は何よりの癒しになるのだ。しかし今は、何もできない自分に対して罰を与えたかった。

そんなことをしても優の手がかりにつながらないのは明らかなのだが……。

「そう」冷たい声で聖子が言い放った。「じゃあ、明日の朝にでも電話してあげなさい」

「分かりました」

電話を切り、またも溜息をつく。今日はこんなことの繰り返しばかりだ。誰かに責められ、心に一つ傷がつく度に溜息をつく。

それにしても。

聖子の言葉が気にかかる。「私の気持ちは何も関係ないから」。深読みすれば、気にしている、とも取れる。菜緒が死ぬまで、大友たちは聖子の家——菜緒の実家からはかなり離れた練馬区内で暮らしていた。大友が警視庁に通うのに便利なようにと、菜緒が有楽町線沿線にマンションを探してきたのである。そこからだと、何回か乗り換えしないと町田に行けないせいもあって、聖子を訪ねる機会はそれほど頻繁ではなかった。聖子自身、家を教室に開放してお茶を教えているので、そんなにしょっちゅう来られても困る、と常々明言していたせいもあった。菜緒が亡くなり、町田に引っ越してからは始終行き来しているのだが、大友は密かに、聖子は孫が可愛くないのかもしれない、と疑っていた。優斗に対しても、猫可愛がりするような態度は見せない。

しかし、本音は違うのではないか。自分の気持ちなどどうでもいいから、優斗のために再婚しろ——そう言っているように聞こえる。どうにも苦手な相手で、心を割って話したこともないのだが、大友はこの機に反省した。一度、ちゃんと話してみよう。義理の家族だが、家族であるのは間違いないのだし、人生設計にかかわる大事な問題でもある。

とにかく、この件が一段落したら……落ち着けばいいのだが、と祈るような気持ちにならざるを得ない。

柴がそうしていたように、ハンドルを抱えこんだままアパートの監視を続ける。既に夕闇が街を覆い、薄い青色のアパートも暗く染まっていた。道路に面した福島の部屋には明かりがついていない。出窓にはカーテンもかかっていないのだが、何かが動く様子もなかった。

電話が鳴る。今日は使い過ぎだ。そろそろ充電しておかないと……特捜本部の電話番号が浮かんでいる。何か動きがあったのかと、慌てて通話ボタンを押した。

「おお、大友か」岩永だった。やけに機嫌がいい。そういう態度は、大友が特捜本部に顔を出して以来初めてと言ってよかった。「篠崎優の件はどうだ」

「まだ手がかりが摑めません」

「立川署の協力を仰いだそうだな」

「ええ、何とかお願いしました」

「ま、引き続き頑張ってくれ」苦虫を嚙み潰した顔が普通の岩永にしては、やけに軽い口調だった。

「管理官？」

「何だ」

「何かあったんですか」

「ああ、そうだ。お前も知りたいだろうと思って電話したんだった」やけに軽い、とってつけたような口調。「渋谷を明日、被疑者死亡のまま送検することにした」

「どういうことですか」大友は思わず電話をきつく握り締めた。

「どうもこうも、ちゃんと証拠が揃った、ということだ。店で発見されたペットボトルから、渋谷の指紋が検出されてな。かなり難しかったが、科捜研が頑張ってくれた」

「ちょっと待って下さい。どうして今になって……」

「今になって、という言い方はおかしいぞ」岩永が本来のきつい口調に戻って指摘した。「俺たちは発生からずっと、この件を追ってきたんだ。たまたま幸運でペットボトルが見つかったが、それは今までの捜査の積み重ねなんだぞ。変な因縁をつけるな」

すいません、という謝罪の言葉が喉元まで出かかったが、無理に呑みこんだ。譲れない部分はある。何の根拠もないが、やはり何かがおかしい。

一つの可能性と一つの事実が頭の中で静かに結びつく。まさか――しかし、排除すべきではないと、大友の勘と経験は告げていた。

「分かりました」

「まあ、そういうことだ。この件ではお前にも迷惑をかけたな」

「いえ」謝罪の言葉を、大友は大きな疑念を持って受け止めた。

「篠崎優の件は、引き続き頼むぞ。元々お前は、あの女の件で指導官に呼ばれたんだしな」

「はい」

「どうした」岩永の声に皮肉な響きが混じる。「いつものお前なら、何か気の利いたことを言う場面じゃないか」

「時と場合によります。一人の人間の命がかかっている時に、そんなことをしている余裕はありません」

「そうか」

むっつりとした口調で言って、岩永は電話を切ってしまった。最近、電話を切られてばかりだなと皮肉に思いながら、大友は慎重に携帯電話を畳んだ。

自分の知らないところで何かが動いている。福原は裏の事情を知って僕を動かしているのだろうか。無条件で信頼し、頼れる人間に対するかすかな疑念を感じ、大友は心が揺らぐのを意識した。

8

敦美と合流した後、不動産屋を口説き落とし、福島の部屋に足を踏み入れる。何も出なかった。というより、そもそもここには誰も住んではいないようだった。1DKの部屋に家具は一つもなく、キッチンに大量のカップ麵や缶詰、ペットボトルのソフトドリンクが置いてあるだけ。片隅に放置されたゴミ袋の中には、食べ終えた食品の容器が突っこんであった。他には空になったペットボトルが十本ほど。大友は思わず、灯油の入ったペットボトルを思い出した。

住居ではなく、誰かがアジトに使っているとしか考えられない。優がここにいた形跡もなかった。

「福島っていう男のことを調べないと」がらんどうの部屋の真ん中に立ち、両手を腰に当てて敦美が言った。

「過去に、警察の網に引っかかった形跡はないんだね」

「そうね。少なくとも、前科はなし」敦美が爪を嚙んだ。「何だか、実在しない人みたいだけど」

「実在しない人間は、車を買えないよ」

「そうよね……」敦美が出窓に歩み寄った。外を眺めながら、「ここの家賃、いくらぐらいかしら」とつぶやく。

「どうかな」大友は彼女の横に立った。「十万……十五万ぐらいはするかもしれない」

「下北沢って場所が、何だか中途半端じゃない？　動き回るならもっと都心――山手線の内側の方が便利でしょう」

「ここは、何かの倉庫や作業場所に使うには小さいしね。そういうことがしたければ、もっと郊外へ行けばいい」

「さっきの中国人の二人組、どうなのかしら……ごめんね、今回は何だか失敗ばかりしてる」

「とんでもない」大友は首を振った。「だいたい、二人組を一人で尾行するのは無理だよ。人手があれば、何とかなったはずだ」

「テツ、ちょっと気になることがあるんだけど」敦美が大友に向き直った。これ以上ないほど真剣な表情をしている。「特捜の動き、何かおかしくない？」

大友は無言でうなずくだけにした。言葉にして認めれば、疑念が事実として確定してしまいそうな気がした。

「何がおかしいか分からないんだけど、何かがおかしいわ」

もう一度、うなずく。喉が張りつき、しつこい頭痛が未だに居座っているのを意識する。こういうややこしい事態は、人の体調にさえ影響を与えるようだ。

「立川署の方は？」

「一旦捜索を打ち切った」岩永からの電話の直後、矢内から連絡があり、大友はさらにダメージを受けたのだった。「明日の朝再開するかどうかは分からない」

「気になることがあるんだけど」

「何だ？」

「東日の沢登って記者だっけ？　篠崎は、彼女に会ってたのよね」

「ああ」

「何のことか分からないけど、かなりやばい話って感じ、しない？」

「そうかもしれない」

「だとしたら、篠崎だけじゃなくて沢登も危ないいんじゃないかしら。一人が情報を提供して、もう一人はそれを元に記事を書くかもしれない……ターゲットになった人間が気づけば、封じこめを考えるかもしれない」

「いい考え……いい考えって言うのは変だけど、その線は考えられるね」大友は頭を締めつける痛みを意識した。

「沢登に会ってみる？」

「ああ」実際に有香が危険に晒されているかどうかはともかく、彼女から何らかの情報を引き出すことはできるかもしれない。彼女は、優が拉致されたことは知らないはずだ。その状況を知れば、一昨日会った時のように、秘匿し続けることは難しいだろう。ネタよりも人命。そんなことは当然のはずだが、彼女がそう考えているかどうかは分からなかった。

「忙しいんですけど」

有香の第一声はそれだった。以前はネタを引き出そうと、向こうから擦り寄ってきたのに……大友はかすかな苛立ちを何とか押さえつけ、わざとゆっくりした口調で話した。

「いや、それでも僕と会った方がいいと思いますよ」

「あら、この前の約束の食事のお誘いですか」気取った口調で有香が言った。

「食事はしてもしなくてもいい。とにかく、話したいことがあるんだ。あなたから聴きたいこともある」

「何だか怖いですね」

「怖いかもしれませんよ。あなたはどう思っているか知らないけど、僕は刑事だから」

沈黙が二人の間を満たす。有香は大友の台詞を吟味しているようだったが、結局「七時から三十分だけなら」と了解した。

「そちらへ向かいます。会社の近くに着いたら電話するから」

会話を終え、大友は敦美に携帯電話を振って見せた。敦美がうなずき、147の助手席に乗りこむ。大友は街灯の灯りを頼りに腕時計を見た。六時半。夕方のラッシュが残っているだろうし、急がないと間に合わない。エンジンをスタートさせ、アクセルを軽くブリッピングする。V6エンジンが軽い雄たけびを上げた。

「ちょっと飛ばさないと遅れそうだ。舌を噛まないようにしてくれよ」シートベルトをしながら大友は忠告した。

「そんな激しい車なの、これ?」

「菜緒はスピード大好き人間だったんだ。この車だって、エンジンは三リッターオーバーだからね」

「このサイズで？　異常だわ、それ」

「本気で走ったら、本当に異常になる」駐車場を出て、茶沢通りに達するまでは冷静に運転した。だが、茶沢通りを左折して、前方が空いているのを確認すると、大友は迷わずアクセルを床まで踏みこんだ。高周波のエンジン音が耳を突き刺し、背中がシートに押しつけられる。菜緒は「これがアルファサウンドよ」といつもにやついていたものだが、大友は自分で運転する時、ついぞこの音を聞いたことがなかった。そこまで思い切り、アクセルを踏みこめない。

「ちょっと、テツ」低い声で敦美が言った。「何よ、この車」

「何だか知らないけど、菜緒の好みだったから」

「それで大事に乗り続けてるの？」

「というより、まだ新しいから買い替える理由がなくて……ちょっと黙っててくれないかな」アルファを本気で走らせようとしたらかなり気を使う。適当にペダルを踏んでいればいい国産車とは違うのだ。

「その方がよさそうね」

ちらりと横を見ると、敦美が気取った仕草で肩をすくめていた。だがその顔が蒼褪めているのを、大友は見逃さなかった。しかし、二人揃って吐くようなことになっても、スピードを落とすわけにはいかなかった。

銀座まで二十五分。途中、首都高が混んでいたのを考えると、奇跡とも言える記録だった。大友は時間と引き換えに、手足ががくがく震えるような緊張感を受け取る羽目になったが。ビルの駐車場に車を預けたところで、七時ちょうど。歩きながら有香の携帯に電話をかけた。

「会社の前に出て待ってるんですけど」失礼な、とでも言いたそうだった。

「今そっちに向かってます。二分くれませんか」

「どこにいるんですか？」

「ええと」大友は周辺を見渡した。「プランタンの前。外堀通りを歩いてます」

「そこからじゃ、二分で着きませんよ。そのまま真っ直ぐ歩いて下さい。ギンザ・グラッセの前で落ち合いましょう」

電話を切り、敦美に訊ねる。

「ギンザ・グラッセって？」

「ファッションビル。上にレストランが入ってるけど、そこだと高くつくわよ」

「お茶を飲んでる時間もないよ。彼女は三十分しかくれなかったんだ」

「でも、ここは銀座よ？　座らないと話もできないでしょう」

敦美の指摘は正しい。景気が悪いとはいえ、銀座には人が溢れている。周囲を見回し、大友はスターバックスを見つけた。有香と落ち合ったら、取り敢えずあそこへ腰を落ち着けよう。

ギンザ・グラッセの前に来ると、ちょうど向こうから有香が歩いて来るところだった。手を振ってこちらの存在を知らせてやると、すぐに気づいて軽く頭を下げる。次の瞬間には、横にいる敦美の存在にも気づいたようで、露骨に顔をしかめる。

「お忙しいところ、呼び出して申し訳ない」

「それは構いませんけど……」遠慮なしに敦美の顔をじろじろと見る。

「こちらは高畑巡査部長」

紹介すると、敦美が感情を感じさせない表情で軽く頭を下げた。

「さっさと話してもらえますか？」有香がわざとらしく腕時計を覗きこんだ。「時間がないんですよ」

「どこかに座ろう。お茶ぐらい、いいでしょう？」

「時間、ないんですけど」苛立った口調で繰り返す。

「立ち話できるような内容じゃないんだ」

一瞬の睨み合いの後、有香が折れた。結局大友が目をつけていたスターバックスの方に向かって、すたすたと歩き出す。だが彼女が二人を先導したのは、その先にある古臭い喫茶店だった。店に入ると、どうして彼女がスターバックスではなくこちらを選んだのかがすぐに理解できた。薄っすらと煙草の臭いが漂っているし、あらこちで紫煙が渦を巻いているのだ。

空いた席に勝手に腰を下ろすと、有香は「アイスコーヒーにして下さい」とほとんど命令するように言った。

「こんなに寒いのに？」

「ここは水出しコーヒーが有名なんです。もちろん、大友さんの奢りですよね」

「結局は君の税金から出ることになるんだけど」

「埼玉県民ですから、ご心配なく」

「失礼」

大友が咳払いする間に、有香が煙草に火を点けた。正面に座った二人を避け、首を捻って煙を吹き上げる。敦美がウェイトレスを呼び、水出しコーヒーを三つ頼んだ。有香はウェイトレスの姿が視界から消えるのを待ち、すぐに「それで何なんですか」と切り出した。

「この件は極秘にして欲しい」

「そんなの、保証しません。聞いた話は記事にするのが基本ですから」

「人の命がかかっていても？」

一度開きかけた口を、有香がゆっくりと閉じた。真偽を確かめるように、大友の目を覗きこむ。

「これは冗談でも何でもない。あなたが記事にすれば、ある人の命が危なくなるかもしれない」

「急にそんなこと言われても、信用できませんね。だいたい、何で私に言ってくるんですか。報道協定でも結びたいなら、広報が警視庁クラブに声をかけるのが普通でしょう」

「この件は、広報は関係ない。まったく極秘で、僕たちが捜査しているだけなんだ」

「そんなのありなんですか？」有香の指先で煙草が灰になっていく。本当は、別に吸いたくなかったのかもしれない。喫煙者は、取り敢えず煙草が吸える場所にいないと安心できないのだろう。

「ありです。だけど、異常なのは分かってもらえますよね？」

「それはそうでしょう。何か、特別な捜査なんですか？」有香は急に興味を惹かれたようだった。

「お願いだから」敦美が突然割りこんできた。「黙ってこの人の言うことを聞いて」

「それじゃ納得できませんよ。人の命がかかっているって言われても、何も説明してくれないんじゃ信じられないでしょう」

大友は敦美と顔を見合わせた。客の入りは七割。隣の席は空いているが、この調子で話していたら、その横の席にいるサラリーマンらしい二人連れには筒抜けになるだろう。これなら、路上で話した方が機密漏れはなかったはずだと後悔しながら、大友は手帳を広げた。「篠崎優　拉致」と書きつけ、有香に示す。

「ちょっとこれ、何なんですか」途端に有香が顔をしかめた。「からかってるんですか？　こんな大変なことだったら、極秘捜査なんてわけにはいかないでしょう」

「そこが、そもそもおかしいんだ。その辺の事情は話せないけど……僕たちは、彼女があなたと話していた件が、この事件のきっかけなんじゃないかと疑っている」

「まさか」有香が疑念を口にしたが、顔は完全に蒼褪めている。大友の言葉を真剣に受け止めたのは間違いないようだった。

「本当です」大友は念押しした。「とにかく、拉致……こういう状況になってから、もう十六時間ぐらいになる。篠崎さんが危険な状態にあるのは分かりますよね」

有香の唇がゆっくりと細い一本の線になった。指先から煙草の灰がテーブルに落ちる。それにも気づかない様子で、大友の手帳を凝視し続けた。

「それが本当だという証拠があるんですか」

「僕の言葉を信じてもらうしかない。どこかへ問い合わせしても、否定されるかもしれない」

「どうして。重要事件なんでしょう？」

「その辺の理由は、むしろあなたの方が知っているんじゃないかと思うんだけど。どうですか？」

「何が言いたいんですか」有香が顎にぐっと力を入れた。

「この前の話の続きです。篠崎さんから何を聞いたんですか？」

「それについてはノーコメントって言ったと思いますけど」

「彼女が死んでもいいんですか」

有香の目の下が引き攣った。膝に置いた手に力が入り、大友を見る目が潤みだす。

「まさか、私のせいで……」

「それは何とも言えない。すべては、彼女を救出してみないと分からないことです。だけど、この件を最初に持ち出したのは向こう――篠崎さんの方じゃないんですか」あてずっぽうだったが、とにかく言ってみた。優が有香に情報提供し、有香が取材を進めていた――という推測である。「どうしますか。あなたが話してくれれば、彼女を助けるための手がかりになる。これは、記事にする、しないということとは別次元の問題ですよ」

有香が両手をきつく握り合わせた。そこに視線を注いでいたが、やがて意を決したようにゆっくりと顔を上げる。笑みを浮かべていたが、ある種の決意が覗いていた。

「もしも彼女を無事に助け出せたら、捜査が動き出すと思いますか？」

「分からない。何も保証はできない」

「でも、もしも動き出したら、私には教えてもらえますよね。知る権利ぐらいあると思いますけど」

「教えたら――」

「もちろん、記事にしますよ。私は記者ですから」

きっぱりとした口調に、大友は押し黙るしかなかった。事態がどう進み、どんな風に解決するか、今はまだ想像すらできない。手がかりのかけらのようなものがあちこちに浮かんでいるだけなのだ。

「僕が知っている範囲で教えます」

「テツ」敦美が鋭く忠告を飛ばした。

「分かってる。責任は僕が取ればいいだけだから」うなずきかけてから、有香に視線を戻す。「全て終わったら話します。ただしそれまで、絶対に余計なことをしないで下さい」

「余計なこと、ね」煙草が指先を焦がしそうになっていたのに気づき、有香が慌てて灰皿に押しつけた。「記事にするのが余計なことですか」

「一本の記事が人の命を救うこともあるし、殺すこともある。あなたには釈迦に説法かもしれないけど。少なくとも、今余計なことを書いたら、僕はあなたの責任を徹底的に追及します。こちらの仕事とぶつかるようなことがあったら、必ず」

大友の視線と有香の視線がぶつかった。火花が散るような空気が漂ったが、大友は一歩も引くつもりはなかった。

「分かったわ」大友の視線を捕らえたまま、有香が溜息を漏らす。「私は記事が書ければいいんだから。今のところ他社は気づいてないから、独走できるだろうし」

「ちなみに社内では？」

「まだ誰にも話してません。こういうことは、ぎりぎりまで隠しておかないと。他の人に取られたくないですからね」

強烈なプロ意識だ。誰が先に記事を書くか、手柄にするか。大友にはあまり意味のあることには思えなかったが、どこの世界にも、外の人間には理解できない事情があるのだろう。

有香が新しい煙草に火を点ける。少しだけ余裕が出たようで、ゆっくりと吸って煙を吐いた。皮肉な笑みを浮かべて、大友にではなく、敦美に訊ねる。

「何で大友さんには説得されちゃうんでしょうね」

「こいつ、天性の女たらしだから」敦美がにやりと笑った。

「ちょっと――」

「それは冗談だけど」大友の抗議を受け、敦美が邪気のない笑みに切り替えた。「仕事のこと以外では、近づかない方が無難かもしれませんよ」

有香が乾いた笑いを漏らした。その笑いは後を引かず、彼女が語った――肝心なところは他人に聞かれないようにメモに書いた――事情は、大友と敦美を凍りつかせた。

車を置いた駐車場に戻る途中、二人は終始無言だった。敦美の気持ちはよく分かっている。周囲を歩く人たちが、皆聞き耳を立てているように感じるのだ。

車に乗りこむと、敦美が盛大な溜息を漏らした。

「本当だと思う？」

「あり得ない話じゃない。でも、明確な証拠はないね」

「彼女は、その証拠を探そうとしていたのね。考えてみれば私も、思い当たる節があるわ。彼女、容疑者にしては質問が多かった。余計なことを喋れば、不利になるかもしれないって分かっているはずなのに。もしかしたら私、言ってはいけないことを喋ったかもしれないわね」

「いや、君はあの事件については、ほとんど事情を知らないはずだ」

「そうね、新聞で読んだぐらいだから」シートベルトも締めぬまま、敦美が腿の間に両手を挟みこむ。「でも何がヒントになるか、分からない。心配だわ」

「今心配しても仕方ない」大友は道路に車を乗り出した。「とにかく、事情を探ろう。もしもこの件が本当だとしたら……」

「言わないで」敦美が低い声で頼みこんだ。「聞きたくないから」

「そうだな」

死んでいる——二人とも、理屈としてはその可能性が高いだろうと分かっている。だが言葉にすれば、優が本当に死んでしまうのではないかと大友は思った。

「どうする？」

「彼女を見つける手がかりは、やっぱり立川にあると思う。でも、こんな時間から聞き込みを始めても、何か出てくるとは思えない」

「立川署はちゃんとやってくれたのかしら」

「それは信用するしかない」

「指導官も口添えしてくれたしね」

「ああ」

手詰まり。しかしすぐに、重苦しい空気を切り裂くように大友の携帯が鳴り出した。

第三部　敗残者たち

1

　北千住には、もう何年も来たことがなかった。前回訪れたのはTX《ティーエックス》（つくばエクスプレス）が開通する以前だから、少なくとも五年は前だろう。あの時はまだ捜査一課にいて、強盗殺人事件の捜査本部に入ったのだった。一か月近く、ずっと張りつきになっていたので、街の様子はよく覚えている。綺麗に整備された駅周辺、そこから長く続くアーケード街。そこを外れると、一気に下町の住宅街の色が濃くなる。教えられた住所から少し離れた場所に車を停めて、残りの距離を歩いて行く。

　柴がいきなり暗闇からぬっと姿を現した。東京では街が完全な闇に包まれることはまずないが、この辺りは珍しく、夜の黒が濃い街である。柴は二人の顔を確認すると黙ってその場を離れ、大友たちに背を向けて歩き出した。十メートルほど行って狭い路地に入り、大友たちが追いつくと、振り返ってさっそく切り出す。

「えび茶色の屋根の家、気づいたか？　長屋みたいにくっついている？」

「ああ」ほぼ同じデザインの家が三軒、並んでいたのを思い出す。元々広い敷地に、押しこむように造られた建売住宅だろう。

「あの真ん中の家がそうだ。帰宅は――」コートの袖から手首を突き出して腕時計を見る。「一時間前。それから外に出た気配はない」

「裏口は？」

「ない。裏の家と、ほとんどくっついてるんだ。どうする？　踏みこむか？」

「そうだな……」

大友はゆっくりと顎を撫でた。いきなり三人揃って訪ねたら、本人はともかく、家族がびっくりするだろう。もちろん、互いに演技をすることはできる。顔見知りが突然訪問したふりをして、談笑を装いつつ腹を探り合うとか――それも不自然だ。僕が一人で行くしかないな、と大友は決めた。しかし、逃さないような上手い手を考えないと。

「一人で行くよ」

「せめて二人の方がいいんじゃない？」敦美が反論した。

「その方が不自然じゃないかな。僕一人なら、何とでもなるから」

「じゃあ、そこはテツの演技に任せようか」柴がうなずいた。「だけど、何か土産がいるぞ。先輩の家を訪ねて来たことにするなら、手ぶらってわけにはいかないだろう」

「何か調達してくる」

それにしても不自然だろうな、と大友は一抹の不安を抱いていた。昔なら、上司の家に上がりこんで酒を呑むのも珍しくはなかった。だが最近は、警察官もプライバシーを大事にする。同期同士や、特にプライベートでも仲のいい人間以外は、互いの家を訪ねたりしない。

「その男なんだけど――」

「山中《やまなか》。下の名前はまだ分からない」表札を確認したのだろう、柴が素早く告げた。

「風貌は？」

「五十歳ぐらいかな。身長は日本人男性の平均。少し腹が出ていて、頭がかなり薄くなった、冴えないオッサンだよ。ああ、もしかしたら脚が悪いのかもしれない。左足を少し引きずるみたいな歩き方だったから。ちなみに新聞は産経。夜になってまで朝刊を持ち歩いてるのはどうかと思うけど、産経って、夕刊なかったんだっけ？」

「そうだな……じゃあ、作戦実行だ。僕は土産物を仕入れてくる。高畑は車をここまで持ってきてくれ。柴はもう少し監視を頼む」

「一分くれ」柴が人差し指を立てた。「少しニコチンを入れないと」柴はかなりのヘビースモーカーで、時にそれが捜査の足かせになる。張り込みや尾行の時に煙草を吸っていると、相手に気づかれる可能性が増すのだ。だが最近は、状況によっては完全に煙草を絶つようになっている。その代わりにしばしば嗅ぎ煙草をくわえているのだが、やはり実際に肺に煙を入れる魅力には敵わないということか。

「私がこの男を監視しておくから」敦美が馬鹿にしたように言った。「早く準備して」

「何だよ、監視って」柴が子どものように口を尖らせて抗議する。

「煙草なんか、さっさとやめなさいよ」

「はいはい」諦めたように言って柴が彼女から顔を背け、煙草に火を点けた。暗闇の中、ライターの光に照らし出された彼の顔がぼうっと浮かび上がる。

十分後、大友は菓子折り――近くのコンビニエンスストアで仕入れたせんべいの詰め合わせ――を手に、山中の家のインタフォンを鳴らした。すぐに、落ち着いた若い女性の声が応答する。娘だろう、と見当をつけて、大友は愛想のレベルを一番上まで押し上げた。

「夜分に申し訳ありません。警視庁の大友と申します」

「はい」

相手の返事に特に不信感が感じられないのを確信して、続けた。

「以前、ご主人にお世話になった者です。ちょっと近くまで来たので、ご挨拶に伺いました。夜分にまことに失礼かと存じますが、お目通りさせていただけますか？」

お目通りという言葉に、一瞬間が空いた。意味が分かっていないのか……もしかしたら、娘は中学生ぐらいかもしれない。そう考えた瞬間、玄関のドアが開いた。顔を覗かせたのは、中年後半の女性。山中の妻だろう。パンパンに膨らんだジーンズに霜降りのトレーナーという格好で、髪を茶色のバレッタで押さえている。化粧っ気はなく、不審そうな表情を隠そうともしなかった。

「すいません、娘さんかと思いました」

「はい？」

「声がお若かったですから」

妻の表情が少しだけ緩くなった。

「山中さん、ご在宅ですよね？」

「ええ、あの……」

「これはお土産です。つまらないものですが」大友はせんべいの詰め合わせを顔の高さに掲げながら、門扉を開けた。一歩中に入れば、ドアに手が届く。設計上、この門はまったく無用だと思った。「ご主人には昔、いろいろとお世話になりまして。しばらくお目にかからないで、ご無礼いたしております」

「ちょっと主人に聞いてきますので」

「どうもすいません」

頭を下げた途端、家の中で誰かが歩く音がした。すぐに、柴が描写した通りの男が姿を見せた。ネクタイを外しただけの格好で、もう一度ネクタイをして背広を着こめば、そのまま仕事に出かけられそうだった。ワイシャツは細めの首のサイズに合わせているのか、腹が合っておらず、妊娠でもしているようにぽっこりと突き出している。

大友は屈託のない笑みを浮かべた。先輩、お久しぶりです。ご無沙汰して申し訳ありません。ちょっと昔話でもしませんか——という笑顔。

「どうもご無沙汰しています」大友は深々と頭を下げた。「刑事総務課の大友鉄です」

「ああ、うん」

山中が曖昧な口調で返事をした。罠にかかった、と大友は頭を下げたまま唇を歪めて笑った。「お前は誰だ」と言ってさっさと追い返してしまえば一番面倒がないのに、咄嗟の判断でそうしなかったので、引っこみがつかなくなってしまっている。もちろん、彼が僕を知っていてもおかしくはない、と考える。職員四万人の警視庁の中でも、男手一つで子どもを育て、そのために周囲に迷惑をかけている男はそうはいないのだ、部が違えど、評判は——悪い評判は耳に入っていてもおかしくない。

「ちょっと近くに寄ったものですから、ご挨拶にうかがいました。よろしいですか？」

「ああ、そうだな。うん……まあ」

山中の頭はフル回転しているだろう。この男は何を狙っている？　どうして俺の家に来た？　疑心暗鬼になって目が泳いでいるのが分かる。

「それじゃ、失礼します。奥さん、遅い時間に申し訳ありません」

愛想を振りまきながら、大友は妻にせんべいの詰め合わせを渡した。こちらは全く疑っていない様子で、笑みを返してくる。スーツを着ているわけでもなく、汚い格好なのによく信用してもらえたものだと考えると、急に鼓動が早くなる。くたびれて膝が抜けたジーンズ姿は、初対面の相手には絶対悪印象を与えるはずなのに。

通された部屋は、玄関脇の狭い洋室だった。ドアを閉める直前、妻に「お茶はいいよ。こっちに酒があるから」と声をかける。体のいい人払い。

山中の私室らしいこの部屋は、本棚とオーディオ機器でほとんどのスペースが埋まっている。部屋の真ん中よりやや後方には、一人がけの柔らかそうなソファ、その正面にオーディオセットがある。スピーカーは計四か所、本棚に埋まる形でセットされていた。つい先ほどまでここにいたのか、低い音量でクラシックが流れている。今時珍しいレコードが大量にあるのに大友は驚いた。CDを見た限り、コレクションのほとんどはクラシックのようだ。本は歴史物——小説も普通の歴史書もある——中心。山中は、安らぎを過去に求めるタイプの人間らしい。

山中がリモコンを取り上げ、ボリュームを絞ろうとして躊躇い、結局そのままにした。声を潜めて話していてもぎりぎり邪魔にならない程度の音量であり、しかも外に話が漏れるのを防ぐ。

大友は名刺を渡した。念のため、予め携帯電話の番号を書きつけたものである。片手で雑に受け取った山中が、目を細めて凝視する。

「あんたが座る場所はないぞ」急に声を低くして、警戒感と不快感を露にした。

「結構です。立ったままでも話はできますから」大友は切り出し方を考えた。こちらが摑んでいる事実をずばりぶつけるべきか、それとも曖昧な言葉で神経戦を繰り広げ、向こうの言葉に綻びが出るのを待つか。

いきなり行くしかない、と決めた。優は拉致されたままなのだ。のんびりしている暇はないし、あまり長居すると家族に怪しまれる。山中の額に薄っすらと滲んだ汗も、その決断に拍車をかけた。この男は焦っている。かさにかかって攻めれば落ちるはずだ。

「私のことはご存じですか」

「ああ、噂は聞いてる」

「ろくな噂じゃないでしょう」

「初対面の人間に対して、失礼なことは言いたくないな。それにしても、あんたも図々しい」山中が文句をぶつけてきた。「うちの女房を騙すような真似はしないでくれ」

「大変失礼しました」大友は丁寧に頭を下げた。「しかし、緊急の用件でしたから。どうしてもあなたにお会いしなければなりませんでした……今日、中国人の二人組と渋谷で会っていましたね？」

「だったら何だ」強い口調で言って大友に視線を向けたが、顔を正面から見ようとはせず、肩の辺りに集中していた。

「その二人は何者ですか」

「捜査上の機密だ。刑事部の人間には言えない」

「こちらも捜査の関係です。あの二人は、拉致事件にかかわっている可能性がある。あなたは、そういう人間と接触していたんですよね。こちらは人命がかかった捜査なんです。あの二人が何者なのか、どこで会えるのか、是非教えていただきたい」

「いきなり訪ねて来てそんなことを聴かれても困る。筋を通してくれ」

「上から、ですか？　そういうことをすると、逆にあなたの立場がまずいことになるんじゃないでしょうか。この場で喋ってもらった方が、お互い無駄がなくていいと思いますよ。ここで出た話は、表に漏らさないようにしますから」

「人を容疑者扱いするのか」

反応が過敏すぎる、と思った。額の汗は今やてらてらと光るほどになっており、彼の焦りを証明している。大友は、椅子を挟んで対峙した山中に厳しい視線を向けた。

「外事ですか？」

「ああ？」

「あなたの所属は外事二課ですね」アジア関係の捜査を担当するセクションだ。

「そんなことは言えない」否定ではなくノーコメント。大友と視線を合わせようとはしなかった。

「私は、あなたたちの仕事も十分理解しているつもりですし、普段の仕事を邪魔する気もありません。しかし今回の件については、どうしても教えてもらわないといけないんです。あなたがどうかかわっているかは問題じゃない。人を一人、見殺しにするんですか？」

山中が押し黙った。ぐっと顎を引き、胸にくっつける。その目に迷いが見えた。それを見て大友は、この男は拉致事件に積極的にかかわっているわけではない、と確信した。

おそらく頼まれて、何らかの形で手を貸しただけなのだろう。その際、首謀者は全体像を話すことはなかったはずだ。情報漏れを防ぐためには、必要最低限の断片を渡すだけの方が安全だろう。

「あなたが何をしていても、私には責任を問うことはできない。そういう権利もないし、興味もありません。ただ私は、人を助けたいだけなんです。あなたも警察官でしょう？　今この瞬間、危機にある人を見殺しにしたら、一生良心が痛みますよ。それでもいいんですか」

「脅迫か」

「違います。お願いしているんです。それとも、この程度の話し方でも脅しだと感じるような理由があるんですか？」

山中が目を細める。閉じた唇から、辛うじて舌先が覗いた。迷っている……もう一歩詰めれば落ちると踏んだ大友は、椅子の手すりに手をかけた。そうすると、数十センチだけ彼に近づく。山中は背筋を伸ばして、わずかに距離を置いた。その瞬間、間の悪いことに山中の携帯が鳴り出す。大友の肩の辺りを見詰めたまま、ズボンのポケットから引っ張り出した。メールらしい。キーを二度押して内容を確認すると、すぐに閉じてポケットに滑りこませる。

「申し訳ないが、帰ってもらおうか」急に冷静な声になって告げた。

「あなたが話してくれれば、帰るのにやぶさかではありません」

「何を大袈裟な……仕事だ」山中の顔に苦笑が浮かぶ。

「こんな時間に？」

既に九時を回っている。公安の仕事がどんなものかは、部外者には知る由もないのだが、これは異常だ。遅くまで家に帰らず仕事をしているなら分かるのだが、外事二課の人間が、一旦帰宅した後で呼び出されることなどあり得ないのではないだろうか。彼らの仕事は、基本的にスパイの監視なのだから。だが大友は、疑問を全て呑みこんだ。

「話してもらわないと、後々後悔することになると思います」

「脅す気か？」さらに怯えた調子で山中が繰り返した。

「そう取ってもらっても結構です」うなずき、口元を引き締める。「あなたたちの仕事が重要なのは分かりますが、他にも必死で仕事をしている人間がいるのを忘れてもらったら困る。もしも、私が探している人間に何かあったら、あなたには相応の罰を受けてもらいます」

「下らん」吐き捨てたが、汗はますます激しく噴き出し、血色の悪い頰を滑り落ちるほどになっていた。「あんたにそんなことを言う権利はないだろう。とにかく今から仕事なんだ。すぐ出かけなくちゃいかん。帰ってくれ」

「もしも話してくれたら、あなたのことは見逃してもいいんですよ」一転して、屈託のない笑みを浮かべる。「部署は違っても、同じ警視庁の仲間じゃないですか。私は、仲間を売るほどひどい人間ではありません。それは約束します」

山中の口が小さく「O」の字に開いた。何か言いかけ、口から空気が少し漏れたものの、結局言葉は実を結ばなかった。あと五分あれば……と悔やんだが、大友は一旦引き下がることにした。他にも手はある。辞去する前に、最後の説得だけは試みることにした。

「よく考えて下さい。あなたの仕事に、決して合法的とは言えない部分があるのは、私も理解しています。それが許されるのは、極端に言ってしまえば、犯罪を未然に防いで社会正義を実現するためですよね？　それ以外の目的での違法行為は一切許されません」

山中の顔に視線を据えた。向こうが不快になるであろう時間を一秒だけ越えて見詰め続ける。全て分かっている、あんたの生き死にはこちらが摑んでいる——完璧なはったりだが——と思いこませて、大友は頭を下げた。

「失礼しました。奥様によろしくお伝え下さい」

部屋を出て玄関に向かうと、妻が慌てて出てきた。

「もうお帰りですか？」

「ええ。今日はご挨拶に伺っただけですから。夜分にいきなり押しかけて、大変申し訳ありませんでした」

「いえ、お構いもできなくて」

「とんでもありません」大友は開いたドアから山中がこちらを見ているのに気づいた。

かまをかけることにする。「これからお仕事のようですから、これで失礼します」

「仕事？　珍しいわね、こんな時間に」

妻が頰に手を当てるのを見て、山中の顔が引き攣った。余計なことを……とでも言いたいのだろう。なるほど、山中は家に帰ってから仕事をするようなタイプではないわけだ。僕を追い出すための芝居だったのか、あるいは仕事ではない用件で連絡が入ったのだろう。

ヒントはどこにでも転がっている。


角を曲がったところで、柴が電柱の陰から監視を続けていた。車は、ここからは見えない場所に敦美が移動したようだ。

「どうだった？」柴が山中の家を見たまま訊ねる。

「急に誰かから連絡が入った。これから出かけるみたいだ」

「こんな時間に？」

「ああ」

「奴さん、所属はどこだった？」

「たぶん、外事二課」

「外事二課がこんな時間にまた仕事に出かけるのは、明らかに変だぜ。あいつらの仕事は、毎日定時に終わるだろう」

大友が笑みを浮かべると、柴が怪訝そうな顔つきになった。

「何だよ、気持ち悪いな」

「僕も同じことを考えていた。相性ばっちりだね」

「お前と相性がよくても、俺は何の得もないよ」柴が呆れたように言って煙草をくわえる。だが視線を少し動かした瞬間、煙草をパッケージに戻してしまった。「出てきたぞ。ずいぶん早いな」

山中はネクタイも締めず、先ほどのワイシャツの上にダウンジャケットを直に羽織っていた。ダウンを着るには少し遅い季節だが、背広とコート二着を着る手間を省いたのだろう。相当焦っている。

「尾行、頼む」

「了解」

柴の背中を見送り、大友は少し離れた場所に停めてあった147の助手席に滑りこんだ。敦美に事情を話したが、彼女の顔は晴れない。

「何も分かってないってことじゃない」

「そうなんだけど、動き始めたのは間違いないよ」

「テツがあの家に上がりこんでる間に、立川の矢内さんが電話してきたわ」

「何だって？」優が見つかったとか……いや、今日の捜索は打ち切られているはずだ。

「岩永さんから電話があったそうよ。お疲れ様だって」

「お疲れ様？」大友は首を捻った。あの男は何を考えているのだろう。自分には関係ないと言っていた事件。それをわざわざ、所轄に連絡を入れてねぎらうとは考えられない。

「どういう意味だろう」

「矢内さんも驚いてたけど、とにかくご苦労様って。それで何だか不安になって、こっちに『何か知らないか』って聞いてきたのよ」

「馬鹿にしてるんじゃないかな。管理官は、僕に対してもそういう感じだった」

「おかしいわね」敦美は拳の頂点で唇を擦った。「渋谷を被疑者死亡で送検して、テンションが上がったとか」

「重大な懸案が一つ消えるのは間違いないけどね」喉元に刺さった棘。死ぬことはないが不快だ。抜ければすっきりするだろうが、敦美が言う通り、浮かれるようなことではないはずだ。「岩永さんって、噂通り強引な人だな」

「私も直接下についたことはないけど、確かにきつい人みたいね。他人に対しても自分に対しても」

「でも、できる人なんだろう？」

「そうなんだけど、強引なのに失敗を恐れるタイプかな。いるでしょう、そういう人？」

「ああ」

「警察って、基本的に失敗さえしなければ出世できるから」

もっとも捜査一課の場合は、その「失敗しない」ハードルが高い。事件を解決しないと即座に「失敗」とみなされるし、出世して責任が重くなればなるほど、失敗を犯す確率は高くなる。そして岩永は、今回の強盗殺人事件について、失敗しかけていたのだ。重要な容疑者に死なれ、その後で訳の分からない「自称容疑者」が名乗り出てきて……彼としては経験したことのない異常事態であり、だからこそ、渋谷を被疑者死亡のまま書類送検できるようになって、機嫌も良くなっているのだろう。

妙だ。

ある可能性に思い至り、大友は愕然とした。このシナリオは、優が有香に話した内容を補完するもので、筋は通る。まさか、そんなことが……しかし一度頭にこびりついたその考えは、簡単には引き剝がせそうになかった。

「どうしたの、テツ？」怪訝そうな口調で敦美が訊ねる。

「いや、何でもない」首を振って短く言う。あまりにも恐ろしい可能性であり、いくら信頼できる相手だといっても、軽々には話せない。「車、出してくれないか？」

「どうするの？」

「駅の方に行こう。山中を追うなら、できるだけ近くにいた方がいい」

敦美が車を出した瞬間、大友の携帯がメールの着信を告げた。柴。確認すると、「駅着。千代田線のホーム。行き先不明」と短いメッセージが入っていた。

「北千住駅の千代田線のホームってどうなってる？」敦美に訊ねた。

「さあ、どうかな。私、この駅で降りた記憶がないから」

上りか下りか。柴のことだから、分かっていて伝え漏らすことはない。ということは、一面二線方式のホームだ、と大友は踏んだ。電車が来てみないと、どちらに行くかは分からないわけだ。

駅前のペデストリアンデッキが見える路上に車を停める。駅の近くなので交通量は多く、通行の邪魔になってしまった。敦美は平然としているが、大友は気が気でない。

「ちょっと動いた方が――」

「公務中」短い一言で、敦美は大友の提案を切り捨てた。

じりじりしながら大友は待った。この場所に車を停めてから五分……柴のメッセージを受けてから十分が経った。この時間でも千代田線は頻繁に走っているはずで、何もなければ山中は電車に乗りこみ、柴は尾行を続けているはずだ。連絡がないのは当然だが……いや、柴なら、タイミングを見て連絡を入れるはずだ。少なくとも上り方面か下り方面かぐらいの情報は入れるはずである。

電話が鳴り、大友は助手席で体をずらして携帯を引っ張り出した。柴だった。

「どうした」

「奴さん、動かないぜ」

「どういうことだ？」

「ずっと、ホームに立ったままなんだ。飛びこむタイミングでも計ってるんじゃないのか？」

「まさか」

「だけど、相当考えこんでる様子だぜ」

「僕たちも行った方がいいかな」

「三人で顔を出したら、びびって本当に飛びこみ自殺するかもしれない。ちょっと待ってろよ。俺が監視しておくから」

「こっちは今、駅前にいる」

「分かった。動きがあったら連絡する」

電話を切り、敦美に事情を説明する。彼女は眉を思い切りひそめたが、すぐに一つの可能性を持ち出した。

「誰かと待ち合わせしてるんじゃない？」

「駅のホームで？　そういう話はあまり聞かないな」

「可能性がないわけじゃないでしょう。相手が電車から降りてきたタイミングで何かの受け渡しをして、それですぐ別れるとか」

「スパイ映画じゃないんだから」思わず苦笑した。

「あら、外事二課の仕事って、スパイの監視じゃない。そういうことをしてもおかしくはないでしょう」明らかに馬鹿にした調子で、敦美が鼻を鳴らす。

「あの連中が真面目にスパイの監視をしているとは思えない。日本はスパイ天国だって言うじゃないか」

「それこそ、誰かの話を鵜呑みにしているだけじゃないの？」

「……否定はしないけど」実際、あの世界は謎だらけなのだ。大友にすれば、警察の仕事とは思えない。

「とにかく、柴の連絡を待ちましょうよ。あいつなら見逃すことはないだろうから」

「そうだな」シートに座り直し、楽な姿勢をとろうとしたが上手くいかない。緊張感もあるし、他の車に迷惑をかけているという気持ちも払拭できなかった。敦美はまったく平然と、リラックスした様子だが。

また電話が鳴り出す。柴ではなかった。見慣れぬ携帯電話の番号が液晶表示に浮かんでいる。いったい誰が……通話ボタンを押し、一呼吸置いて喋りだす。

「もしもし」

「大友か？」

「ええ」山中の声だとすぐに分かった。しかし、先ほど話していた時とは打って変わって、口調は深く沈みこんでいる。明らかにダメージを負っていた。大友はわざとらしい明るい声で訊ねた。「どうしました？」

「あんた、さっき『見逃してもいい』って言ったよな。あれは本気か？」

「一度口にした約束は絶対破りませんよ」あれは決して約束のつもりではなかったが。

「何か話したいことがあるんですか」

「篠崎優の居場所を教える」

2

三人は終始無言だった。何か喋れば世界のバランスが崩れ、全てが崩壊してしまいそうだと、大友は緊張を高める。風景が流れ、やがて溶け始めた。千住新橋で首都高に乗り、東京北部を大きく迂回するように車を走らせる。江北ジャンクションから中央環状線経由で中央道へ。

「立川の奴らがさぼらなけりゃな」柴が吐き捨てた。

「悪口は駄目よ」敦美が忠告する。「立川はちゃんとやってくれたと思う。考えてみて？　あれだけ広い場所で、何の手がかりもなしに探すのがどれだけ大変か」

「分かってるよ。一々文句言わないでくれ。誰かに責任を押しつけないと、やってられないじゃないか」

柴が煙草をくわえた。ちらりと横を見ると、歯を立てて思い切りフィルターを嚙み潰しているのが見える。大友の顔を見ると、助けを求めるような表情を浮かべた。

「吸っていいよ。窓を全開にしてくれれば」

「了解」

柴が窓を開け、煙草に火を点けた。途端に寒風が吹きこみ、後部座席の敦美が悲鳴を上げる。

「ちょっと、寒いんだけど」

「少し我慢してくれ」大友は叫ぶように言った。「ニコチンを入れてやれば、こいつは静かになるから」

「いい加減、煙草やめてよ」

敦美が忠告したが、柴は無視して頬杖をついたまま、しきりに煙草をふかすだけだった。先端の赤みが、時折彼の顔を薄ぼんやりと照らす。大友は全身を覆う寒気に耐えながら、ひたすらアクセルを踏むことだけを意識した。渋滞の名残がまだあったが、次々と前方の車をパスし、精神的に我慢できるぎりぎりのスピードを保ったまま西へ向かう。高井戸を過ぎるとようやく車の流れが少なくなり、楽に運転できるようになった。

「テツ、飛ばし過ぎじゃないか？」

柴が不安そうに声をかけてきた。言われてスピードメーターを見ると、百八十キロ近く出ている。エンジンは元気一杯で、このスピードになるとタイヤもぴたりとアスファルトに吸いつくように安定しているが、さすがに人間の方が限界だ。サーキットでもないのに百八十キロは無謀である。少しだけ右足の踏みこみを緩めた。

後部座席で携帯電話の着信音が鳴る。敦美が一言二言話して電話を切った。運転席に手をかけて身を乗り出し、「立川から。まだ見つかってないって」と囁く。

「山中の野郎、本当に具体的な場所を知らないのかね」柴が新しい煙草をくわえた。火は点けず、唇の端で揺らす。

「おそらく。あくまで実行犯とのつなぎ役なんだろう。あの人も、やばいってことは分かっていたはずだ。上手く距離を置いてるんじゃないか」

「世渡りの上手い奴は、何となく気に食わないな」

「それもこれまでだ」

「テツ、お前……」柴がゆっくりと首を巡らした。「見逃すんじゃなかったのか」

「僕が何もしなくても、こういう噂は自然に広まるさ。実行犯を捕まえれば、彼の名前は絶対に出てくる」

「やる気だな？」

「やるべきことをやるだけだ」

国立府中インターが近づき、大友はウィンカーを左側に出した。今日一日でどれだけ走ったか……ずっと運転していたわけではないが、この時間になるとやはりげっそりと疲れる。

「しかし、倉庫の建設現場って言ってもな……立川市内にどれだけそういう場所があると思う？」柴がグラブボックスから地図を取り出した。

「山中はそれしか聞いてないって言ってるんだから、仕方ないでしょう」敦美が身を乗り出し、背後から地図を奪った。「あの物流基地周辺は、もう一度しらみつぶしにしてくれたはずよね。立川署に電話を入れてから、一時間経ってるし」

「まだ調べ終わってないんじゃないかな。あそこは相当広いし、この時間じゃ関係者が摑まらないかもしれない。鍵をこじ開けるわけにもいかないだろう」

言いながら、大友は闇に目を凝らした。常に渋滞している国立府中インターチェンジ周辺も、さすがにこの時間になるとがらがらだ。甲州街道を西へひた走り、日野橋の交差点を右へ曲がって立川通りに入る。車はすぐに立川の市街地に入り、立体交差をくぐって駅の北口に出た。東橋で斜左へ折れると、すぐにファーレ立川の前に出る。狭い敷地にごちゃごちゃとビルが集まった一角を左側に見ながら進むと、急に風景が開けた。右側は多摩都市モノレールの高架だが、この時間では闇に沈んでぼんやりと見えるだけだ。やがて道路はモノレールの高架下に入り、広々とした光景が広がる。街灯の光は弱々しいが、朝方見た景色の記憶が蘇った。やがてパトカーの赤色灯が、夜空を毒々しく染めているのが目に入った。

「あれ、ワンボックスカーが見つかった辺りじゃない?」敦美がぽつりと漏らした。

「たぶんそうだな」

かまぼこ型をした高松駅の駅舎を上に見ながら、大友は左折した。自治大学前の交差点を右折した瞬間、パトカーは一台や二台ではないことが分かった。夜空を赤く染めるような赤色灯の大群。大友はパトカーが連なって停まっている一番後ろに車を停めた。すぐに制服警官が近づいてくる。ドアを開けると、彼が吹き鳴らすホイッスルの甲高い音が耳に突き刺さった。大友は左耳を掌で塞ぎ、右手でバッジを示した。ホイッスルが鳴り止み、若い制服警官の顔が緊張したのを見ながら名乗る。

「刑事総務課の大友です。ここの責任者は？」

「交通課長がいます」

結局朝からずっと、矢内が現場を仕切っていたわけか。本来の業務でもないのに……何かで恩返ししないと、と思いながら、大友は矢内の居場所を訊ねた。

「一番前のＰ　Ｃ《パトロールカー》です」

「ありがとう」

大友は制服警官の肩を一つ叩き、パトカーの列に沿って走り出した。五台追い越して先頭に出ると、パトカーのボンネットに片手をついて地図を押さえている矢内の姿をすぐに見つけた。無線に手を伸ばそうとしたところで声をかける。

「課長」

「あんたか」矢内が苦笑する。迷惑かけやがって、とでも言いたそうだった。「正直、どんなものかと思ってたが、当たりだったみたいだな」

「どこなんですか？」

「そのフェンスの向こうだ」矢内が首を伸ばした。「あそこに、冷凍食品会社の物流センターを建設予定なんだ。その工事の準備用にプレハブ小屋がある」

「ここ、車が見つかった場所のすぐ側ですよね」

「そうだが」

矢内の顔が赤くなった——赤色灯のせいではなく。この男を責めても仕方がないと思いながら、大友は首を振った。

「パトのランプ、停めた方がいいですよ。中に誰がいるか分からない。気づかれるかもしれません」

「そうだな」矢内が無線に向かって何か話しかけると、一斉に赤色灯が消え、周囲はほぼ完全な闇に包まれた。街灯の光は、蛍ほどにも役に立たない。

「中に彼女がいるのは確実なんですか？」

「間違いない。あんたが来るほんの少し前に、偵察している人間から報告があった」

「踏みこみましょう。これだけ人数がいれば、相手が何人いても対処できます。中に何人いるんですか？」

「今のところ、確認できているのは一人だけだ。被害者だろうな」

だったらさっさと突っこむべきだ。しかしこういう状況で、交通課長が指揮を取りにくいのは分かっている。

「今、機動隊に出動を要請した」

第四機動隊の本部がこのすぐ近くにある。いくら何でも大袈裟ではないかと思ったが、相手が何人いるか分からない状況だから、手を打っておいて損はない。矢内が言葉を切ってすぐ、妙に揃った足音が聞こえてきた。綺麗に揃って上下するヘルメット姿の一団は、一種異様な雰囲気を醸し出していたが、逆に頼もしくもある。少なくとも、盾にはなってくれるはずだ。

「先に行きます」

「ちょっと待て」矢内が慌てて引き止めにかかった。「ちゃんと作戦を立ててからにしないと」

「時間がないんです。ずっと拉致されたままだったとすれば、体力的にも弱っているはずですよ。待てません」

言い捨て、大友は走り出した。

「おい、大友！」

矢内の声を無視して、一気に道路を渡る。柴と敦美がついて来るのが見えた。フェンスの切れ目から敷地内に入り、闇に目を慣らす。足元の地面は湿っている上にうねっており、歩きにくいことこの上ない。物流センターの工事はまだ本格的には始まっていないようで、目を凝らすと、敷地の端の方にぽつんとプレハブ小屋が建っているだけなのが分かった。灯りはついていない。

「どうする」柴が声をかけてきた。

「周辺の偵察。中の様子を確認したい」

「了解」

柴が左に展開した。大友と敦美は右へ回る。近づくと案外大きな小屋だと分かった。壁に張りつこうと突進した瞬間、誰かが闇の中で立ち上がる。待ち伏せか監視の人間だと判断し、瞬時に立ち止まった。敦美が背中にぶつかってきたが、何とかバランスを保ってその場でしゃがみこんだ。とはいっても、だだっ広い土地なので身を隠す場所もない。脂汗が背中を流れるのを大友は感じた。

相手がこちらの様子を探るように、ゆっくりと歩いて来る。武器、なし。思わず地面を探ったが、石の類すら見つからなかった。いざとなったら二手に分かれて逃げ出せば、相手の目はくらませる——緊張が頂点に達した瞬間、闇に紛れた相手が間抜けな声を出した。

「大友さん？」

聞いたことのある声。記憶をひっくり返して照合し、すぐに正体を探り当てた。

「森嶋《もりしま》か？」

「そうです」

森嶋亜樹《あき》。女性のような名前だが、れっきとした男である。以前、誘拐事件の捜査で一緒になった。歩調を速めて近づいて来た森嶋が、大友のすぐ側にしゃがみこむ。

「今、立川署なのか？」

「ええ、異動してきたばかりですよ。この件、大友さんが絡んでるって話を聞きましたけど……」

「被害者は？」森嶋は一言多い。放っておくと、このまま延々と喋り続けそうだったので、わざと冷たい声を作って本題に引き戻した。

「裏側の窓が少しだけ開いているんです。そこから中を見ました。足だけ見えたんです」

「服装は？」

「パジャマ、かな？」

まずい。窓が開いていたとなれば、室内の温度は外と同じぐらいまで冷えこむだろう。それでパジャマ一枚ということは……三月とはいえ、凍死しかねない。

「他に人の気配は？」

「ないです」

「よし」大友は膝を伸ばして立ち上がった。「突入だ」

「大丈夫ですか？　応援を待った方が……それに突入って、大友さんらしくないですよ」

「僕だって、やる時はやる」

プレハブ小屋に視線を戻すと、一周した柴が戻って来た。闇に目が慣れたのか、森嶋を一瞥して目を細める。誘拐事件の時も二人は一緒で、柴は「役に立たない後輩」と散々森嶋を苛めたのだ。しかしここではからかっている暇もないと判断したのか、すぐに大友に視線を戻した。

「裏の窓が開いてる。篠崎らしい人間が見えるけど、他に誰かいるかどうかは分からない」

「彼女はどんな様子だ？」

「足しか見えないんだ。まったく動いてない。縛られているか、眠らされているか……」

言葉を呑む。もう一言彼がつけ加えようとした言葉は、明らかに「殺されているか」だ。大友は唾を呑み、厳しい表情でうなずいた。

「機動隊が来ると極秘行動ができない。このまま四人で何とかしよう。柴、高畑と正面に回ってくれ。思い切りドアをノックするんだ。僕と森嶋は窓に回る。ドアをノックしても返事がなかったら、蹴破れ。その間に、窓から突入する」

「了解」

柴と敦美が正面のドアに向かった。大友と森嶋は逆サイドから裏に回りこみ、窓の下に身を隠す。

「中、見えますよ」

森嶋に促され、ゆっくり時間をかけて立ち上がる。窓の隙間は二センチほどで、部屋の半分しか見えていなかった。まず目に入ったのは、がらんとした床。実際に工事が始まるのはこれからで、今は無人なのだろう。だからこそここが監禁場所に選ばれたのだ、と納得する。そちらに優の姿は見えない。体を無理に捻って視線を部屋の反対側に向けると、確かにパジャマ姿の足だけが見えた。膝から下が視界に入るだけで、むき出しの脛から下が青白く目に映る。ぴくりとも動かない様子は、全てが手遅れになってしまったのではないかという不安を大友の胸に根づかせた。

「マグライトか何か、あるか？」

　森嶋がうなずき、尻ポケットから小型のライトを引き抜いた。照明であると同時に、武器になりそうな唯一のもの。うなずき返したところで、視界の隅に敦美の姿が入った。建物の角、両方が見える場所で連絡役を務めるつもりらしい。右手をさっと上げ、親指と人差し指で円を作る。気づいた敦美がうなずき、姿を消した。次の瞬間、ドアをノックする音が激しく響く。

「おい、開けろ！」

　柴の怒鳴り声が聞こえてきた。普通は少し待つものだが、柴はここぞとばかりに張り切っている——頭に血が上っている様子だった。すぐにドアを乱暴に蹴飛ばす音が聞こえてきた。それを機に、大友は窓枠に手をかける。窓を大きく引き開ければ、中へ飛びこむのは容易い。

「行くぞ」

　静かに森嶋に声をかける。自分の鼓動が、柴がドアを蹴る音と重なった。やがて、何かが折れるような音が響く。それをきっかけにして大友は窓を一気に開け、開いた暗い空間に向かって身を躍らせた。前方回転して受身を取りながら、すぐに優の方に駆け出す。室内がぱっと明るくなると同時に、優に覆い被さって庇った。舞い上がった埃の臭いが鼻を刺激する。

「オーケイ、オーケイ！」

柴の声だ。ゆっくりと顔を上げて室内を見回すと、仲間の姿しか見えなかった。そして自分の体の下では、優が静かに気を失っていた。

3

救急車のベンチに腰かけ、膝の上に肘を乗せた姿勢で、大友は優の顔を見守っていた。意識不明。血の気はなく、脈が弱かった。救急隊員の話では、何か薬物を投与された可能性があるという。犯人側は必ずしも彼女を殺すつもりはなかったのか、優の上半身には毛布がかけられていた。それで体温の低下は防げたようだが……睡眠薬の類を呑まされただけではないかと大友は想像し、何とか自分を安心させようとしていた。これは、犯人が逃亡するための時間稼ぎだったのではないか。

監禁場所にあの作業小屋を選んだ理由は、分からないでもない。何より目立たないからだ。だが、どうして優を一人残したまま、犯人がいなくなったのか——用なしになったから？　優を拉致した目的が達せられたとしたら、いつまでも監視の目を注ぐ必要はない、そう考えてもおかしくはないだろう。

しかし、どうにも筋がつながらなかった。はっきりしているのは一つだけ、山中がこの拉致事件に関して、真相を知ってか知らずか関与している、ということである。今のところ彼は、優の監禁場所を告白しただけだが、さらに深く事情を知っている可能性もある。

救急隊員が手元の電子機器をチェックした。マスクに隠れて表情がはっきりしないが、険しい目つきをしているのが気に食わない。

「どうですか」

大友は思わず訊ねた。救急車に乗りこんでから何度目かの、同じ質問である。救急隊員がマスクを外すと、予想していたよりも若い顔が覗く。

「バイタルは安定しているんですが、意識が戻らないですね」

「薬物が何なのか、分かりますか」

「それは病院の方で調べてみないと何ともいえません」

「助かりますか」

「無責任なことは言えません」

大友は怒りを押し潰してうなずいた。この男はこの男で、プロに徹しようとしているのだ。ただ慰めのために適当なことを言って、大友を無責任に安心させるつもりはないのだろう。

大友は前屈みになり、毛布からはみ出た優の左手を握った。冷たい手はひどく小さく、生気が感じられない。このまま死んでしまうのではないか、真相は全て闇の中に消えてしまうのではないかと大友は恐れた。それなのに今、自分にできることは何一つない。

大友はかつて、妻の最期を看取った。誰にでも起こり得る交通事故……日曜日の夕方、買い物に出て自宅近くで車に撥ねられた菜緒を、今と同じように救急車の中で見守った。見守るといえば体裁はいいが、次第に意識が混濁し、顔から血の気が引いていくのを、なすすべもなく見ていただけである。僕は医者になるべきだったんだ、と訳の分からないことを考えたのを思い出す。いざという時、愛する人を助けられるのは医者だけなんだ。刑事なんかやっている場合じゃない。

無力さ。刑事は人を助けることができない。事件を解決すれば、傷ついた被害者や遺族の心を癒すことはできるかもしれないが、そもそも事件に巻きこまれなければ、そういう人たちは傷つくこともなかったのだ。自分たちの存在意義は何なのだろう、とつくづく思う。

人生で二度も、救急車の中で人の最期を看取るようなことがあってはいけない。大友は、祈るしかできない自分の無力さを呪うばかりだった。

優が立川市内の病院に運びこまれてからの三十分間、大友は連絡に追われた。最初に黒原。無事に発見されたと報告すると、電話の向こうで涙を流して喜んだ。何だかんだ言いながら、年の離れた所員を娘のように案じていたのだろう。次いで岩永。明日の送検の準備で遅くまで残っていたのですぐに摑まったが、大友の報告に対しては反応が薄かった。

「これで私の仕事は終わりでしょうか」

「ああ？　ああ、そうだな」

「意識が戻ったら、また話を聴くつもりです。彼女がどういうつもりで自首してきたのか、その真意がまだ分からないままですからね」

「その件についてはお前に任せた。ただし、送検が終わった時点で特捜は解散する。今後は何かあっても、特捜としては関与しない」やけにきっぱりとした口調だった。

「そうですか」そんなのは筋としておかしい。文句をぶつけたかったが、言葉を呑みこんだ。岩永は何かを隠している。こちらに何の材料もない状態で、ぶつかり合いたくはなかった。

電話を切り、バッテリーの状態を確かめる。電池マークが一つに減っていた。後で車のシガーソケットから充電することにして、取り敢えず連絡しなければならない相手は……山中だ。

電話をかけると、呼び出し音が一回鳴っただけで出てきた。

「無事でした」

「ああ」溜息とも相槌ともつかない声を山中が零す。

「ただし、まだ意識が戻っていません。命に別状はないと思いますが、いつ意識が戻るかは分からないそうです。何らかの薬物を投与されたようですが」

「そうか……」

「あなたに教えてもらった二人の中国人のところには、今、別の刑事が向かっています。それより山中さん、まだ私に隠していることがありますよね？　そろそろ全部教えてくれてもいいんじゃないですか。事件はまだ終わっていないんですよ」

山中が唾を呑む音が聞こえたようだった。背後には、低くピアノソロが流れている。世界で一番落ち着く場所、自室で好きなクラシック音楽を聴きながら、じっと携帯電話を見つめていたのだろう。大友からの電話は、悪魔の囁き。しかしかかってこなければこないで、悶々と苦しむことになったはずだ。

「山中さん、あなたは私にとっては先輩でもあるんですよ。同じ部署にいなくても、直接一緒に働いたことがなくても、警視庁という枠の中では先輩後輩の関係です。後輩のためと思って、話してもらえませんか」

「そんな義理はない」山中がぎりぎりの突っ張りを見せる。

「あなたは誰を庇っているんですか」

「そんなことはしていない」否定の言葉は慌ただし過ぎた。

「庇うと、ろくなことにならないと思います。あなたの方から積極的に情報を提供してくれれば、私はあなたを助けますよ。捜査に協力してくれたのは事実ですから……そういう話になれば、周囲の印象もよくなるでしょうね。いざという時には、そういう印象は大事じゃないですか」

山中が沈黙した。そのまま考えこませておいてもよかったが、大友は敢えて急かした。

時間をかけているうちに、証言を拒否した方がいいのでは、と考えが変わってもおかしくない。

「携帯の電源が間もなく切れます。できるだけ早く真相を知りたいんです」

「俺は」山中が急に声を張り上げた。「頼まれただけだ。黒幕が誰かは知らない」

「そうですか……信じます」

「本当に？」

「あなたが、篠崎さんの監禁場所を教えてくれた時から、そうだと思ってました」

「何が言いたい？」

「あなたが計画の全体像を知っていたとは思わない。ただしあなたは、公安の人です。情報がどれだけ重要かはよくご存知ですよね。誰がどこに監禁されているか知っていれば、いざという時に自分の身を守るための材料として使えるかもしれないと思って、情報を集めていたんじゃないですか？　つまりあなたは、綺麗に予防線を張ったんです」

「公安っていうのは、そういうものだ」

「公安の実態には興味がありません。私は刑事部の人間ですから……どうですか？　ここで刑事部と公安部の喧嘩を始めても仕方がないですよね。私はあなたの名前を表には出しません。万が一あなたの名前が取り沙汰されることになったら、その時はあなたを庇います」

山中が告げた男の名前は、大友を一気に真実に近づけた。後は関係者を次々に叩いて証言を引き出すだけだが、それは至難の業だろう。だが、優をこんな目に遭わせた人間を許すわけにはいかない。特に動機が、大友の想像している通りだとしたら。

黒原は真夜中近くになって現れた。大友は病院の非常口でずっと待っていたのだが、タクシーから降りた黒原が最初にしたのは、財布の中身を確認することだった。

「おお、すまん、すまん」

黒原が右手を上げた。本人は走っているつもりかもしれないが、明らかに足はもつれてよたよたしている。転んだら支えようと、大友はベンチから立ち上がって彼を出迎えた。幸い事故はなく、黒原はぜいぜい言いながら膝に両手をつき、上目遣いに大友を見ながら訊ねる。

「どうなんだ、様子は」

「意識はまだ戻りません」

「何をやってるんだ、病院は」黒原が急に背筋を真っ直ぐ伸ばして、仕事の顔になった。分厚い眼鏡の奥で目が光り、嚙み締めた歯の隙間からしゅうしゅうと煙草臭い息が漏れる。「万が一のことがあったら、すぐに訴えてやる」

「やめて下さい」大友は両手を広げた。「治療中なんですから、そんな縁起の悪いことは言わない方がいい」

「それにしても時間がかかり過ぎじゃないか。君から電話を貰って、もう一時間以上経

って る」

「焦らないで下さい」

「そうは言っても、だな」

二人の言葉の揉み合いは、女性看護師の警告で中断させられた。

「何してるんですか、夜中に騒いで」

「すいません」

大友は素早く謝った。こういう時は、話をややこしくしてはいけない。しかし黒原には、そういう気遣いは一切なく、いきなり看護師に突っかかっていった。

「どういうことなんだ。治療に時間がかかり過ぎじゃないか」

「今終わったところです」黒原の孫と言っていい年齢の若い看護師が、決然と告げた。血色のいい若々しい頰は、怒りのためか赤くなっている。「先生から説明がありますから、どうぞ」

「早く案内しなさい」

憤る黒原を、看護師は軽くいなした。

「ご家族の方ですか？」

「娘みたいなものだ。早くしてくれ」

看護師が、呆れたと言いたげに大友に顔を向けた。申し訳ないと言う代わりに大友が軽く笑うと、看護師の頰がまた赤くなった――明らかに、先ほどとは違う感じで。

看護師に案内され、集中治療室に向かう。それだけで大友は嫌な予感を覚えた。普通の処置室ではなく、入念に経過観察が必要な集中治療室……優が意識を取り戻していないのは明らかだったし、今後も予断を許さないということだ。

大柄な医師は、クリップボードを手に立っていた。三十歳にはなっていないようで、医師というより現役のスポーツ選手のような気配を振りまいている。二人に向かってうなずきかけると、ベンチに座るよう、促した。だが大友も黒原も腰を下ろさない。

「簡単に申し上げますと、睡眠薬を大量投与されています」医師がさっとクリップボードを見た。「胃洗浄を行いましたが、既にかなり消化吸収されていまして……生命に別状はありませんが、いつ目が覚めるかは分かりません」

「何を無責任なことを」

黒原が嚙みつこうとしたので、大友は慌てて彼の腕を背後から摑んだ。彼に暴力を振るわせるわけにはいかない——殴りかかろうとして、勝手に転んで怪我をするタイプだ。

「何か後遺症が残る可能性はありますか？」大友は自分を落ち着かせるために、わざと低い声で言った。

「今、薬物の検査を進めています。何を投与されたか分かれば、対処しようもあるんですが……とにかく、死ぬようなことだけは絶対にありませんから、安心して下さい」

「言ったな」黒原が怒声を発して医師の顔に太い人差し指を突きつける。「今のは確約だと考えていいんだな？　こっちは専門家の保証と受け取るぞ。それが外れた時には、相応の責任を取ってもらうことになる」

「黒原さん……」大友は溜息をついてから、彼の言葉を遮った。「いい加減にしましょう。ここは病院ですよ？　騒いでいると、他の患者さんの迷惑になります」

黒原がぐっと顎を引く。まるで呑みこんだ怒りが塊になって喉に詰まってしまったように、顔が真っ赤に染まった。

「とにかく、しばらくは容態に変化はないはずです。今夜はお帰りいただいて大丈夫ですよ」黒原の爆発にもかかわらず、医師は冷静さを保っていた。

「どうもありがとうございました」

大友は頭を下げたが、黒原は胸を張ったまま、憤然と医師を睨みつけていた。後頭部を押して頭を下げさせたいという気持ちを何とか抑えたまま、大友は彼の腕を引っ張って、灯りが半分落とされたロビーに戻った。

「医者に噛みついても仕方ないじゃないですか」小声で忠告する。

「元々、医者は嫌いなんだ」子どものような理屈を黒原が展開した。「私はね、十五年前に食道がんで手術をしている。その時の医師の態度が未だに許せんのだ」

「それとこれとは関係ないでしょう。それに、今でもちゃんと生きて仕事をしているのは、その時の処置が適切だったからですよ。むしろ感謝すべきです」

「許せなかったのは医者の言葉だ」黒原が唇に指を当てる。「たった一つの言葉が、人の心を切り裂くこともある。若い医者はそういうことも知らんから困るんだ」

「若い医者を一人、あなたが育てたと思えばいいでしょう。きっと今は、いい医者になっているはずですよ」何でこの男を宥《なだ》めなければならないのだと思いながら、大友はぺらぺらと喋り続けた。「医者は人の命を預かっているんです。一分一秒を争うこともあるでしょう。そういう時は、どうしたって言葉が乱暴になることもあるはずです。笑って許してあげるのが、大人の対処法じゃないですか」

「君は、大きな病気をしたことがないんじゃないか？　だから分からないんだろう」

「妻を亡くしています。その時、医者は最善を尽くしてくれました」

勢いこんでまだ何か言おうとした黒原が、口をつぐむ。分厚い唇を引き結ぶと、眼鏡の奥から大友の目をじっと見つめた。やがて首を振り、「君には敵わんな」とつぶやき、踵を返した。大友は少し離れて彼の後に続いた。外に出ると、冷えこみが容赦なく体を包みこむ。

「帰るなら、お送りしますよ」

「心配するな」振り返って強気に言ったが、すぐに眉をひそめる。「いや……すまんが、金を貸してくれんか？　今からだと電車がない。神田までタクシーで戻るには、財布が軽いもんでな」

「いいですよ」大友は財布を尻ポケットから抜いて、一万円札を二枚、手渡した。残り五千円……刑事に金を借りる弁護士など、前代未聞だろう。

黒原が消えると、入れ替わりに森嶋が姿を見せた。先ほどは暗いのと混乱していたのでよく分からなかったが、ズボンの両膝が泥で白く汚れている。工事現場の敷地の中を、姿勢を低くして這い回っていたのだろう。疲れた笑みを大友に向けると、「お疲れ様でした」と短く言った。

「君こそ、お疲れ様。コーヒーでもどうだ？」

「あるんですか？」

「自販機でよければ」

大友は森嶋を先導して歩き出した。一階には病室がないから、普通に話していても入院患者を煩わせることはないが、自然とすり足になり、二人とも言葉を発さない。灯りが落とされたロビーでは、二台の自動販売機が柔らかい光を放っていた。灯台のようなものだなと思いながら、紙コップに入ったコーヒーを二つ、買う。一つを森嶋に渡し、二人並んでベンチに腰かけた。

「この件、正式に立川署で引き取ることにしました」

「特捜にするのか？」

「いや、人が死んだわけじゃないですからね。普通に刑事課で処理します」

「君がいるから大丈夫だろう。頼むよ」本当は、森嶋は少しだけ頼りない。せっかく若くして捜査一課に上がりながら、あまり間を置かずに立川署に異動させられてしまったのがその証拠だ。本当に優秀な人間なら、あるいは育てがいのある人間なら、本庁が手放すわけがない。だがここは、少し調子に乗らせてやろうと大友は思った。これからまだまだ、働いてもらわなければならないのだから。

「ええ、任せて下さい」疲労を振り払うように、森嶋が大きくうなずいた。「それで、これから幹部会議を開きます。大友さんにも出席して欲しいそうなんですが」

「こんな時間から？」思わず腕時計に目を落とす。

「明日の朝一番から動くには、今夜のうちに情報を集約しておく方がいいでしょう」

「そうだね」どこまで話すか……まだ大友の想像の内にあることは、明かさない方がいい。気になるのは優の拉致にかかわっていたと思われる中国人二人組だが、捜索に向かった柴と敦美からはまだ連絡がなかった。山中の情報によると、二人が住んでいるのは狛江である。多摩地区は南北の道路交通網が弱いのだが、それでも車が少ない夜中の時間帯だから、とうに到着していておかしくない。張り込みに入ったにしても、連絡する暇ぐらいはあるはずだ。急に不安になり、この件だけは森嶋に話しておくべきだ、と決めた。絶対に応援が必要だ。

「その前に、一つお願いできないかな」

「何ですか」

優を拉致した疑いのある二人組について話す。森嶋の顔が見る間に強張った。

「応援を出して欲しいんだ。もしかしたら、向こうは二人だけじゃなくて、もっと大人数かもしれない」ここまで、福島は一切表に出てきていないが、あの男も中国人の二人組と一緒の可能性がある。それだけで三対二……人数的にはこちらが不利だ。柴たちは銃も持っていない。

「分かりました。すぐ手配します」

「それと、ここにも警備の人間をつけてくれないか。制服組の方がありがたい」警官の制服は、それだけで立派な抑止力になる。

「それも了解です。手配しますから、ちょっと待ってもらえますか？」

森嶋が携帯電話を取り出した。建物の中でかけるのはまずいと思ったのか、そのまま外へ駆け出していく。大友はベンチに腰かけたまま紙コップを廊下に直に置き、両手で顔を擦った。疲労が肌の奥深くに塗りこめられていく感じがする。かすかに漂う消毒薬の臭いが、疲労感を増幅するようだった。体を屈めて紙コップを取り上げ、少しぬるくなったコーヒーを喉に流しこむ。今夜はまだまだ長くなりそうだ。しっかり意識を保っておかないと。

ジーンズのポケットの中で電話が鳴り出す。慌てて引き抜き、着信を確認した。公衆電話。こんな時間に誰が……しかもこんな場所で話していいのか。だがこの電話を逃すことはできないと思い、通話ボタンを押して右手で覆い隠すようにして話し始めた。

「ああ、よかった」敦美だった。

「どうしたんだ？　連絡が遅いから心配してたんだぞ」

「二人とも携帯がバッテリー切れ。公衆電話を捜してたのよ。公衆電話って、本当に少なくなったわよね」

「そうか……どうだ？」

「二人は家にいないみたい。このまま張り込むわ」

「立川署が正式に捜査に乗り出すそうだ。そっちにも応援を出すように頼んだ」

「助かる」

「そこ、どんな場所なんだ？」

「普通のワンルームマンションね……学生さんが多いみたいな感じ。小田急の狛江駅から五分ぐらいのところで、場所は分かりやすいわよ」

「了解。彼女は一応無事だから」大友は容態を説明した。睡眠薬の種類が分からないのが気がかりだったが、「命に別状はない」と二回繰り返して自分を安心させようとする。

「良かった。これで私にもリベンジのチャンスができたわね」

「リベンジ？」

「もう一回、彼女と話がしたいから。この前は、ろくに話を引き出せなかったでしょう？　今度は何とか上手くやってみせるから」

「二つの方法があると思うんだ」大友はゆっくりと額を揉んだ。いつの間にか、頭痛が再発している。「一つは、中国人の二人組を摑まえて、拉致事件の黒幕を引っ張り出す手。もう一つは、彼女に話を聴いて、全部吐かせる手だ。こっちの方が確実かもしれない。沢登有香の証言があるから、彼女だってこれ以上は隠し切れないはずだ」

「そうね……だけどそれは、彼女の意識が戻ればだけど」

「絶対に大丈夫だ」大友は少しだけ声を高くした。「彼女にはやることがあるはずなんだ。今のところその目的はまだ、中途半端な状態になっている。悔しがってると思う。何とかしたいと強く願っているはずだ。そういう思いがあれば、絶対に意識を取り戻すさ。取り戻してもらわないと困る」

「そうね……あのね、テツ」敦美の声は消え入るようだった。「上手く立ち回らないと、あなたの立場がまずいことになるわよ」

「僕には立場なんかない」

「そうは言っても、失敗は許されないわ。本当に、下手したら警察にいられなくなるかもしれないし」

「それでも構わない」言い放って、大友は大きく深呼吸した。「そうなったらそうなったで、優斗のために時間を使えるから」

「その本音、半分だけでしょう？　テツはこの仕事が――総務課じゃなくて捜査一課の仕事が好きなんだから。人生を半分だけ充実させても、残り半分を失ったら絶対に楽しくないわよ」

「そういうふうにしようとするから、仕事も子育ても失敗するんだ。両方完璧にこなそうなんて考えてると、絶対にどこかで無理が出る」

「再婚しなさいよ。それが一番早いから。何だったら私と結婚する？」

「たぶん――ええと、君は優斗のタイプじゃないと思うな」

電話の向こうで敦美がけたたましく笑った。疲労がピークに達して、逆にテンションが上がっているのかもしれない。

「じゃあ、早く応援を寄越してね。今、こんなところで大捕り物なんかしたくないわ」

捕り物という古めかしい表現に頬を緩ませながら、大友は電話を切った。残りのコーヒーを飲み干そうとした瞬間、森嶋が戻って来る。険しい表情を浮かべてうなずき、「行きましょう」と促した。

ほんの少しの休憩すら、まだ許されないようだ。

立川署では、幹部勢ぞろいで出迎えられた。署長、副署長、刑事課長に矢内。幹部会議というより僕に対する尋問だな、と大友は気持ちを引き締めた。二階にある会議室に通されると、すぐに厳しい攻めが始まる。

この件について、いつから把握していたのか。

中国人二人組の正体は。

福島という男はどうかかわっているのか。

篠崎優は何をしようとしていたのか。

矢継ぎ早にぶつけられる質問に、大友はほとんど「分からない」と答えざるを得なかった。実際そうだし、分かっていても言えないことがある。大友の曖昧な回答に、対峙した四人は不快感を隠そうともしなかった。露骨に「越権行為ではないか」「責任問題はどうなる」と責め続ける。

最初に理性を失ったのは刑事課長だった。大友の知らない男で、いきなり喧嘩腰で突っかかってくる。

「いい加減にしろ。あんた、この件をずっと追いかけてきたんじゃないのか？　それなのに『分からない』ばかりじゃ、こっちも手の打ちようがない」

「その件については申し訳なく思っています。私の力不足です。ただ、問題の中国人の二人組、それと福島という男の身柄を押さえられれば、必ず黒幕にたどりつけますから。この連中は、深い義理があって動いたわけじゃないと思います。金か、脅されてやっただけでしょう」

「根拠は」

「絶対に逆らえない相手から脅されたからです」少なくとも中国人の二人組は。自分たちをマークしている警察官から脅しをかけられたら、唯々諾々と従うしかないだろう。マークしている警察官——山中の顔を思い浮かべる。

「あんたの言い分だと、黒幕は見当がついているようだが」

刑事課長が立ち上がった。大友の横まで歩いて来て背中を伸ばし、思い切り見下ろす姿勢を取る。浅黒い顔に引き締まった体。迫力はあったが、口から発せられた言葉とは裏腹に、目つきにはかすかな弱気が覗く。もしも僕の口からとんでもない人間の名前が出たら……と恐れているのだろう。大友は気を引き締め、立ち上がった。刑事課長の脇をすり抜け、ホワイトボードの前に立つ。

「一つだけ確認させて下さい……署長」

すっかり髪が白くなった署長が顔を上げる。目は充血しており、迷惑がっているのは明らかだった。

「私の言ったことが証明されたら——間もなくされると思いますが——大変なことになります。立川署では、それを背負う覚悟はありますか」

「何のことだ」署長の視線が不安に泳ぐ。

「覚悟はありますか？　義理とか、警察内のしきたりのためにではなく、正義のために動いてもらえますか？」大友は念押しして、署長の目を真っ直ぐ見つめた。前に進み出てテーブルに両手を置き、他の三人の顔を順番に見渡す。そろそろ隠しておけなくなるタイミングだ。ずっと温めていた推測をゆっくりと話し始める。話が進むに連れて立川署の面々の顔が蒼褪め、暗い沈黙が会議室を支配した。

「君は……」大友が話し終えると、署長が真っ先に口を開いた。「本当にそんなことがあったと思っているのか」

「はい」喋っているうちに、推測が強い確信に変わり始めた。「ただし、本当に根っこの部分については、まだ何とも言えません。これからそれを調べるつもりです。そうなった時、立川署は戦争に巻きこまれるかもしれません」

「戦争」署長が感情の抜けた声で言ってうなずいた。

「上手くいけば、立川署の評価は上がります。でも、失敗すれば地獄が待っています。二つに一つ、どうしますか」

「もう少し様子を見て……」

署長が、いかにも管理職らしい、中途半端な方法を提案したが、大友は即座に却下した。

「駄目です。こういうことは、できるだけスピードを上げてやらないと、相手に逃げる隙を与えてしまいます。このまま見逃されていい話ではないんですよ？　どうしますか？　私を信用してこれからも手伝ってくれるか、それともここで引くか。道は二つに一つしかありません」

実際にはもう、走り出しているのだ。大友の依頼通り、病院には制服警官が二人張りついているし、柴と敦美の応援にも三人が向かっているのだから。

「大友、お前、指導官の後ろ盾があると思って調子に乗ってるんじゃないか」刑事課長が怒りで顔を赤らめながら攻撃してきた。「たかが刑事総務課の巡査部長が、これ以上好き勝手ができると思ったら大間違いだぞ。必ず潰される」

「あなたが潰すんですか」大友は刑事課長に向き直った。

「俺はそんなことはしない」

「あなたが潰さなくても、私が潰されるのを黙って見ていれば、あの連中とまったく同罪だと思います。その場合、私はあなたを敵とみなしますし、私が潰されれば、その責任をあなたに押しつける人が出てくるでしょうね」

「貴様、指導官の……」

「この場に指導官がいたら、私と同じように言うはずです。でも私は、指導官の気持ちを代弁しているつもりはありません。単に、警察の常識ではなく世間の常識に従って動いているだけなんです。警察の常識が、世間の常識に照らし合わせれば相当おかしいのは間違いないですよ」

沈黙の幕が下りた。大友は壁の時計を睨みながら、自分の言葉が四人の頭に染みこむのを待つ。

「今は判断しない」署長が腕組みを解き、ゆっくりと口を開いた。

「結論先送り、ですか」大友は内心の落胆が表に出ないよう、必死で唇を嚙み締めた。

「そういう意味じゃない。君が今話したことは、多くの部分が推測の域を出ないだろう。それに引きずられて動くのは、警察としてはどうかと思うが」

「……仰る通りです」署長の言葉に勇気はないが、正論として認めざるを得ない。

「だから、こうしよう。この一件のキーマンは、拉致された女性だ。彼女の意識が戻り、君の推論を裏づける証言が得られたら、我々は全面的に君に協力する。やらねばならないことが何かぐらいは、分かっているつもりだ」

「では、それまではどうされるつもりですか」

「拉致事件の一方の現場は、うちの管内だ。これは看過するわけにはいかない。粛々と捜査を進める」

「署長……」

ふいに、署長が表情を崩した。苦笑しながら大友に話しかける。

「あんたは、監察には行かない方がいいだろうな。あんたに調べられたら、間違いなく誰でも口を開く。そういう能力は、あくまで犯罪者を相手にした刑事として、生かした方がいい」

「自分では行き先を選べませんから」

「希望を押し通すことも大事だぞ……あんたには、なかなか表に出ない、固い部分が芯にあるようだ」

「それを見透かされているようでは、まだ修行が足りないんでしょうね」

「人生、全てにおいて、死ぬまで修行なんだ」

格言めいた言い方に、大友は福原の顔を思い出していた。ついにやけながら頭を下げ、会議室を出て行く。ドアを閉めた後、しばらく廊下の壁に背中を預けて立っていたが、やがてドアにそっと耳を押しつけ、中の様子に聞き耳を立ててみた。わめいているのは刑事課長。「どこの馬の骨」という言葉が聞こえてきた。どこの馬の骨。今時こんな台詞——舞台でも使わない台詞が生で聞けるとは。ドアから耳を離し、大友は足音を立てないように廊下を歩き始めた。あの署長は、案外できた人物かもしれない。刑事課長の罵詈雑言ぐらいでは、気持ちは揺らがないだろう。

大友はわずかな休息を求めて、ふらふらと歩き続けた。

4

かすかなバイブレーションで眠りから引き戻される。体をよじって携帯電話を引き抜こうとした瞬間、体のあちこちを痛みが襲い、思わず呻いた。優の意識が戻るのを待つために病院に戻り、ベンチに腰かけて仮眠を取っていたのだ。いつの間にか横になってしまったようで、特に腰の痛みがひどい。

こんな時間に誰が……まだ七時前だ。心の中でぼやきながらも、一晩中張り込んでいる柴たちだったら申し訳ないと思いながら電話に出る。

福原だった。

「どうなっている」

冷たく固い声。大友は瞬時に意識が尖るのを感じ、夕べからの出来事を報告した。その後、自らの推測も。電話の向こうで、福原が次第に怒りを膨らませる様が伝わってくる。

「間違いないのか」

「まだ重要な穴があります。そこを埋めれば……」

「今日の送検をストップさせるか？　それぐらいのことはできるぞ」

「この件で、指導官が手を汚されることはありません」

「たわけ者」福原の雷が、寝不足と疲労で追いこまれた大友の脳にさらにダメージを与えた。「上司の権威は、部下が困っているのを解決することで身につくものだ。バルザックもそう言ってる」

「指導官、これは私が始めた捜査です」

「何でも自分で抱えこむな」

「信頼できる仲間が手伝ってくれています」

福原が沈黙した。様々なことを想定しているに違いない。例えば自分が神田署の捜査本部に乗りこみ、全てを解決すること。刑事部ナンバースリーの立場として、彼にはそうする権利がある。だが、一度福原が拳を振り下ろしてしまえば、多くの人間の血が流れるだろうし、捜査は大友を抜きにして行われることになるはずだ。こういうことを専門に調べる人間はいるわけで、大友はその立場にない。

デウス・エクス・マキナ——機械仕掛けの神——で終わってはいけない。ギリシャ時代の演劇でよく見られた、全能の神による突然の解決。事態がもつれにもつれて収拾がつかなくなった後で神が登場し、いきなり全ての状況を解決してしまう。どんなにこんがらがった筋でも、全能の第三者が出てくれれば綺麗に終わるのは当然だが、演劇関係者の間では批判の多い手法である。「物語は因果関係に基づくべきだ」と言ったのはアリストテレスだっただろうか。大友もその考えに全面的に賛同している。芝居であってさえ「不自然だ」と感じられる、全能の神……現実の事件捜査で登場させてはいけない。後に悪い例を残してしまうのだ。

「……分かった」結局福原が折れた。

「ありがとうございます」誰もいない空間に向かって頭を下げる。その時、通りかかった看護師——夕べ、優の処置が終わったと教えてくれた女性だった——が大友を見つけ、思い切り顔をしかめた。彼女が両手の人差し指を交差させたのを見て、慌てて「病院なので切ります」と告げる。携帯をポケットに押しこんで、笑顔——今日は五割方パワーが落ちていたが——を浮かべる。

看護師がつかつかと歩いて来た。夕べはそれほど忙しくなかったのか、大友に比べて遥かに元気な様子である。

「病院で電話は困りますよ」

「すいません。強引な上司なので」

「患者さんの意識が戻りました」

「それを先に言って下さい」大友は立ち上がり、いきなり駆け出した。後ろから「走らないで！」と忠告が追ってくるのを無視して、短い距離を全力で駆け抜ける。優が、夕べのうちに集中治療室から個室の病室に移されたのは聞いていた。

廊下の角を曲がって、わずか二十メートルほど。ドアの前に制服警官が二人、背筋をぴしりと伸ばして立っていた。夕べ優の治療をしてくれた医師が、ドアを開けて出てくる。大友を見つけると、少しだけ明るい表情を浮かべて手招きした。

「どうですか？　意識が戻ったと聞きましたけど」

「まだ完全ではないです。記憶も混乱しているようですね」

「話は聴けますか？」

「そうですね」医師が腕時計を見てから、ぱっと右手を広げた。「五分。それ以上はまだ無理です。私も同席しますよ」

「これは一応、警察としての事情聴取なんですが」部外者には聞かれたくない。

「患者さんを放っておくわけにはいきません。聞かない振りをしていますから」

「……分かりました」ここで押し問答をしていても埒が明かないと判断し、大友は医師の出した条件に同意した。まずは話を聴くのが先決である。

引き戸になっているドアを開ける。狭い個室には、大友には馴染みのない薬物の臭いが薄っすらと漂っていた。部屋に入る前に、制服警官に声をかける。

「被害者の意識が戻ったと、署に連絡して下さい。確実に署長にまで話が伝わるようにお願いします」

無言で制服警官が敬礼し、急ぎ足でその場を離れる。背中を見送り、もう一人に向かって頭を下げてから、大友は部屋に足を踏み入れた。

優は病院が用意した寝巻きを着て、ベッドに横たわっていた。胸元が少しかけ布団から出ているが、寒そうな様子はない。ゆっくりと首を巡らして大友を見たが、目に光はなかった。椅子を引いて座り、顔を近づける。優は子どものようにじっと大友の顔を凝視し続けた。やがて「あ……」と声を漏らしたが、何か意味のある言葉ではないようだった。

「分かりますか？　大友です。話すのがきついなら、うなずくだけでもいいですよ」

「だ……大丈夫」声はかすれ、聞き取りにくい。背後から医師が声をかけてきた。

「少し麻痺が残っています」

「ただの睡眠薬じゃなかったんですか」大友は振り返って確認した。顔が強張るのを感じる。

「ベンゾジアゼピン系の睡眠薬は比較的安全だけど、あれだけ呑まされたら、馬でも気を失う」

大友は背筋を寒気が這い上がるのを感じていた。下手をしたら、優は死んでいたかもしれない。犯人の意図はともかく、この件は絶対に殺人未遂で立件してやる、と大友は誓った。大量の睡眠薬を投与すれば死ぬかもしれないと分かっていた——そういう証言が得られれば、未必の故意が成立する。

気を取り直して、優に向き直る。顔色は透明と言っていいほど白く、唇は土気色だった。まだまったく回復していない。難しい尋問は無理だ、と判断した。

「あなたをさらった人間の顔を見ましたか？」

小さくうなずく。

「二人、それとも三人？」
三、と唇が動く。
「日本語を話していましたか？　中国語？」

枕の上で首を振った。終始無言の犯行だったのか。その状況が彼女の恐怖を増幅させたのは間違いない。

「その中に知った顔はいましたか？」

ノー。再び首が横に振られた。

「もしも写真を持ってきたら、確認できますか？」

二度、うなずく。目に光が宿ったようだった。掛け布団の下の手が動き、のろのろと外に出る。大友はその手を取り、緩く握った。少しでも力を入れると壊れてしまいそうだ。

「あなたを拉致した人間は必ず捕まえます。安心して待っていて下さい」

それは大丈夫だ。何とかなる。しかし問題はそこから先だ。僕はこの後――拉致事件の捜査に目処がついたら、優の真意を確かめなければならない。それが彼女も含めた多くの人間を傷つけるのは明らかだった。

「刑事さん、そろそろ……」

医師がストップをかける。大友はゆっくりと彼女の手を離し、布団の中に戻した。優が唾を呑み、ゆっくりと目を閉じる。それを見届けて、大友は立ち上がり、医師と肩を並べて病室を出た。ドアを閉めるとそっと息を吐き、確認する。

「相当ダメージが大きいようですけど、本当に大丈夫なんですか？」

「完全に薬が抜けるには、かなり時間がかかりますよ。胃洗浄した時には、もうだいぶ時間が経ってましたからね。まあ、焦らないでゆっくり待ちましょう。こっちでしっかり治療しておきますから……ところで、昨日のあの人、また来るんですかね」顔をしかめて不満を表明した。「あの人」が黒原を指しているのは明らかだった。

「来るでしょうね。彼女には身寄りがないんです。会社の——弁護士事務所の上司ですから、彼が一番濃い関係なんですよ」

「まあ、私は間もなく明けなんで、どうでもいいですけどね」

「よろしくお願いします」頭を下げておいてから忠告する。「うちも制服組を張り込ませていますけど、監視を入念にお願いします。体が動くようになったら、彼女はすぐに出て行きたがるかもしれません」

「どういうことです？」

「彼女にはやることがあるんですよ。その途中であんなことになったので……目的があれば、一直線に突き進んでいくタイプなんです」

「ああやって寝ている限りは、そんな風には見えませんけどね」

「本当の姿を知ったら、驚きますよ」

医師が目を見開いた。しかし次の瞬間にはにやりと笑い、大友をからかうような口調になった。

「あなた、何だか仕事じゃないような感じでしたね」

「どういう意味ですか」

「さっきは、仕事の顔じゃなかったですよ。仕事だったら、あそこまで真剣な表情にならないでしょう。何か特別な関係なんですか？」

「彼女の真剣さが乗り移っただけです」その真剣さが、どこか間違った方向に向かっているとしても。

電話が鳴り出した。そろそろ、本当に携帯のバッテリーが危ない……車に戻ればシガーソケットを使って充電できるのだが。医師が顔をしかめるのが見えたが、背中を向け、相手を確認もせず電話に出た。

「確保」柴が短く言った。興奮した様子はなく、むしろ怒りを押し潰しているようだった。

「今どこにいる？」

「現場だ。これから調布署を借りる。向こうで中国語の通訳を用意してくれるそうだ」

「立川署に連絡は？」

「まだだ」

「僕の方でやっておく。一度立川署に寄ってからそっちへ向かうから」

「了解」

大友は電話を閉じ、医師に向かってうなずきかけた。医師がぎょっとした表情を浮かべ、大友の顔をまじまじと見つめる。それほど真剣な顔つきになっているのだろうか、と大友は自問した。

そうだろう。

おそらく、今までにないほどに。

立川署に戻り、署長に短く報告をする。あまり機嫌は良くなかったが、ひとまず夕べの約束を再確認してはくれた。馬鹿丁寧に礼を言い、さらにマスコミへの情報漏れを絶対に防いで欲しいと念押しして、大友は署を後にした。JR立川駅までは結構距離があるのが分かっていたので、タクシーを拾う。シートに腰を下ろした瞬間、強烈な胃痛が襲ってきた。腹に拳をめりこませ、じっと目を瞑る。やがて唐突に痛みは引き、大友はゆっくりと深呼吸しながら目を閉じた。改めて、異常な緊張状態に置かれていたのだと意識する。たかが巡査部長が署長――しかも立川署は多摩地区では八王子署と並ぶA級署の責任者である――にあれこれ指図して、平気な顔をしているわけにはいかない。露骨に押さえつけてこなかったあの署長は、案外大人物かもしれないな、と思った。

立川駅から調布署の最寄り駅の京王線国領駅までは、移動が面倒だ。結局南武線で分《ぶ》倍河原《ばいがわら》まで出て、京王線を使うルートを選ぶ。通勤客で混み合う車内で揺られながら、何とか今後の方針をまとめようと試みた。まず、二人組の中国人を吐かせる。その後福島との関係を聞き出し、人物相関図をはっきりさせれば、自然に黒幕の存在につながるはずだ。出来れば今日中に、全ての決着をつけてしまいたい。いつまでも引きずっていると、真相は闇の中に葬られてしまいそうだった。

国領駅に着き、早足で甲州街道を歩いて、五分ほどで調布署に到着。受付で事情を話すと、刑事課に行くよう指示された。

刑事課では、柴がだれていた。誰かの椅子にだらしなく腰かけ、両足を思い切り伸ばしている。手首のつけ根に顎を乗せて空ろな視線を漂わせ、ぽっかりと口を開けていた。大友に気づくと、突然スウィッチが入ったように椅子から飛び上がり、にやりと笑う。

「コーヒーでもどうだ？」

苦みが口中に蘇り、大友は思わずまた胃に拳をねじこんだ。

「それより、連中はどうした」

「今、高畑が一人を調べてる。もう一人は監禁中だ。猛省を促してるってことだな」

「それで、お前は」

「エネルギー切れ」もう一度笑みを浮かべたが、確かに疲れ切っていた。顔色は悪く、目の下には隈ができている。

「コーヒー、奢るよ」

「助かる……しかし、高畑はタフだな」

「そうだな」意地もあるのだろう。自分がもっと優の取り調べをしっかりやっていればこんなことにはならなかったという後悔が、彼女を突き動かすエネルギー源になっているはずだ。

二人は階下に降り、自動販売機で缶コーヒーを買った。普段はこんなものは飲まないのだが、さすがに今朝は、甘ったるい味が体に優しく感じられる。飲みながら車に入り、すぐに携帯の充電を始める。

「携帯も当てにならないな」大友の動きをぼんやりと眺めながら、柴が言った。「バッテリー、案外持たないんだな……俺も高畑も、その充電器、借りたぜ」

「彼女、夕べは公衆電話から連絡してきたけど」

「充電器があるのに気づかなかったんだよ。相当焦ってたんだな、俺たち」

「ああ」携帯のインジケーターが赤く灯るのを確認しながら、大友は応じた。先ほどの電話では肝心なことを話していなかったのを思い出し、告げる。「篠崎優の意識が戻った」

「それを先に言えよ」柴が慌ててシートから背中を引き剝がす。「どうだった？」

「まだ完全に話せる状態じゃない。すぐ回復すると思うけど、まずは二人組の写真を見せたい。確認しないとね」

「こいつらだ」

柴がスーツのポケットから写真を二枚、取り出す。受け取って目に焼きつけてから裏返すと、名前が書いてあった。

「身柄を拘束した後、簡単に部屋に捜索《ガサ》をかけたんだ。パスポートも見つかったし、名前に間違いはないと思うぜ」

「何者だ？」

「元々技術研修で日本に来たみたいだな。その後で、悪い連中とのつき合いができたんだろう」

「暴力団、か」

「ああ。所詮、上手く使われてただけだろうが」

最近の外国人犯罪の特徴の一つだ。暴力団が、実働部隊として外国人を使う。暴力団としては、犯行がばれても切り捨てやすいし、一方外国人の方では、普通に働いていては得られない巨額の報酬が魅力になる。

「山中の野郎はどうするつもりだ？」

「今のところは放置」

「いいのかよ、それで」

「いずれ、彼のところにも手が伸びるさ。僕たちが手を汚す必要はない」

「お前も案外ワルだね」柴が笑いながら言って、顔写真を取り戻した。

「絵を描いてくれないか？」大友は頼みこんだ。「この二人と福島と山中、四人の関係はどうなんだろう」

「中国人二人は、山中と面識があることは認めている。今回の拉致事件も、あいつの方から話が来たみたいだな」

「アルバイト感覚か。福島とはどうつながる？」

「そこがまだはっきりしないんだ。どうもあの二人組は、福島とは今回の件で初めて会ったみたいだな。山中と福島の関係は分からないが……筋は二本あったと思う」

「山中はある人間に頼まれて、中国人の二人組をリクルートした。その後で福島と引き合わせた、と」

「だから、黒幕を追いこむためには、山中の筋を辿るか、福島を探し出さないといけない。今高畑に絞られてる二人組は、そこまでは知らないはずだ。山中止まりだろう」

「どっちが早いか、だな……」大友は顎を撫でた。無精髭が覆って脂っぽい。今朝は髭を剃るどころか、顔を洗う余裕すらなかったのだ。「福島を探した方がいい」

「レンタカーの男はどうする？　衛藤信二だっけ」

「しばらく放っておいてもいいと思う。偵察要員みたいな感じだし」

「分かった。それよりどうする？　山中を攻めないのか？」柴が目をむいた。「奴はとんでもない男だぞ。犯罪になると分かっていて動いたんだ。俺は絶対に許さない」

「放っておいても自滅するよ。力を入れるところを間違えない方がいい」

「何だかなあ」柴が頭の後ろで手を組んだ。溜息を漏らした瞬間、彼の携帯が鳴り出す。

「ああ、俺……いや、違うって。テツが来たから外で打ち合わせをしてたんだ。ほら、中で話せないこともあるだろう。サボってたわけじゃないよ」

みっともないほどの慌てようだった。相手が敦美なのはすぐに分かったので、電話を代わるよう、手を伸ばして促す。むしろほっとした様子で、柴が電話を渡した。

「大友です」

「取り敢えず落としたから」敦美の口調は安堵を感じさせるものではなく、疲労と怒りが滲んでいた。「山中から頼まれたことは認めたわ」

「お疲れ。さすがだね」

「持ち上げてくれなくていいわよ……それより、福島の居場所が分かったけど、どうする？　連中、知ってたのよ」

「もちろん、すぐに身柄を確保する」

「この二人はどうするの」

「おっつけ立川署から応援が来るから、任せよう」森嶋が来る予定だ。少々頼りないが、身柄を立川署に移送するぐらいなら大丈夫だろう。「引き渡してから、僕たちは福島の身柄確保に向かう」

「特捜を完全に無視してるけど、いいの？」

「然るべき人には報告してるから。それに、今僕たちが相手にすべきなのは、特捜じゃない」

「まったく、ねえ」心配そうに敦美が溜息をついた。「何だか、自分の立場が心配になってきたわ」

「君たちは絶対に傷つけない。僕が全力で守る」

「その台詞、こういう場合以外は使わない方がいいわよ」

「どういう意味だ？」

「あんたにそんなことを言われたら、ほとんどの女の子は勘違いして、目で星がキラキラするから」

「そうかな」

「無意識過剰ね、テツは」

有香にもそんなことを言われた。それはどういうことなんだ、と訊ねようとした瞬間、電話が切れる。柴に聞こうと思ったが、彼は大友が電話をしていた短い間に目を瞑り、既に軽いいびきをたてていた。


「配置、完了」

大友は、隣にいる立川署の刑事、生方《うぶかた》が無線に向かって告げるのを聞き、緊張感を高めた。場所は世田谷の西の外れ、環八の三本杉陸橋に近いマンション前の路上。福島は、知人の女性の家に身を隠しているはずだという。

「女のところにしけこんでるわけだ」生方が吐き捨てる。

「ええ」

「何だかいいご身分じゃないかよ、ええ？」生方は思い切り不機嫌だった。いきなり捜査に巻きこまれたせいか、大友が指揮を執っているのが気に食わないのかは分からなかったが、先ほどからことあるごとに食いついては、大友に殺意の籠った視線を向ける。

「そうかもしれませんけど、ここまでですよ」

「ああ、ぶちこんでやるか……それよりあんた、大丈夫なのか？」

「何がですか？」

「あんたが嚙みつこうとしてる相手だよ。自分は無事で済むと思ってるのか？」

「どうでしょう。僕は平和主義者で、基本的に喧嘩はしませんから。何がどうなるか、予想できませんね」

「平和主義者なら、そもそもこんな無茶はしないだろう」

「平和のために、やる時はやるんです」

大友は、目の前のマンションに視線を投げた。周辺に、大友たち三人を含めて七人が配置されている。死角はなし。これから部屋に踏みこみ、万が一逃げられても外で押さえる陣形を組んでいる。

「おい、出てきたぞ。あれじゃないか」

生方が少し慌てた声で言って歩き出す。大友は彼の背中を追いながら、少しうつむき加減でマンションから出てきた男の顔を観察した。耳が隠れるほどの長さの髪。薄い唇に細い鼻。そして何より目立つ、顎の大きな黒子《ほくろ》。二人の中国人が証言した通りの風貌だった。黒いフライトジャケットにジーンズ姿で、ベースボールキャップを目深に被っている。歩道に出て足を止めると、分厚い雲で覆われた空を一瞬だけ見上げた。

その瞬間、柴が襲いかかる。

「あの馬鹿……」大友は生方を追い越して走り出した。柴は手が早いし、今朝の機嫌は最悪だ。感情の赴くまま殴りかかって、相手に怪我でもさせたら洒落にならない。

「福島！」

柴が怒鳴る。ぎょっとした福島が、反射的に踵を返し、柴に背中を向けた。途端に、両手を広げた大友と正面から向き合う格好になる。急停止したためにキャップが落ち、ぼさぼさの髪が露になった。

「福島茂之さんですね」大友は両手を広げたまま言った。「監禁容疑で逮捕状が出ています。ご同行願えますか」

「テツ、呑気なことを言ってる場合じゃない！」

柴が背後から叫んで、福島の襟首を摑もうとした。福島が身軽に身を翻し、柴の手を逃れる。そのまま大友の脇をすり抜けて逃げ出そうとしたので、大友は素早く横に移動し、前を塞いだ。バスケットボールのディフェンスの体勢。福島が小刻みにステップを切って逃れようとしたが、柴が再び襲いかかる。思い切り身を投げ出して背中からのしかかり、体重を利用して前へ押し倒そうとした。しかし福島は粘り、簡単には倒れない。首に腕を回されたのだが、体を思い切り振って柴を振り落とした。それでも柴は意地を見せ、アスファルトに転がる寸前、福島の足首を摑んで思い切り引っ張った。福島が姿勢を崩し、両手を振り回しながら泳ぐようにつんのめる。大友はすかさず右手を突き出し、手首のつけ根で福島の額を打った。福島の首ががくんと折れ、顔が上を向く。そのまま膝から崩れ落ちたところに、背後から柴、正面から生方が襲いかかった。

「大人しくしろ、この阿呆！」柴が怒鳴り、後ろ手に手錠をかけた。荒い息を吐きながら福島を引き起こし、後頭部を平手で一度叩いた。「馬鹿野郎、面倒かけるな」

福島が顔を上げ、大友を睨んだ。額を一撃したつもりだったが、鼻血が出ている。

「申し訳ない。手加減したつもりだったんだけど」思わず謝ってしまった。

「ふざけんな！」福島が叫び、血の混じった唾を足元に吐いた。勢いがなく、ピンク色の液体がだらりと顎から垂れ下がる。

「おら、大人しくしろって」

柴が手錠を摑んだまま、体をぐっと押す。福島は前屈みの姿勢のまま、よろめき出した。生方と二人がかりで、すぐ側まで来ていた覆面パトカーに押しこむ。大友は右手首をぶらぶら振りながら、顔をしかめた。

「掌底《しょうてい》？」いつの間にか近づいて来た敦美が首を傾げた。

「そうだね」右手を振った。殴った痛みが、手首のつけ根に残っている。

「テツって、空手か何か、やってたっけ？」

「いや」

「それにしては一発ノックアウトだったじゃない」

「学生時代に、芝居でちょっと真似事をね。『空手阿呆一代』っていうオリジナルの芝居だったんだけど」

「何それ？　パロディ？」

「そういうこと。でも、空手シーンは真面目にやったから。道場へ一日入門したりして」

「それだけで、あんなに格好つくものなんだ」

「もしかしたら、才能かもしれない」

「まあ……」呆れたように敦美が口を開けた。「役に立ってるからいいけど、あんた、つくづく変わってるわね」

「否定できないな」肩をすくめ、ジーンズのポケットから車のキーを取り出した。「行こうか。取り敢えず話を聴かないと」

「今度は成城署？」

「ところがここは、ぎりぎりで玉川署の管内なんだ」

「何だか間借りしてばかりね」

「何しろ、一番肝心な神田署には近づけないんだから」大友は手首を返して時計を確認した。あれから岩永とは話していないが、渋谷の送検は済んだのだろうか。送検してしまった場合、処置はどうなるのだろう。例外的な事案なので、大友の頭の中には何の考えもなかった。そういうことは警察ではなく検察が考えるべきことだが、いかに経験豊富な東京地検でも、これから自分たちが起こす作戦は、過去に範を持たないのだ。

　検事たちが頭を抱える様を想像すると、面白いような悲しいような感じがした。

5

「申し訳ないけど、言い逃れは一切できない」

　人定質問を終えた後、大友はいきなり死刑宣告をした。福島は血に染まった脱脂綿を鼻に突っこんだまま、椅子の背に腕を引っかけ、不貞腐れてそっぽを向いている。

「ほとんど事情は分かっている。君には、その件を確認してもらいたいだけだ」

「分かってるなら、何も俺に聴くことないだろうが」

「悪ぶった態度はやめた方がいい。心証がどんどん悪くなるよ」

「脅すのかよ」

「事実を言ってるだけだ。送致の際には、僕たちも意見を付与できるからね。素直に協力してもらった方が、お互いに利益になると思うんだ」

「冗談じゃない。いきなりこんなところへ連れてきやがって、どういうつもりなんだよ」

「どうもこうも、君は逮捕されたんだ。容疑は監禁。昨日の午前三時頃、東京都千代田区神田小川町、弁護士篠崎優さん、二十八歳宅に押し入り、就寝中の篠崎さんを拉致

――」

大友は逮捕事実をすらすらと読み上げたが、福島は大声を上げて遮った。

「やめろよ！　関係ないだろう」

大友は両手を三角形に組み合わせ、前腕をデスクに乗せた。

「関係あるんだ。君の車が拉致に使われたのは間違いないんだから。そして立川市内で発見された君の車から、女性の髪の毛が発見されている。ＤＮＡ鑑定の結果、篠崎さんのものと断定された」

「車は盗まれたんだよ」あくまで福島は白を切り通すつもりだった。ふてぶてしい態度はまだ崩れていない。

「ところが、彼女を拉致した共犯の中国人二人が、君が一緒だったと証言してる」

「そんな、訳の分からない中国人の言うことを信用するのかよ」意外に粘る……福島には逮捕歴はないのだが、妙に警察慣れした態度だった。

「どうしてその中国人が、訳が分からないと言えるのかな」大友は組み合わせた手に力を入れた。「中国人だって、いろんな人がいる。まるで顔見知りみたいじゃないか」

「そんなことをする奴らなんて、ろくなもんじゃないだろうが」

福島がそっぽを向いた時、絶妙のタイミングでドアがノックされた。背中で柴の存在を感じながら、福島に向かってうなずきかける。その顔が一瞬不安で歪むのを、大友は見て取った。柴が横に回りこんでデスクに両手をつき、顔を捻って福島の顔を覗きこむ。

少しだけ長く凝視した後、大友に向かって「一致した」と短く言った。

「どういうことか、分かるかな」大友は意識して落ち着いた声で訊ねた。

「何言ってるんだよ」福島が鼻で笑う。

「おい、いい加減にしろよ、このクソ野郎」柴が低い声で福島を脅しつけた。背後に回ると肩に両手を置き、ぐっと体重をかける。福島が嫌がって体を捻ったが、柴は次第に力を入れて動きを押さえつけ始めた。

「君ね、素人なのか？」大友は、抵抗する福島を見ながら訊ねた。

「はあ？」

「今まで逮捕されたことはないだろう」

「真面目な一般市民だからね」

「だったら、こういう危ないことに手を出しちゃいけない。素人がこういう荒っぽいことをすると、必ず穴が開くんだよ」

「穴？」

「拉致現場に、君の指紋が残っていた。手袋ぐらい使わないと」

福島が反論しかけ、ぐっと口をつぐんで言葉を呑みこんだ。柴の体重に負けて背中が曲がり、視線が泳ぎ始める。

「素人は素人らしく、真面目に生きないとね。何でこんなことを引き受けたんだ？　何か脅される材料でもあるのか？　それとも金を積まれた？　こういうことだと、相当の金を貰わないと割に合わないと思うけど」

「五十万……」言ってから、福島がごくりと唾を呑んだ。

「五十万で人生を棒に振ったわけか？　こんな言葉は使いたくないけど、馬鹿だね、君は」

「ちょっと待てよ」

慌てて福島が身を乗り出す。柴がぱっと手を離したので、勢い余って椅子に思い切り背中をぶつけてしまった。柴がまた、頭を両手で押さえつける。

「それはちょっと大袈裟じゃないのか？　大したことしてないんだぜ、俺は」くぐもった声で福島が反論した。

「じゃあ、何をしたんだ」

「それは……」

「被害者は大量の睡眠薬を投与された上で放置された。大量の睡眠薬は、死につながる可能性もある。それぐらいは分かるね？」

「だから何だよ」福島が人差し指で唇の端に触れた。

「僕たちは、今回の件に関して、殺人未遂の適用を検討しているんだ。君みたいなふざけた人には、なるべく長く塀の向こうにいて欲しいからね」

「ちょっと待ってくれよ。そんなつもりじゃ……」急に慌てて、福島がもがく。

「じゃあ、どんなつもりだったんだ」大友は声を低くした。頭の中心が、どんどん冷たくなるのを意識する。「説明できるか？　こっちがきちんと納得できる説明をしてもらわない限り、僕たちは殺人未遂での立件を目指す。知らないと思うから言っておくけど、殺人未遂で懲役十二年の実刑判決が出たケースもある。甘く見ない方がいい。十二年は長いよ。刑務所を出る頃には、君には何も残っていないだろうね。そういう覚悟があってやったのかな？　それとも単なる小遣い稼ぎのつもりだったのか？」

福島の肩が小刻みに震えだす。落ちた、と確信し、大友は少しだけ身を引いた。普通の声に戻し、ゆっくりと語りかける。

「きちんと話してくれれば、僕たちは君の力になる。本当に悪い人間は別にいるんだから、そいつをあぶり出すのに手を貸してくれないか。頼む」

福島の口から、ある男の名前が漏れた。直接つながらない。もうワンクッション挟んでいたわけか……しかし必ず辿り着ける、と大友は確信していた。どんなに固く隠蔽したつもりでも、どこか一か所に綻びが生じれば、もつれた糸が解けるようにばらばらになって真の姿が現れるものだ。そのタイミングさえ逃さなければ、事件は絶対に解決する。

渋谷の件は、タイミングすらなかったのだ、と実感する。だが、同情すべき点は一切ない。大友は、自分の中に潜む冷酷さに気づいていた。

具体的な証拠が欲しい。福島の証言だけでは、動機は説明できないのだ。概ね想像はついたが、しっかりした動機を探り当てて相手の鼻先に突きつけたい。福島の移送を森嶋たちに任せて、大友は柴と敦美に声をかけて打ち合わせをした。二人の顔は、自分の人生を全否定されたように暗かったが、自分も似たようなものだろう、と思う。

「ふざけた話だぜ」柴が煙草の煙を空に向かって吹き上げた。湿った空気と混じり合った煙は、すぐに見えなくなってしまう。

「本当に、私たちで手に負えるのかな」敦美が疑念を持ち出したが、それももっともである。彼女と柴は、いわば傭兵なのだ。正規の命令を受けて動いているわけでもなく、身を守るためには自分で何とかするしかない。しかも相手は大きいのだ。完璧を期さないと、こちらが逆に叩き潰されてしまう恐れもある。

「誰か、内部で話を聴ける人間はいないだろうか」大友は上野の顔を思い出していた。特捜本部に出入りしている中で最年少のはずだが、事情を知らないとは思えない。名前を持ち出すと、敦美が反応した。

「彼なら知ってるわよ」

「どういう知り合いだ?」

「機動捜査隊にいた時、一緒に仕事をしたことがあるわ。彼はその頃も所轄だったけど」

「落とせるか?」

敦美の表情が真剣味を帯び、「落としの高畑」の顔になる。

「やるしかないわね」低い声で宣言する。「挽回のチャンスだから。最初から私がちゃんとやっていれば、事態はここまでこんがらがらなかったと思う」

「何とか上手く呼び出して、話を聴いてくれ」

「分かった」

柴に目を向ける。顎に手を当てて、何事か考えこんでいる様子だった。やがて視線を大友に向け、小さくうなずいた。

「一課の中で少し動いてみる。誰も何も知らないわけがない」

「大丈夫か？　間違いなく、意図的に秘匿された話だぞ」

「何とかする。何とかしないと、けじめがつかないじゃないか」

「分かった……頼む」

「お前はどうする」

「僕は物証を当たる。シブタニスポーツ二号店から出たペットボトル——あれが気になるんだ」

「確かに、あれはえらく唐突だったよな」柴が同調した。

「もしかしたら……」敦美が不安そうに言った。

「その『もしかしたら』かもしれないんだ。仕上げのための……」大友は語尾を濁しながらうつむいた。じっと目を合わせていたら、彼女の不安が感染してしまいそうだったから。「とにかく当たってみる。その後、立川に回って、もう一度篠崎さんに話を聴くつもりだ」

「大丈夫なの？」

「時間が経っているから、少しは回復していると思う。最後のキーパーソンは彼女なんだ。彼女の証言が、最大の武器になる」

「よし、行こう」柴が両手を打ち合わせた。「ここで解散。後で連絡を取り合おう」

「ちょっと待てよ。皆同じ方向なんだから、神田まで相乗りして行けばいいじゃないか」

「ああ、そうか」歩き始めた柴が立ち止まり、照れ臭そうな笑みを浮かべて振り返った。気負いが空回りして、状況が見えなくなっている。「でも、取り敢えず駅までにしてくれ。この時間なら、電車の方が早い」

「じゃあ、等々力《とどろき》かな」

車に乗りこんでシートベルトを締めた瞬間、強烈な胸騒ぎに襲われた。本当に上手くいくのか？　それこそ福原に仕切ってもらった方が安全かつ確実ではないだろうか。この件では絶対にヘマをするわけにはいかないのだ。

駄目だ。自分の力で何とかしなければ。この件の捜査を指示してきた時、福原も言っていたではないか。「問題は解決されるためにある」と。何でも自分で抱えこむなと忠告もされたが、こればかりは譲れない。あくまで自分の事件なのだから——その意識を強くしながら、大友はキーを捻ってエンジンに火を入れた。

平日の昼間とあって、シブタニスポーツ二号店は閑散としていた。二階に上がり、有吉を呼び出してもらう間、店内を観察する。数日前に訪れたばかりだというのに、少し様子が違っていた。レイアウトの一部が変わっており、テント売り場が隅の方に移動している。登山道具のコーナーは、レジに近い位置に移っていた。レジにもたれて待っている間、片隅にポスターが置いてあるのが目に入った。少しくたびれたポスターは完全に丸まらず、歪んだ渋谷の顔が覗いている。ああ、レジ横の壁に貼ってあったやつか……広げてみると、記憶にある通り、ペットボトルを握り潰す渋谷の顔があった。これは結局、使い捨てのペットボトルの代わりに、シブタニスポーツで売っている水筒などを使おうという宣伝ではないか、と想像した。確かに渋谷はハンサムで、こういうポスターで笑っていても十分絵になるのだが……妙なところで自己顕示欲が強いのだな、と苦笑する。

たっぷり五分ほども待たされた後、ようやく事務室のドアが開き、有吉が顔を見せた。大友は彼が出てくるのを待たず、逆に事務室に強引に体をねじ入れた。脇を通り過ぎる時、一瞬有吉が怯えた表情を浮かべるのが見える。

「ここからペットボトルが出てきたそうですね」大友は平坦な声で訊ねた。

「その件はもう終わったと聞いてますけど」有吉が目を瞬かせた。

「僕としては終わってないんです。何か不自然な感じがしましてね」

「不自然？」有吉が目を細めた。口の端がすっと下がり、不満を表明する。「ちゃんと説明しましたよ。警察の人は納得してくれましたけど」

「そうですか。ペットボトルはあなたが見つけたんですか？」

「いや、警察の人が調べに来て、ここで見つけたんです」

「それまであなたは、全然気がつかなかったんですか？」

「ご覧の通りで」有吉が狭い部屋の中をぐるりと見回した。「整理ができていないもので、どこに何があるか、全然分からないんです」

「しかしここには、商品しか置いていないでしょう。ペットボトルがあったらすぐに分かりそうなものですけどね。どこに置いてあったんですか」

「その……」有吉が体を捻り、背後の壁を指差した。「登山靴の箱の中に入っていたんです」

「その箱、靴が入っているんじゃないですか。ペットボトルを入れるために靴を出したとしたら、その靴はどこに行ったんですか」

「分かりませんけど、たぶん店に出してあったんじゃないですか」

「在庫と展示品の照合をしていないんですか？　それじゃ商売にならないでしょう」

「それぐらいのことは……」不備を突かれたと思ったのか、有吉が顔を歪める。

「そうですね。それぐらいは仕方ないかもしれません。僕が文句を言うことでもないでしょう」大友は一転して引き、笑みを浮かべた。「でも本当に、あなたは不自然だとは思わなかったんですか」

「今考えれば不自然ですけど、私は説明できませんよ。何も知らないんですから」

「あのペットボトルには、灯油が残っていたはずです。灯油って、結構臭いがきついでしょう？　こんな場所に置いてあれば、気づきそうなものですけどねえ。それも一か月も前からだったんですよ」

「気づかなかったものは仕方ないじゃないですか」有吉が開き直る。「そんな、何でもかんでも分かるわけじゃないんだから」

「なるほど」大友は有吉の顔を真っ直ぐ見据えた。有吉も見返してきたが、巧みに視線を外しており、焦点は大友の背後の壁に合っているようだった。何かおかしい。事件から一か月もしてから新たに証拠が見つかるのは、普通はあり得ない。

脅すか——そういうのは自分のやり方ではないのだが、と思いながら方針を決めた。

「あなたは今まで、警察にきちんと協力してくれましたね」

「もちろんです」

「協力したことで、罪に問われるかもしれませんよ」

「は？」髭に覆われた顔の下半分が歪む。「何言ってるんですか。こっちは言われた通りにやっただけで……」

「警察が常に百パーセント正しいと思いますか？　警察が間違ったことをした時に協力したら、どうなります？　正しいことをしたと思っていても、結果的に過ちに手を貸してしまったことになりませんか」

「何なんですか、いったい」

「あなたは今、『言われた通りにやった』と言いましたよね。どういう意味ですか」

「それは」有吉が声を張り上げたが、次の瞬間には急速に萎んでしまった。「協力しただけで……」

「何を協力したんですか。ここにペットボトルを仕こむこと？　それは証拠の捏造になりますよね」

「冗談じゃない、俺は——」

「何をやったんですか」

「だから、言われた通りに——」

「何を言われたんです？　渋谷さんの指紋がついたペットボトルを用意するように、と？　それは明らかに証拠の捏造なんですよ。重大な罪です」

「だけど、俺は！」有吉が激昂して、テーブルに拳を叩きつけた。

「言われた通りにやった。警察が間違うわけがないと思ったからですね？　おそらく、ちょっとした証拠の補強に必要だとか、そういうことを言われたんでしょう。ところが、警察は百パーセント正しいわけじゃない。間違ったこともするんです」

「まさか——」有吉の顔から血の気が引いた。

脅しもすかしもあっただろう。あるいは金を提供されていたかもしれない。この件は、警察にとっては——警察の一部の人間にとっては、絶対に譲れない面了の問題になっていたはずだ。面子のためなら何でもやることは、歴史が証明している。いわば、警察の暗い裏の歴史だ。優秀な刑事、高い事件解決率、世界に誇る治安国家。前向きな評価の裏には、世間の目を裏切ってはいけないというプレッシャーが常にある。何があっても、未解決は許されないのだ。

「有吉さん、あなたの立場は分かります。警察から協力してくれと言われたら、逆らえませんよね。でも、考えて下さい。それで一人の人間が、謂《いわ》れのない罪に問われるかもしれないんですよ」

「もう死んでるじゃないですか」

「死者にも名誉はあります。ただしそれが汚されても、回復する手段はない。死者は喋れませんからね。でも僕は、諦めない。喋れない死者の代わりに、必要ならば声を張り上げます。あなたも選んで下さい。このまま口をつぐんで、間違った警察と心中するか、ここで本当のことを言うか」

「そんなことをしたら……」

「怖いのは分かります。警察を敵に回したら、安心して生きていけませんよね。でも僕は、全力であなたを守る。あなたの立場は分かっているつもりです」

有吉ががっくりとうなだれた。のろのろと顔を上げると、目が潤んでいるのが分かる。わずかに口を開き、ゆっくりと息を吐き出しながら、テーブルに乗せた両手を握り締めた。大友は部屋の隙間を縫うように彼の横に行って、肩に手をかけた。途端に有吉の体が固くなるのが分かる。

「有吉さん、二者択一ですよ。僕を信じるか、あなたを利用しようとした人を信じるか」


不快なのを通り越して、頭が爆発しそうだった。何とか気持ちを鎮めないと、前へ進めない。煙草でも吸えたらな、とふと思った。ニコチンの鎮静効果は、こういう時こそ役に立つはずだ。都心から立川へ引き返す車の中、大友は高鳴る鼓動を押さえきれずに、吐き気を感じるほどだった。自分が信じていたものが崩れる——自分が崩すことになるとは。こういうことがあると、話には聞いている。だが、自分のすぐ身近で起こるとは、考えもしないものだ。例えば地震。どこか遠くで起きた地震の被害を見る度に同情し、大変だなとは思う。だが、自分の足下で地震が起きるかもしれないとは考えもしないものだ。起きて欲しくないという願望は、起きるはずがないという間違った確信に変化していく。

足ががくがくしてきた。二日続きの寝不足が、体にダメージを与えている。煙草が吸えない人間としては、とにかくコーヒーが必要だった。高速を降りると、異常に駐車場の広いコンビニエンスストア——トラックが何台も停まっていた——に入り、コーヒーを買い求める。午後も遅く、空はどんよりと曇っていた。まるで今の僕の気持ちのようだなと思いながら店を出て、湿気を全身に感じながらコーヒーに口をつけた瞬間、無性に優斗の声が聞きたくなる。この時間だと、聖子の家にいるはずで……彼女が電話に出るかもしれないという恐怖と戦いながら、電話をかけた。

優斗が出た。最近は電話の応対もさせるようにしたのだと思い出し、ほっとしながら話し出す。

「聖子さんは？」

「今、お茶してる」

「そうか……大丈夫か？　ちゃんと食べてるか？」

「平気だけど、パパは？」

「何とかね」

「今日、帰って来る？」

「そうだな……」子どもに嘘はつけない「まだ分からない。夜、もう一度電話するから。今夜も聖子さんの家で大丈夫か？　明日の用意はしてあるか？」

「さっき、家に寄ってきたから。ねえ、あのお姉ちゃん、元気？」

言われた途端に胸が痛む。元気ではない。死にかけたのだから。

「ああ、今ちょっと……入院してる」

「病気？」途端に優斗が泣きそうな声を出す。

「病気じゃないけど、ちょっと調子が悪くてね。悪い人に……でも、大丈夫だ。すぐ元気になる」

「僕がいれば守ってあげたのに」

何を生意気なことを。大友は頬が緩むのを感じた。しかしこの台詞は、優斗ではなく自分が口にすべきだと考え、表情を引き締める。

「パパが守るから。約束する」

「ちゃんとしないと駄目だよ」

「分かってる……聖子さんの言うこと、きちんと聞いてな。夜、また電話するから」

「聖子さん、パパに何か話があるみたいだけど」

「何だ？」嫌な予感が膨らむ。

「お見合いだって」

「またか……」このところ聖子は、やたらと見合い話を持ってくる。全て断っているが、彼女の方では簡単に諦めるつもりはないようだった。「お前、どう思う？」

「分からないよ。それってパパの問題でしょう？　しっかりしてよ」優斗が笑い出す。最近は、急に生意気な口をきくようになった。

「分かったよ。お前も見合い写真、見ておいてくれないか？　良さそうな人がいたら選んでおいてくれ」

「もう見たよ。ママレベルの人は一人もいないね」

「そりゃそうだ」

「この前のお姉ちゃんの方がずっといいんじゃない？」

大友は思わず笑い出し、少しだけ気分が晴れて電話を切った。煙草なんかいらない。コーヒーよりもずっと効果的。あいつは僕にとって、何よりの解毒剤なんだ。大友は静かに笑みを浮かべ続けた。

優は急速に回復していた。血色も良くなり、ベッドの上で体を起こしている。「何か動きはありましたか」と自分の方から訊ねてきたぐらいだった。

「朝、僕がここへ来たのは覚えていますか」

「ええ。何を聞かれたかも。変な感じでした。聞こえてるのに、声が出せないんです。何だかテレビを見てるみたいだった」

「今は？」

「大丈夫です。ちょっとふらふらしてますけど」

「だったら、すぐに出られますね？」

「どういうことですか？」優が目を細める。

「あなたにはやるべきことがあるでしょう。お手伝いします」

優が口を引き結んだ。明らかに大友の真意を疑っている。所詮警察の人間、自分を騙そうとしているのではないか、とでも思っているのだろう。

「そろそろ本当のことを話してくれてもいいんじゃないですか。実は、あなたの狙いはもう分かっているんです」

「だったら好きにすればいいじゃないですか」無駄に好戦的な態度も蘇っている。思ったよりも早い回復ぶりだ。

「この件の主役はあなたです。主演女優というべきかな。だったら最後まで舞台に出続けて、カーテンコールを受けて下さい」

「そんな気取った言い方をされても困ります」

「僕を信用してないんですね」大友は椅子を引いた。それまで見下ろしていたのが、彼女と目の高さが同じになる。「警察も一枚岩じゃないんです。いろいろな人間がいる」

「あなたはいい方の人間だと？」

「いいとか悪いとか、そんな単純なものじゃないんですよ」大友はポケットを探り、ストラップを取り出した。彼女の顔の前に翳す。「これは、あなたのですよ。うちの息子があげたものです」

優が布団から手を引き抜き、おずおずと伸ばした。大友はそっと掌に置いてから、両手で彼女の手を包みこんだ。優は抵抗しようとしなかった。

「あなたはこれを、わざと車の中に残したんでしょう。目印にするためですよね。誰かが捜しに来る、助けに来ると信じていたんじゃないですか？」

「自分一人で何とかできました」

この期に及んでまだ、強気の態度を崩さないのか……大友は苦笑しながらも、彼女の意地の強さに感嘆していた。人はどこまで強くなれるのか。ここまでくると、単なる意地っ張りではなく、剛胆な人間と言った方がいい。何事にも動じず、ひたすら自分の信念を貫き通す。

　しかし彼女にも弱さがある。そこを突けば彼女は揺れるだろう。どうすべきか考え、結局口に出した。

「そもそもどうして僕に電話してきたんですか？　僕の助けが必要だと考えたからでしょう」

「それは――」

「危険が迫っていたんだから、普通は一一〇番通報しますよね。でもあなたは、一一〇番に代表される警察というものを信じていなかったんじゃないですか？　だから、信じられる僕に電話をしてきた。どういう状況だったんですか？　よく電話できる余裕がありましたね」

「眠りが浅いんです」優が髪をかきあげた。「ちょっとした物音ですぐ目が覚めちゃって。家が古いせいで、結構音がするんですよ」

「それですぐ、僕に電話をしてきた。その後で――」

「あいつらが入って来たんです。慌てて携帯だけは隠して持っていったんだけど、逆らえませんでした」

「相手は三人がかりだ。仕方がない」

「もっと抵抗すべきでしたね」優が肩をすくめた。「窓から飛び降りてもよかった」

「そんなことをしたら、脚を折るだけじゃ済まなかったかもしれない。あなたの判断は正しかったですよ……でも、すいませんでした」

大友は深々と頭を下げた。顔を上げると、優がまじまじと目を見開いている。

「どうして謝るんですか」

「あなたを守れなかったから。百パーセント、あなたの護衛のために時間を使っていれば、こんなことにはならなかったはずです」大友の目尻を涙が一粒伝った。「あなたを守るのは僕の仕事だった。それが果たせなかった悔しさ、分かりますか？」

「それは――」

「刑事失格ですね、僕は」大友は微笑んだが、そうすると顔の筋肉が緩んでまた一粒、今度は反対側の目から涙が零れ落ちる。慌てて両手で目を押さえた。意識して厳しい表情を作り、優に少し顔を近づける。「でも、あなたも弁護士失格ですよ」

「どうして」瞬時に優の顔から血の気が引く。

「弁護士なら、こういう無茶はしません。事実は法廷で明らかにすべきであって、こんな芝居を打つのは筋違いですよ。あなたはマスコミを巻きこんで一芝居打ったつもりかもしれないけど、マスコミが百パーセント、あなたの希望通りに書いてくれるとは限らない。しかもこれは、非常に裏が取りにくいことなんです」

優が大きく目を見開いた。涙で濡れているせいか、普段よりも大きく見える。

「あなたの証言があっても、それだけで書くわけにはいかない。必ず両方の当事者に話を聴くのがマスコミです。その時否定されたらどうしますか？　彼ら——彼女たちは迷うと思いますよ。補足材料がない状態であなたの言い分を一方的に書いたら、誤報になる恐れがある。それなら書かずに握りつぶしてしまえ、ということにもなりかねません」

「まさか……会ったんですか？」

「会いました」大友はうなずいた。「偶然なんですが、彼女は——東日の沢登さんは以前からの知り合いでしてね。彼女のしつこさはよく分かっているけど、記事に執着し過ぎて冷静さを失うような人じゃない。書けないと判断すれば、必ず引きますよ。実際彼女は、現段階では書く確率は五十パーセント以下だと言っていました」

「じゃあ、私がしたことは、ただの一人芝居だったわけですか？」優の口調が強張った。

「一人芝居も立派な芝居です」

「そういうことを言ってるんじゃないんです！」優が布団を叩いたが、拳がめりこんで柔らかい間抜けな音を立てるだけだった。

「最初に、信頼できる仲間を捜すべきでしたね。何もあんな風に警察内部に入りこもうとしなくても、いくらでも手はあったはずです。あなたが衝撃的な効果を狙ったのも理解はできますが、残念ですね。最初に僕に会いにきてくれれば、何とかできたかもしれない」

「でも私は、あなたを知らなかった」

「そうでした。いいタイミングでいい場所にいるのは難しいですね。僕はいつも、外してばかりだ」一転して、屈託のない笑みを浮かべる。

優が、きつく握り締めていた右手をそっと開ける。キルト製なのでいびつに潰れてしまったサッカーボールが、ゆっくりと元の形に戻っていく様子をじっと見詰めた。

「協力してもらえますね？　これはあなただけの事件じゃなくなったんです。あなたがやろうとしていたことは僕が——僕たちが引き継ぐ。でもそのためには、あなたの協力が絶対必要なんです」

「私の計画は中途半端なままでした」優が深く溜息をついた。

「それでもいいんです。あなたの気持ちは尊いものですよ……あなたが、亡くなる前の渋谷さんとどんな会話を交わしていたか、それを言ってもらうだけで、決定的な手助けになるんです」

だが、優も無傷ではいられないだろう。厳密に言えば彼女の行動は捜査妨害であり、公務執行妨害に問われかねない。それこそ、彼女が望んだのとは別の形で逮捕、ということにもなり得る。しかしそれは、彼女とて覚悟しているだろう。

僕も覚悟を決めないとな。その思いをぶつけるために、大友は優をじっと見つめ続けた。

「大友さん」優が正面の壁を見ながら言った。平坦だが力強い声だった。

「はい」

「着替えます。ちょっと出てもらえますか」

「着替えがあるんですか？」

「黒原先生の奥さんが、家から取ってきてくれたんです」

「そうですか」咳払いをしてから、最後に残しておいた質問をぶつける。これだけはどうしても聞いておきたかった。「そもそも、どうしてこんなことをしようと思ったんですか？　正義感からというには……常軌を逸している」

「弁護士にとって一番大事なのは何だと思いますか？」優が真剣な眼差しで大友を見つめた。

「何なんですか」

「クライアントに信頼されること。それは、相手が死んでいようが生きていようが関係ありません」

優が布団をはねのけ、ベッドの上で体を回した。病院が用意した寝間着は少し大き過ぎ、華奢な体の線はすっかり隠れている。

「大友さん、さっきのは嘘泣きですか？」

「あなたはどう思います？」

「お芝居をやっていたなら、涙を流すぐらいは何でもないでしょうね」

「本物の役者は、本物の涙を流すものです。そして僕は、本物の役者です」

「だったらどうして、刑事なんかやっているんですか？」

大友は肩をすくめた。まったく、答えにくい質問を……。

「自分でもずっと考えているんですけど、まだ答えが出ないんですよ」

6

どうしてもシャワーを浴びたいという優を家に送り、待つこと二十分。彼女はまだ髪が濡れたまま出て来たが、戦闘服——こざっぱりした白いブラウスに濃紺のスーツ——に着替えていた。化粧っ気のない顔は不健康に白かったが、目には強い光が戻っている。

特捜本部の解散は、伝統に則り、常に日本酒での打ち上げで終わる。今日も神田署の警務課が調達してきたであろう一升瓶があちこちで開けられ、特捜本部の置かれた会議室はアルコール臭で満たされているはずだ。呑めない人間だったら、それだけで酔っぱらってしまいそうな濃度。睡眠薬を呑まされた優に悪い影響が出ないといいのだが、と大友は心配になった。

会議室の扉を開けた瞬間、ざわつきが一瞬途切れる。煙草の煙で淀んだ空気がゆらめき、刑事たちの視線が一斉に大友に突き刺さった。部屋の前方にいて、日本酒の入ったグラスを握り締めている岩永の視線は一際鋭かった。大友は振り向いて優にうなずきかけ、人の間を縫うように岩永に向かって進んで行った。大事なのははったり。相手を威圧して、こちらのコントロール下に置くことだ。大友は彼の前に立つと、背中で手を組んで「休め」の姿勢を取った。

「管理官、篠崎優さんを救助しました。拉致の実行犯も身柄を押さえています」

「その件ならもう聞いている。立川署から報告を受けた」岩永は大友と目を合わせようとしなかった。優本人が目の前にいるのに、まったく気づかない振りをしている。

「他には？」

「他とは？」

「何も聞いてないんですか」

「何のことだ」

一瞬、岩永の視線が不安に揺らぐ。大友は、立川署は正義の側についた、と確信して畳みかけた。

「管理官、少しお時間をいただけますか」

「言いたいことがあるならここで言え」

「いいんですか？　篠崎さんもお話ししたいことがあるそうですが」

岩永が割れんばかりの勢いでグラスをテーブルに叩きつけ、立ち上がった。大友を睨みつけ、優は無視し、出入り口に向かって歩き出す。大友はじっと彼の背中を見ていたが、その視線に耐えられなくなったように、岩永が五歩進んだところで振り返った。

「ついて来い」

大友は丁寧にお辞儀をして一歩を踏み出した。その時初めて、会議室がほぼ完全な沈黙に覆われているのに気づく。誰かが使ったライターの着火音さえ、はっきり聞こえた。会議室を出ると、優がしきりに濡れた髪を気にしているのが見えた。煙草の臭いがついてしまう、と苛立っているだろう。怒った彼女がどんな攻撃をしかけるか見物だ、と大友は無責任に想像して微笑みを浮かべた。突然振り向いた岩永がそれを見咎める。

「何がおかしい」

「何でもありません。失礼しました」

岩永はしばらく大友を睨みつけていたが、やがて諦めたように顔を背け、隣の小さな会議室のドアを開けた。窓もない部屋で、デスクが一つ、椅子が四つあるだけだった。岩永が椅子の一つに乱暴に腰かけると、煙草に火を点ける。大友と優は向かいの席に座り、しばし沈黙を共有した。

「禁煙ですよ」

「ああ？」大友の忠告に対し、岩永が顔をしかめて顎を突き出した。「そんなことは分かってる」

「ルールを守るのは基本じゃないですか」

「お前、そんなことが言いたくてここへ来たのか」

「まさにそうなんです」大友は立ち上がり、狭い部屋の中を行き来し始めた。ドアから壁へ、壁からドアへと、片道三メートルの道程を三往復。「どんなに細かいルールであっても、守らなければいけません。特に警察官は」

「一々《いちいち》煩い男だな」岩永が携帯灰皿を取り出し、煙草を乱暴に中に突っこむ。既に一杯になっており、蓋が上手く閉まらなかった。

「ルールは守りましょう、管理官」

「だから何が言いたいんだ、お前は！」岩永が拳をテーブルに叩きつける。耳が真っ赤に染まり、白目が血走っていた。「言いたいことがあるならさっさと言え。せっかく事件が解決しためでたい日に、どういうつもりだ」

「解決って、何が――」

優が怒りを露にして、立ち上がる。大友は背後から彼女の肩に手をかけ、ゆっくりと座らせた。優は険しい視線を岩永に向けたまま、最後は音を立てて腰を下ろした。

「最初から始めていいですか」

「回りくどい男だな。さっさと話せ」

「いいんですね？　管理官から教えて貰う方がいいんですが」

「いい加減にしろ。俺は忙しいんだ」

「これからもっと忙しくなりますよ」

言葉を切り、大友は自分の台詞が岩永の頭に染みこむのを待った。どうやら意味を理解したようで、赤くなっていた顔からすっと血の気が引く。

「そもそもの出発点は、特捜本部が渋谷さんを容疑者とみなしたことです。最初に彼が捜査線上に浮かんだのは、ＡＴＭの防犯カメラに映った映像からでした。しかしそれは、あくまで似ているというレベルです。渋谷さん本人だと確認できるまでの材料はありませんでした」

「だから呼んだんだろうが。まったく問題ない。常道の捜査だ」

「そこまでは、です。しかし特捜本部は、相当焦っていたんですね。何しろ二人が殺され、放火された重大事件です。それも警視庁の足元のような神田で発生した――これが解決できなかったら、沽券《こけん》にかかわりますよね」

「だから必死で捜査したんだろうが。何の問題がある？」

「必死で捜査するのは素晴らしいことです。都民が我々に望むのは、まさに必死な捜査ですから」大友はまた部屋の中を行きつ戻りつし始めた。「ところがそこで、一つ問題が生じました。渋谷は任意で呼ばれた当初、犯行を否認しました。これは都合が悪い。私にも分かりますが、一度目をつけた容疑者が犯人でないとなったら、刑事はダメージを受けます。一からやり直しになりますからね。そこであなたたちは何を考えたか。渋谷を犯人にしたて上げようとしたんです」

「実際、あいつが犯人だったんだ」部屋を往復するように動く大友を追って、岩永の目が忙しなく左右に動いた。

「相当きつく締め上げたんでしょうね。締め上げるだけならともかく、あなたたちは渋谷を誘導した。都合のいい話を供述するように、彼を脅したんでしょう。つまり、でっち上げです」

「何だと！」再び岩永の顔が赤くなる。椅子を蹴って立ち上がると、「下らんことを言うな！　もうお前とは話をしない」と宣言してドアに向かう。

大友はすぐに横へ移動して、ドアの前に立ちはだかった。両手を大きく広げ、彼の顔を正面から睨む。

「どけ！」

「どきません。まだ話は終わっていませんから」

「お前に話すことは何もない！」

「私の方ではあります。まだ始まったばかりじゃないですか」

背後で誰かがドアをノックした。特捜の人間が岩永を助けに来たのか？　先ほどの異様な雰囲気を考えれば、管理官が戻って来ないのを不審に思う人間がいてもおかしくない。だが、ドアの向こうから聞こえた小さな呼び声は、大友には何よりの援軍だった。

「テツ？　俺だ」

安堵の吐息を漏らし、少し横にどいてドアを開ける。柴が、広げた大友の腕の下をくぐり抜けて部屋に入って来た。

「ナイスディフェンス」軽い冗談を飛ばしてから、柴が岩永の横に進んだ。「管理官、座りましょう。往生際が悪いですよ」

「貴様まで、何のつもりだ」岩永がぎりぎりと歯を噛み締めた。

「こっちは刑事なんでね」柴が鼻を擦りながら、馬鹿にしきった口調で宣言した。「刑事としてやるべきことをやるだけですよ。テツ、話はどこまでいったんだ?」

「もう少し待ってくれ。お前にはいい場面を用意してあるから」

「結構だね。じゃあ、しばらく高見の見物といきますか」

柴が余った椅子を引いて、背もたれを前にして座った。しっかりとドアを塞ぎ、逃げ場を断ち切っている。両手を背もたれにだらしなく預けると、興味津々といった様子で岩永の顔を眺めた。

「管理官、お座り下さい」

岩永が、大友を睨みつけながらゆっくりと腰かけた。優の正面に座る格好になったが、決して目を合わせようとしなかった。

「渋谷さんは、追い詰められたのを意識しました。しかし、どうしていいか分からない。前科もあるし、警察の怖さは十分分かっていたからです。そこで彼は、昔からの知り合いである篠崎弁護士に相談した。でっち上げで自白を強要されている、どうしたらいいのか、と。しかしその時点で、彼女は強制的な手段を取ることができませんでした。あくまで任意の捜査ですから、警察にねじこむのも難しい。仮にそうしても、否定されたら終わりです。できたのは、警察の外で渋谷さんにアドバイスすることぐらいですね。しかしあなたたちは、渋谷さんを隔離する方法に出た。ホテルに泊めて、監視です」

「普通のやり方だ。問題はない」

大友はゆっくりと首を振った。

「そのやり方には問題がある、という指摘もあるんです。実際、監視つきでホテルに泊めた後逮捕したことが、後で問題になった事案があります。裁判で、そういうやり方は実質身柄の拘束に当たるので逮捕は不当、という判決が出ているんですよ。刑事総務課にいると、そういう事案は嫌でも耳に入ってきます。捜査一課も、その辺りの情報には注意しておくべきですね」

「俺に説教するつもりか」

「お聞き下さい。渋谷さんはあの夜、プレッシャーに負けて自殺しました。あなたたちは口当たりのいいことを言ったはずです。自分から進んで白状すれば、死刑にはならないとか何とか……でも渋谷さんは、事態はそれほど甘くないと悟っていたんですね。このままだと死刑になると分かっていて、長期間の取り調べや裁判を受ける気にはなれなかった。しかし、警察の圧力には耐えられそうにない。どうせ死ぬならと、自ら死を選びました。そのことを、直前に篠崎弁護士に告げています。自殺宣言ですね」

ふと彼女を見ると、声も出さずに涙を流していた。それがどういう涙なのか……知り合いが死んだ悲しみ、弁護士として何もできなかった苦しみ、その後立てた計画が空回りし、事態が手に負えないほどの大事になってしまったことへの後悔。それらが複雑に入り混じり、さらに自分の無力さを実感しての涙だ、と大友は推測した。

「自殺の調査が行われている間、篠崎弁護士はずっとホテルの周りにいました。その時彼女は考えた。ここで抗議をしても何にもならない。おそらく、うやむやのまま誤魔化されてしまうと判断したんです。それで彼女は、捨て身の作戦に出た」

もう一度優を見る。肩が細かく上下していたが、それでも涙は止まっていた。テーブルの上の小さな水溜りだけが、彼女が泣いていた名残だった。

「自分が犯人だと名乗り出て、警察の取り調べを受ける。その中で、あなたたちが渋谷さんの犯行をでっち上げようとした証拠を見つけようとしたんです。彼女が『犯人しか知り得ない事実』を知っていたのは、渋谷さんが話したからです。ただしそれは、犯人しか知り得ない事実ではなく、あなたたちが押しつけたシナリオだった。あなたたちは、彼女の意図を見抜いたんですね？　だから追い出した。いつまでもうろうろされると、それこそ何かを嗅ぎつけられるかもしれません。しかしそこで、あなたたちは最初の大きなミスを犯した」

「ミス？　何のことだ」

この期に及んで、岩永はまだとぼけている。取り調べをするのに慣れた人間は、取り調べに耐える術《すべ》も知っているはずだ、と大友は用心した。

「もしも彼女を、公務執行妨害か何かで逮捕していれば、合理的に自由を奪えたはずです。ところがあなたたちは、そういう措置を取らなかった。その一方で、渋谷さんに対するでっち上げを完璧なものにしようと画策した。しっかりした物証が出て、被疑者死亡のまま書類送検してしまえば、それで事件に蓋をしてしまえますからね。ただその際に、騒がれては困る人間がいる。それが彼女だったんです。それであなたたちは、自分たちの行動の邪魔をさせないために、篠崎弁護士を拉致する計画を立てた。これが第二、第三のミスです」

「たわごとだ！」

岩永がまた椅子を蹴る。だが柴がすぐに立ちはだかり、彼を睨みつけて黙らせてしまった。この男は自分の上司に対しても、まったく臆することなく対峙している。それだけ激しく憤っているというのだろう。彼の全身から発散する怒りが、日に見えるようだった。

「管理官、いい加減に仏になって下さいよ。証拠は挙がってるんだから」柴が呆れたように言った。

「何だと」岩永が柴を睨む。だがそれも一瞬のことで、すぐに視線が泳いでしまった。

「管理官、部下に恵まれてませんねえ。俺がちょっと絞り上げてやったら、すぐに白状した奴がいましたよ。福島とかいうチンピラと中国人を使って、この人を拉致監禁したんでしょう？　連中には金を払ったそうですけど、それは捜査機密費から出たんですか？　これは、ばれたら大顰蹙《ひんしゅく》でしょうね。税金の無駄遣い以外の何物でもありませんよ」

「貴様……」岩永がぎりぎりと両手を握り締める。

「福島を使ったのは宇田さんだそうですね。そして管理官は、公安部の人間を使って中国人をスカウトした。実行部隊は実質的にこの三人です。その辺の事情を喋ってくれた人間の身柄は、もう抑えました。逮捕するかどうかは、俺は知りません。そういうことを判断したくもないですね。とにかく、一課の中にそんなクソ野郎がいたかと思うと、ぞっとします。喋った人間の名前、ここで言いましょうか?」

室内に不気味な沈黙が落ちた。大友は、岩永がこの状況をどう理解し、どんな対策を立ててくるか、予想しようとした。読めない。土下座して「許してくれ」と言うとは思えないが、突っ張り通すのも不可能なはずだ。柴は一課の後輩刑事を、徹底して締め上げたのだろう。その証言がある限り、岩永たちの裏工作は間違いなく明るみに出せる。

観念させるために口を開こうとした瞬間、優が話しだした。先ほどまで泣いていたとは思えないほど芯の通った口調で、法廷で検察側に厳しく反論する姿を彷彿させた。

「この件は民事でもやらせてもらいます。私は、渋谷さんの家族もよく知っています。名誉が毀損されたとなったら、黙ってはいないでしょう。法廷で真相を明らかにさせてもらいます」

「今でもあんたを逮捕することはできるんだぞ」岩永が凄んだ。

「管理官、みっともないからいい加減にやめて下さいよ」柴が呆れ顔で言った。「真相は、俺も高畑もテツも知ってます。特にテツが知ってるということは、今晩中に刑事総務課全員に話が回るということですよ? あの連中、管理官の言い分とテツの言い分と、どっちを信用しますかね。そろそろ観念して下さい。最後ぐらい、潔くするのが男らしいんじゃないですか」

「ふざけるな！」岩永がいきなり柴に突っかかっていった。胸倉を摑んで絞り上げ、今にも頭突きするように顔を近づけて怒声を張り上げる。「貴様ら、こんなことをして只で済むと思ってるのか！　何が拉致だ。お前こそ、話をでっち上げたんだろうが」

「参ったね」柴がうんざりした表情で岩永の手首に手をかけ、引き剝がした。意外に抵抗はなく、岩永の両手は体の脇にだらりと垂れる。「テツ……この人、駄目だわ。まったく、俺は恥ずかしいよ。上司は選べないっていうけど、こんな人の下にいたなんて、信じられん。総務課の方で、俺の経歴から抹消してくれないか？」

「それは無理だな。僕は公文書偽造をするつもりはないから」

「それぐらいサービスしてくれてもいいじゃないか」

「お前ら、何のつもりだ！」岩永が両手を振り回した。「ふざけるのもいい加減にしろ！」

「ふざけてませんよ、管理官」大友は声を低くした。自分の言葉が会議室の空気を凍りつかせるのを感じる。「そもそも、私をフリーにしてしまったのが失敗だったんです」

「そうそう。この男は尻尾を握っていないと、どこへ行くか分からないから。あんたなんかには想像もつかない動きをするんですよ。だから重宝されてるんだけどね」柴が笑いながら言った。

「管理官、証言しているのはあなたの部下だけじゃない。中国人を引きこんだのは、足がつかないようにするための保険だったんでしょう？　汚れ仕事を外国人にやらせるのは、暴力団が成功している手口ですからね。それを真似するのは、警察としては情けない限りですけど……中国人をこの件に引きこんだ人間も、自分の身を守るために必死になりますよ。当然、あなたたちを売るでしょうね。生き残るためには当然です……使った相手が悪かったんですよ、管理官」

「俺じゃない！」

柴が盛大な溜息をついた。

「いよいよ責任のなすり合いですか。お約束の展開ですね。で、管理官はこの一件の責任を誰に負わせるんです？　一課長か刑事部長でも引っ張り出しますか？」

「何言ってるんだ。とにかく、こんなことは茶番だ、茶番。いい加減、お前たちの戯言に付き合うのにはうんざりした。帰らせてもらう」

柴がにやりと笑って身を引くと、岩永がドアに手をかけようとした。だがドアノブを摑む直前、外から誰かがドアを押し開ける。撃たれでもしたような勢いで、岩永が後ろに跳びのいた。ドアを塞ぐように、敦美が腕組みをして立っている。何か新しい証言でも持ってきたのかと期待したが、彼女はむしろ戸惑っている様子だった。柴がにやにや笑いながら彼女にうなずきかけたが、次の瞬間には笑顔が凍りついてしまう。

敦美の背後から、福原が姿を現した。表情が消えている分、本気の怒りが感じられる。岩永の顔が引き攣り、後ずさって膝を椅子にぶつけた。

「指導官……」辛うじて吐き出した声は震え、頬が痙攣している。

敦美が淡々とした口調で告げる。

「神田署の中でも、事情を認める人間が出ましたよ」

「それは――」岩永の喉仏が上下する。

「あなたに命令されれば逆らえないですよね。可哀想に、若い刑事を　人、潰しましたね。泣きながら白状しましたよ」

上野……これであいつのキャリアは全て終わりになるだろう。そう考えると、大友はかすかな同情を覚えた。

福原が敦美の脇をすり抜けて岩永の前に立つ。

「話は全部聞かせてもらった。いい加減にしろ、この馬鹿者が！」怒声が、会議室の空気を震わせる。

柴が音もなく大友に近づいて来て、耳打ちした。「指導官、水戸黄門か何かのつもりじゃないのか」

「何か言ったか、柴！」

「何でもないです、オス！」柴が直立不動の姿勢で敬礼した。誰かが笑い出してもおかしくない光景だったが、その場の空気は硬く凍りついたままだった。

「東日が書く、という情報が入っている」福原が表情を変えずに言った。

「そうなんですか」大友はとぼけて言って顔を擦った。

福原が背中を丸め、煙草に火を点ける。暗い駐車場の隅にある喫煙場所で、彼の顔が一瞬だけぼうっと赤く浮き上がった。怒っているのか喜んでいるのか、感情が読めないのはいつも通りである。

「お前が裏で動いてるんじゃないのか」

「まさか。新聞記者は敬して遠ざけてますから。今回の件では、篠崎さんが先に東日の記者と接触していたんですよ。彼女がまた情報提供したんでしょう」おそらく、家でシャワーを浴びた時間を利用して。大友も有香には「話す」と言ったが、その約束はまだ果たせていない。彼女には大きな借りを作ることになるが、できればこのまま、約束はなかったことにしてしまいたかった。

「ずっと拉致されて入院していた人間に、そんなことができるのか？」

「指導官が、そこまで細かいことを気にされるとは思いませんでした」

「マスコミ対策も大事なことだ。余計なことを書かれると、今後の内部調査に影響が出かねん」

「仰る通りです……一つ、お願いできませんか」

「お前のお願いは、こっちの許容量を超えてることも少なくないが」福原が親指と中指で額を揉んだ。「言ってみろ」

「柴と高畑のことです。今回私は、二人の手を借りました。二人は本来の仕事を放り投げてまで力を貸してくれたんです。今後不利にならないよう、取りはからっていただけませんか？」

「賞状は出ないぞ」

「それは二人も期待していません。ただ、職場に戻った時に、居心地の悪い思いをして欲しくないんです。特に柴です。上司を吊るし上げたんですから、一課の中ではよく思わない人もいるでしょう」

「そんな奴らは無視しておけばいい。柴なら大丈夫だろう……まあ、俺からもフォローしておく」

「ありがとうございます」大友は腹に手を当てて頭を下げた。「一つ、お聞きしてもいいですか」

「何だ」福原は微妙に視線を逸らしていた。

「今回の件、指導官は最初から筋が読めていたんじゃありませんか？　特捜本部の中で犯人のでっち上げが行われそうになっていた……それを、私に探り出させようとしたんじゃないんですか」

「俺の指示の内容はそういうことではなかったと思うが」

「結果的にそうなりました」

「ノーコメントだ」無愛想に言って、福原が煙草を弾き飛ばす。二メートルほど離れた吸い殻入れ――ペンキ缶に水を入れたもの――に見事に吸いこまれた。

「分かりました」

「ずいぶん淡白だな」福原が右目を見開いた。

「内輪の人間に厳しく当たっても、意味はないですから」

「そうか」福原が天を仰ぐ。腰に両手を当て、ぐっと背中を伸ばした。一つ溜息をついてから、大友に視線を戻す。「それより今回の件では、一つ大きな宿題が残っている」

「そうですね」

「結局あの強盗事件の犯人が誰かは、分からないままだからな。渋谷に対する容疑はでっち上げだったとはいえ、それで真犯人が誰か、分かった訳じゃない。捜査は一からやり直しになる」

「ええ」

「しかも、特捜の人間を全部入れ替えなければならない。これは……」

「指導官、二兎追う者は一兎をも得ず、ですよ」

「分かっている。だがな、世間はそれでは納得しない……まあ、お前はよくやってくれた。今後の後始末はこっちに任せろ。責任は俺が取る」

「はい」素直に頭を下げたが、大友は今回の件が自分の中でまだ尾を引くであろうことを理解していた。でっち上げられた犯人。暴走する捜査の影に隠れて見えない真犯人。そいつは今頃、もう捜査の手は及ばないと判断してほっとしているだろうか。それとも、まだ自分が逮捕されるかもしれないと怯えているだろうか。

後者であって欲しい、と心から願った。いつか警官が部屋のドアをノックする、その時のことを想像して、死ぬほど怯えて欲しかった。

7

監察官室が動き出した。特捜本部の責任者である岩永たちは捜査から外され、待機処分になっている。連日厳しく追及され、とうとうでっち上げを認めた、という情報が大友の耳にも入ってきた。山中に関しては、大友は名前を出さなかったが、岩永たちが喋ったために、やはり事情聴取を受けているという。優の救助には一役買ったことになるのだが、そういう事情は一切加味されていない。大友としては、約束通り山中の名前を積極的には明かさなかったと、自分を納得させるしかなかった。

既に逮捕されているのは、福島と中国人二人。福島のアパートにいた衛藤は、優が拉致された件については関与が薄い——実際拉致の事実は知らず、中国語が話せるので通訳として山中が紹介しただけのようだった——という判断で、書類送検で終わりそうだった。

構図は単純だった。優の排除を目論んだ岩永が、公安部時代からの知り合いである山中に対して、中国人の紹介を依頼。同時に福島を金で雇い、この三人を実行部隊にした、というものだ。あまり細かい指示は与えず、福島たちの裁量に任せていたために、拉致計画は杜撰になり、あっという間に真相が露見した。

そもそも渋谷を犯人に仕立て上げようとしたのは、特捜本部が功を焦ったがためという、極めて単純な理由が浮かび上がりつつあった。そこに優という不安定な要素が入りこんできたのは計算外だったし、彼女を排斥するために乱暴な手を使ったことが失敗の原因だったが、捜査はまだそこまで進んでいない。いずれ優も呼ばれて話を聴かれるだろうし、その際、彼女が無傷でいられる保証はなかった。捜査を攪乱させたのは間違いないのだから、公務執行妨害が適用される可能性も高い。ただし監察も、事を荒立てはしないだろう、と大友は読んでいた。岩永たちが起こした一件に比して、優の策謀などはささやかなものに過ぎない。身柄を取らずに書類送検、起訴猶予となる筋書きではないか。それなら前科にはならず、彼女の経歴に傷はつかない。

本当に？　もしも最初から狙っていた通り、彼女が自分で何か証拠を摑み、それを元に東日が記事を書いていたら、「警察を一人で倒したヒロイン」として注目を浴びていたかもしれない。だが結果的に彼女は失敗した。明らかに、得る物より失う物の方が大きい。彼女が何より大事に考えていた「信頼」は、地に落ちるのではないか。夜の会議室での一件から、大友は一度も優に会っていなかった。純粋な好奇心から一つだけ聞きたいことがあったのだが、それをぶつければ彼女が傷つく予感がしていた。

黒原とは何度か電話で話した。優は表面上は今までと変わらず仕事をしているが、時折ぼんやりしていることがあるという。これまでは、仕事モードに入っている時は常に緊張しまくり、声をかけるのも憚られるほどだったというのだが――その話を聴いて、大友は自分の推測が正しいだろう、と見当をつけていた。

それでも確認はしないだろう。世の中には、わざわざ明らかにしなくてもいいことがあるのだ。

一方で、どうしても知りたい事実もある。

渋谷の件はでっち上げだった。だったら本当の犯人はどこにいる？

「真犯人が誰か、分かった訳じゃない」。福原の言葉が耳に残り、毎日のように大友の頭の中で繰り返されていた。

「いやいや、お疲れ様！」

柴が生ビールのジョッキを顔の高さに掲げる。大友はジョッキを合わせてビールに口をつけた。柴は一気に半分ほどを干し、きつく目をつぶって吐息をつく。音を立ててジョッキをテーブルに置くと、少しだけ遠い目をした。

「この前合コンをやったのが、物凄く遠い昔に思えるな」柴が感慨深げに言った。

「ああ」

「お前が途中で呼び出されて……あの合コンは、もう一回やり直さないといけないだろうな」

「もういいよ」大友は苦笑した。「何だかケチがついた」

「そうそう、心機一転が一番」敦美が同調する。彼女は最初からバーボン、それもストレートだった。いつもの調子だったが、今日は少しだけ機嫌が良く、テンションが高い。

横に座る優斗に「何食べる？」と優しい声で訊ねる。

オレンジジュースを前にメニューとにらめっこしていた優斗が、頭を掻いた。

「一杯《いっぱい》あって分からない」

「そう？　じゃあ、適当に頼むから、後で食べたいものができたら注文してね」

「はい」素直にうなずいて、優斗が明るい笑みを浮かべた。

「しかし俺たち、変な一団に見えるだろうな」柴がにやにや笑う。

「確かに」

大友は同意した。三人だけの打ち上げを提唱したのは柴である。あれだけ騒がせたのだから、約束通り奢れ、というわけだ。大友が「優斗も連れて行きたい」と言うと、柴も敦美も快く同意してくれたが、結果として、大人三人に子ども一人が集まる、奇妙な組み合わせの宴会になってしまった。

金曜日のせいもあって、店内はほぼ満員のようだったが、この居酒屋は完全個室なので、他の席の盛り上がりぶりはかすかにしか聞こえてこない。四人がけのテーブルはゆったりした作りで、料理を一杯に並べても余裕があった。しかし、メニューが八ページ……ファミリーレストラン並みであり、大友はそこに不安を感じた。メニューが多過ぎる店は、だいたいどの料理も不味い。しかし空気清浄機があるのだけは気に入った。これなら柴が煙草を吸っても、優斗の受動喫煙は最小限に押さえられる。この店は敦美が見つけてきたのだが、その気遣いが大友には嬉しかった。

　敦美が次々に料理を注文した。ついでに二杯目のバーボンも。ペースが早い、と大友は心配したが、彼女の場合早く呑もうがゆっくり呑もうが変わらないのだ、と思い直す。つまり、ほとんど酔わない。少なくとも酔ったようには見えない。

「何だよ、高畑、小学生がこんなもの食べるかよ」運ばれてきた料理を見て、柴が非難する。カツオのタタキのチリソース添え、トロアジのカルパッチョ、五種野菜のピクルス――要するに酒の肴である。

「あら、魚と野菜なら体にもいいでしょう」

　平気で言って、敦美が優斗の皿に料理を盛りつけた。優斗が恐る恐るピクルスに手を伸ばす。ほとんど生に見えるカリフラワーを一口齧って、両手で口を押さえた。

「酸っぱ……」もごもごと言い、かすかに涙を浮かべながらも何とか飲みこむ。

　大友も一口食べてみた。確かに酸味が強過ぎる。これとオレンジジュースの組み合わせでは、胃酸過多になってしまうだろう。

「これさ、酢がよくないんだよ」大友も、喉の奥がきゅっと締まるような感覚を味わいながら言った。

「そうなのか？」柴は平然とアスパラガスを噛んでいた。「俺にはちょうどいいけど」

「米酢を使ってるんだと思う。バルサミコ酢を少し混ぜると甘口になって、誰の口にも合うようになるんだ」

「お前、家でぬか床とか作ってないだろうな？」柴が疑わしげに大友を見やる。

「まさか」大友は苦笑した。「ぬか床は、ちゃんと世話するのが大変だから。でも、たまにピクルスは作るよ。浅漬けにして、サラダ代わりに食べるんだ」

「テツ、そんなこと言ってると、本当にいつまでも結婚できないわよ」敦美が呆れたように言った。「奥さんが手を出すところがないじゃない」

「そんなこともないぞ。最近は、料理ができる男はもてるらしいじゃないか」柴が反論した。

「だったらあんたこそ、料理でも習いなさい。もてたいんだったら努力しないと」

「俺はもてたいんじゃない。結婚したいだけなんだ」

「それのどこに違いがあるの？」

ぽんぽんと続く二人のやり取りを、優斗が左右に忙しく目を動かしながら見ていた。大友は苦笑いしながら、優斗の皿に「イベリコ豚のスモーク仕立て　粒マスタードソース添え」を取り分けてやった。燻《いぶ》された香り高い味は子どもの好みにもあったのか、口一杯に頬張った優斗がにっこりと笑みを浮かべる。

「今日も、お前の家にすればよかったんじゃないか」柴が突然話を振ってきた。

「そうそう、テツの料理だったら、私も食べてみたいし」敦美が同調する。

「あのね、僕の料理は人に振る舞うようなものじゃないんだ。ただのお惣菜だから」

「そういうのに飢えてるのよ、独身者は」

「だけど何も、僕の料理じゃなくても」

「優斗、パパの料理は美味いか？」

柴が前屈みになり、優斗と視線の高さを一緒にして訊ねた。案外子どもの扱いが上手い男だ、と大友は感心した。

「うん。でも、野菜は嫌いだけど」

「お兄さんたちにも、そのうち食べさせてくれるかな」

「どうぞ」

大人びた優斗の反応に、柴がけたたましい笑い声を上げた。敦美もくすくす笑っている。

「一丁前の口をきくじゃないか、優斗」

優斗が箸を持ったまま、きょとんと柴の顔を見た。それを見て、柴がまた笑う。

「優斗、誰かパパの料理を食べに来ないのか？　綺麗なお姉さんとか」

「うーん、ないけど、そのうちあるかも」

「あらあら、柴が心配する必要ないんじゃないの？　テツはテツで、しっかりやってるじゃない。あんた、また置いていかれるわよ」

「いや、ちょっと待って」大友は慌てて言った。「優斗、適当なこと言っちゃ駄目じゃないか。うちにお客さんが来る予定なんかないだろう」言ってから、しまった、と思った。優斗は学校の友だちを家に招くつもりかもしれない。

「え？　でも、聖子さんがそんなこと言ってたけど」

「何だ、それ」大友は嫌な予感に、気分が沈みこむのを感じた。

「聖子さんって、義理のお母さんだよな？」柴が疑わしげな視線を優斗に向ける。

「そう。おばあちゃん。おばあちゃんって言うと怒るけど」

「まだ若いからね」大友は優斗の言葉をフォローした。「気が若いって言うか」

「それでね、聖子さんが、パパの料理を食べながらお見合いをしたらいいって。家でやる方がいいんだって言ってたよ」

「何なんだよ、いったい」大友は頭を抱えた。見ると、柴と敦美が大笑いしている。

「何なんだ、その変な計画は」柴が腹をさすりながら言った。まだ笑いが止まらない。

「だったら私もお見合いの相手に立候補しようかな」敦美が笑いながら言った。「テツの料理を食べるためにお見合い。よくない？」

「俺が女装して見合い相手になるってのはどうだ？」

「やめてよ。私、絶対吐くからね」

二人がまた爆笑した。しょうがないな……苦笑でつき合いながら、大友はビールを呑んだ。優斗はにこにこしながら三人の顔を交互に見ている。大人の宴席に小学生を連れてくるのがいいのか悪いのか……自分が一緒に働く仲間の姿を見せておくのもいいだろうと思ったのだが、これでは単に馬鹿話につき合わせているだけだ。まあ、いいか。大人だって、気の合う仲間と一緒だと馬鹿になるんだぞ——そういう場面を見せておいてもいい。

「しかし、何だな」急に柴が真面目な口調になった。「どうも釈然としない」

「ああ」大友は暗い気持ちで言った。一杯目の生ビールをまだ持て余している。今夜はどうにも酒が苦かった。

「結局、真相は闇の中じゃないか。犯人は誰だったんだ？」

「もう、届かないかもしれないわね」敦美が頬杖をつきながら言った。珍しく、酔いが回っているようだった。「一度中断して、最初からやり直しっていうのは、相当条件が悪いわ」

「そうだよ」柴がうなずく。「今回の件は、絶対に汚点として残るんだろうなあ。俺、こういうのは本当に嫌いなんだよ。自分たちの失敗でこんな風になるのは、我慢できない。かといって、俺が手を出せるわけじゃないし」

「手を挙げればよかったじゃない」

「そうもいかないよ。一課の仕事は順番に回ってくるんだから」

「あんたは最近、ちょっと待機が長過ぎるわよね」

「だから、体が鈍ってしょうがないんだ」柴が首を回すと、ぼきぼきと枯れ枝が折れるような音がした。「テツ、何かやることはないのか？　いつでも手伝うぜ」

「そうだな。来月のＩＴ研修の資料作りが難航してるんだけど、それを手伝ってもらえるとありがたい。次回のテーマは、『ＩＰアドレス開示と任意捜査について』なんだけど」

「知らねえよ、そんなこと」柴が顔の前で思い切り手を振った。「そうじゃなくて、こう、もっとアクションたっぷりの仕事だよ」

「これ以上、お前に迷惑をかけるわけにはいかないよ……高畑にも。何もなく、こうやって無事に打ち上げをするためには、結構裏工作が大変だった」

あの二日間、二人は公式に「休暇中」になっていた。故に、どの調書を見ても二人の署名はなく、名前は出てこない。公務員の勤務表の改竄は公文書偽造になるが、刑事総務課にいる大友には、技術的には難しいことではなかった。最終的に、福原が裏で手を回して工作を終えた。その結果、二人に対する譴責――相当踏み外した捜査をした――は一切なし。二人が口をつぐんでさえいれば、誰からも責められない状況になった。大友にすれば、十分表彰に値する働きぶりだったが、それは諦めてもらわないといけない。

「柴、何ともないか？」

「何が」甘辛いピーナッツソースがかかったインドネシア風焼き鳥を横ぐわえにしながら、柴が目を丸くした。

「上司を追いこむ結果になったこと」

柴が大友の目を見たまま、ゆっくりと焼き鳥を咀嚼した。喉仏が上下し、さらにビールを流しこんだ後で、にやりと笑う。

「どこの世界にもクソ野郎はいるだろうが。それを排除できたんだから、俺としては満足だよ」

「そうか……」

「テツの方こそ、何だか悩んでるみたいだけど」敦美が言った。

「そうかもしれない」

「刑事総務課的には、いろいろ教訓になる事件じゃないの？　部員教育用の資料として使えそうじゃない」

「それはそうなんだけどさ……」大友は頰杖をついた。「普通、事件を解決すれば何がしかの満足感があるじゃないか。被害者の溜飲が下がったとか、家族の慰めになったとか。だけど今回は、何もないんだよな」

「そうやって苦みを嚙み締めるのも給料のうちだぜ。なあ、優斗？」

柴の呼びかけに、優斗がきょとんと目を丸くした。さすがに小学二年生の頭では理解しかねるだろう。

「ねえ、パパ」優斗が大友に目を向けた。

「どうした？」

「お茶、飲んでいい？」

優斗のオレンジジュースはほとんど減っていない。大友はグラスを摑んで一口飲んだ。

途端に喉の奥がすぼまり、呼吸ができなくなるほどの酸っぱさが脳天まで突き抜ける。大友が頰の内側を嚙んで酸っぱさに耐えているのを見て、柴もジュースを試した。

「げ。これ、犯罪だぞ。店主を逮捕するか？」

「本当に？」

敦美もジュースの犠牲になった。酸っぱさを追い払うように、バーボンを一気に喉に流しこむ。それから二人は、この店に対する罪状の数々を検討し始めた。柴は「傷害」を主張し、敦美は「分かっていて出してるんだから殺人未遂だ」と譲らない。二人のやり取りを聞きながら、大友はメニューにウーロン茶があるのを見つけた。

「冷たいウーロン茶にしておくか？」

「持ってるから」優斗がデイパックを探り、小さな水筒を取り出した。

「どうしたんだ、そんなの」

「聖子さんが持ってけって。何かね、ペットボトルはもうやめるって言ってたよ。それで麦茶を作ってくれたの」

「そうか」

「飲んでいい？」

大友は引き戸に目をやった。個室だし、子どもが持ちこみの麦茶を飲んでも文句は言われないだろう。クレームがついたら、改めてウーロン茶を頼めばいい。許可すると、優斗が蓋を外し、カップに麦茶を注いで一気に飲み干した。口を離すと、ようやくほっとした笑みを浮かべる。

ペットボトル全廃か……確かに聖子はよくミネラルウォーターを飲む。美容と健康にはこれが一番だと言って、毎日一・五リットルは飲んでいるのではないだろうか。

突然、大友は立ち上がった。今まで謎のまま、無意識のうちに頭の片隅に追いやっていたことに、突然解答が出たのだ。まだ想像の段階に過ぎないが、証言さえ得られれば。

「何してるんだ、テツ？」柴が訝しげな視線をぶつけてくる。

「悪いけど、ちょっと優斗を頼めるかな」腕時計を見る。まだ六時四十五分。優斗のお休みタイムはまだ先だし、少し遅くなっても電車にさえ乗ってしまえば何とでもなる。猶予は……二時間ぐらいは大丈夫だろう。

「私たちはいいけど、どうしたの？」敦美は非難するような視線をぶつけてきた。せっかく子どもと一緒なのに、どういうつもりなのか、と。

「悪い、優斗。ちょっと出なくちゃいけないんだ」大友は息子に向かって両手を合わせた。

優斗は「いいけど」と少しいじけたように言ったが、数か月前に比べると、少し素っ気なくなっている。以前は仕事で家を空けたりすると、今にも泣きそうな顔をしていたのに、今回の事件の間はあまり泣き言を言わなかったな、と思い出す。

親の知らない間に子どもは成長しているわけか。少しばかり寂しい思いを抱きながら、大友はコートを手に取った。

「神田だな」

柴がぽつりと言う。大友はうなずき、彼の推理を肯定した。

「一人で大丈夫なのか？」

「僕が見逃していたんだ。あの時気づいていれば、もっと早く分かったかもしれない」

「お前の責任ってことか」

「ああ」

「分かった。優斗は任せろ。俺がいろいろ悪いことを教えてやるから」

「柴――」

敦美が顔をしかめ、たしなめる。無視して、柴は手を伸ばし、優斗の髪をくしゃくしゃにした。

「優斗、お前の父ちゃんはな、最高の刑事だぞ。よく見ておけよ？」

「父ちゃんじゃなくてパパだけど？」

敦美がくすくすと笑い出した。大友は苦笑しながら二人に向かって頭を下げ、つかの間の平穏から抜け出した。個室から出ると同時に、最後の戦いが始まる。

8

ＪＲ中央線で御茶ノ水駅へ。大友はほとんど坂を駆け下りるようにして、「シブタニスポーツ」二号店に向かった。確か営業時間は九時まで。十分間に合うはずだが気が急き、途中からはとうとう走り出してしまった。人ごみを縫うようにして——この街は何故か歩道が狭い感じがする——靖国通りまで四分。長い信号待ちに苛々しながら靖国通りを走って横断して、そこから二号店まで三分で辿り着いた。腕時計の針は七時二十分を示している。店の前で立ち止まり、呼吸を整えながら、大友は尋問の手順を頭の中で反芻した。言うべきこと、突っこむべきことは決まっている。後は、相手の退路を断つことだ。今夜この場で全ての決着をつけてしまいたい。

三度目の訪問。店の様子は二度目の訪問の時と変わっていなかったが、有吉本人は様変わりしていた。顔の下半分を覆っていた髭を剃り落としてしまっている。つるつるした頬と顎を見ていると、実年齢より何歳か若く見えた。

「何でしょう」

有吉がぶっきらぼうに言ったが、目に不安の色が宿っているのを大友は見逃さなかった。

「少し話をしませんか」

「話なら、他の刑事さんにしましたけど。散々絞られましたよ」

「そうですか。それであなたは、何を話したんですか」

「どうして何回も繰り返さないといけないんですか」

強気に逆らったが、声がかすかに震えている。隠し事のできない男なのだ、と大友はかすかに同情を覚えた。この男に悪気があったのかなかったのか……自分の意思とは関係ないことに引っ張られて、泥沼にはまりこんでしまったのだろう、と想像する。

「ちょっと出ませんか？　店の中では話がしにくい」

「まさか、警察へ連れて行くんじゃないでしょうね」そこへ入ったが最後、二度と日の目を見ることはできないとでも言いたげに、目に恐怖の色を浮かべる。二、三歩後ずさって、壁に背中をぶつけたほどだった。

「あなたが希望するなら、神田署でも構いません。警察が嫌なら、その辺を歩きながらでも、お茶を飲みながらでもいい」

「……外へ出ます」逃げ場がないと悟ったのか、有吉がうなだれながら前かけを外した。

「結構です。では、行きましょう」大友は彼から目を離さず、カウンターの外へ出てきた瞬間に腕を摑んだ。軽くやったつもりだったが、有吉は手錠でもかけられたようにびくりと体を震わせた。緊張で腕に力が入り、筋肉が固く盛り上がる。

二人は肌寒い風が吹く路上に出た。大友は薄いコートの襟を立て、首筋をくすぐる寒風をシャットアウトした。フリースのトレーナー一枚の有吉の方が、よほど暖かそうにしている。それにしてもこのトレーナーを着ている限り、逃げ出しても見失うことはないだろうな、と大友は思った。蛍光イエローの鮮やかな発色は、わずかな明りの下でも目印になりそうだった。

店から少し離れたところまで歩いて行って、有吉が電柱に背中を預ける。背後には煙草屋。店は既に閉まっていたが、自動販売機が明るい光を街路に投げかけている。車もほとんど通らないような細い道で、声を張り上げなくても十分会話ができそうだった。

「この前ここに来た時、あなたは『言われた通りに』と言いましたね」

無言でうなずく。この証言が、最終的に岩永たちを追いつめることになった。有吉の処分はまだ決まっていないが、身柄を拘束されるようなことはないだろう、と大友は読んでいる。無理強いされただけであり、警察に言われるまま犯罪に加担した、一種の被害者なのだから。

「言いましたね？」大友は繰り返し訊ねた。

「言いましたよ」うんざりした顔つきで有吉が答える。「どうでもいいですけど、その件はもう終わったんじゃないですか」

「僕はずっと、この件が気になっていたんです。あなたは、渋谷さんが使ったペットボトルを用意しろ、と指示されたんですよね」

「そうです」

「警察は、彼の指紋がついた物証が欲しかったんです。そんなもの、どこで調達してきたんですか」

「それは二代目――社長のオフィスから。社長用のゴミ箱がありますから、そこから取ってきたんです」

「嘘ですね」

「何が嘘なんですか」有吉の眉がぐっと寄った。

「あなたの口から言ってもらえませんか？　残念ながら僕は確証を摑んでいない。あなたの証言の方が確実です」

「何のことか分からない――」

「渋谷社長は、ペットボトルを毛嫌いしていたはずです。昔からそうだったらしいですね。サーフィンに夢中になった高校生の頃、浜辺がゴミで一杯になっているのを見て憤慨して、それ以来ペットボトルや缶入り飲料とは完全に決別したそうです」秋葉原の家電量販店に勤める同級生の茜から聴いた情報が、ずっと頭の中で燻《くすぶ》っていた。店で見かけたポスターも。「エコとかそういう問題ではなく、感情的な行動なんでしょうけどね。彼はペットボトル排斥運動まで始めたんでしょう？　店に張られていたポスターがその証拠ですよ。もちろん、お客さんに水筒を売るためだったかもしれないけど」

淡い街灯の光の下、有吉の顔が蒼褪めた。後ずさろうとしたが電柱に邪魔され、動きが止まってしまう。

「そんな人が、放火するためとはいえ、ペットボトルを使うでしょうか？　他にいろいろ容器はあるのに……その点がずっと引っかかっていたんです。それに、ずっとゴミ箱に入っていたというのは信じがたい。掃除もしていなかったんですか？」

「二代目の部屋のことは分からない」

「一つ、考えたことがあるんです」大友は顔の横で人差し指を立てた。「特捜本部が、渋谷さんの犯行を裏づけるために、犯行に使われたペットボトルまで、何らかの形ででっち上げたんじゃないかと。任意の取り調べの間に、彼の指紋を採取するぐらいはできたはずです。それで、渋谷さんの指紋がついたペットボトルを捏造する……ただ、今のところそういう事実は出てきていません。となると、もう一つの可能性が浮上してくるんですが、分かりますか」

「そんなことは……」有吉の額を脂汗が一筋流れ落ちた。

「本当は渋谷さんが犯人だったんじゃないですか？　実際に彼は人を二人殺し、放火した。ぎりぎりの犯行ですから、ペットボトルを使わないなどというモットーを守っている場合じゃなかったかもしれない。そして、こんな事件を起こしたら、人は冷静ではいられません。おそらく、犯行に使ったペットボトルを持ち帰ってしまったんだと思います。そこから先は、あなたが話してくれますか」

有吉がゆっくりと電柱から背中を引き剝がした。両手をだらりと垂らし、蒼褪めた顔で大友を睨みつける。言葉が出てこないので、大友が続けた。

「まず、あなたと渋谷さんの関係です。渋谷さんは経営者としてはルーズで、お店は資金繰りで苦労していたと聞いています。あなたはサポートする立場として、ずいぶん苦労されたでしょう」

「あの人は……」有吉がのろのろと喋り出した。「あの人は、商売なんかに手を出しちゃいけない人だったんだ。大社長《おお》は、親馬鹿でそれを見誤った」

「大社長というのは、渋谷さんの父親のことですね？」

「そうです。俺は学生時代からアルバイトで働いていて、店には愛着もありました。正式に社員になって、それからもきちんと成績を上げて、部下もできました。それがいきなり、あの前科持ちが社長で来て……やる気なんか全然ないのに、偉そうにして、会社の金を使いこんで」

「まさか、赤字の原因はそれじゃないでしょうね」だとすると、単に社長としての怠慢だけでなく、業務上横領や背任容疑も視野に入ってくる。

「ないとは言いませんよ」有吉が初めて笑った。緊張で強張った笑みではあったが。「帳簿を押さえてるのは私ですからね。あの馬鹿社長は、帳簿の見方も分からないんだから。自分がやったことが記録に残っていることさえ、知らなかったんじゃないですか」

「いったい何に金を使っていたんですか」

「シブタニスポーツの海外進出を考えていたんです。ただし、山の方じゃなくてサーフショップですね。それでハワイやグアムにしょっちゅう出かけてたんです。名目は現地の調査なんですけど、本当は何をやってたのか、実態は分かりませんよ。それに現地の不動産ブローカーに金を騙しとられていたみたいで。数千万円単位で穴が開いていましたから、隠しようがないですよ」

「それで穴埋めをするために、あの事件を？」

「そうじゃないかと、私は踏んでるんですけどね」

大友は有吉の顔に視線を突き刺した。恐怖から逃れるためか、調子に乗って喋っていた有吉がぴたりと口を閉ざす。

「本人に確認しなかったんですか」

「しませんよ、そんなこと」

「どうして」

「どうしてって……」有吉が唇を舐めた。

「そもそもどうして、渋谷さんが事件を起こしたことを知ったんですか」

「だって、そういう格好で帰ってくれば分かるでしょう、当然」

「事件を起こしたままの格好ですね？」

有吉がうなずく。淡々とした表情であり、もうどうでもいい、という感じだった。

「ちょっと待って下さい。あの事件が起きたのは午前一時頃ですよ。あなたはどこで渋谷さんを見たんですか」

「もちろん、店で」有吉が、シブタニスポーツ二号店に向けて顎をしゃくった。ぞんざいな仕草だったが、愛着のある相手に対して向けるような、親しげな態度にも見える。

「クソ社長が働かないから、私がやるしかなかったんですよ。税金の季節が近かったですからね、帳簿の整理が大変で。飯も食べないで一生懸命だったんですよ。その時、急に人の気配がして……怪談じゃないけど、びびりましたね。それで、あの二階の部屋のドアの隙間からそっと覗いてみたら、二代目が」

「いかにも事件を起こしましたという格好でいた、と」

「非常灯に照らされて、真っ青な顔が見えて……あれは、幽霊よりも怖いですよね」有吉が唇を歪めた。「レインジャケットを着て、登山用のザックを背負って。青いジャケットだったんですけど、胸のところに大きな染みができてましたから、明らかに変だったんですよ。目は血走って、顎から首にかけても血がついていてね……拭ったんでしょうけど、取りきれなくて薄く広がったんでしょう。まるで二代目が誰かに刺されたみたいでした」

「それで何かあったと気づいた」

「ええ」有吉が一瞬目を閉じた。精神を集中させ、その時の様子を完璧に思い出そうとしているようだった。「息を凝らしてました。二代目は、三階にある自分の部屋へ入っていったんだけど、すぐに出て来て……普通のコートに着替えていました。顔も綺麗になっていて」

「その後、あなたは渋谷さんの部屋に入ったんですね」

「……はい」有吉の喉仏が上下した。「一時間ぐらいしてから。血塗れのレインジャケットとザックが、ロッカーに隠してありました。ザックを開けると金が入っていて、ちゃんと数えてないですけど、たぶん数百万円単位でした」

タンス預金をそのまま盗んできたわけか。登山用の大きなザックは役に立ったはずだ。

それだけの金があると見越して、ザックを持っていったのだろうか。

「それと、ペットボトルがありました。臭いを嗅いでみたら油臭くて……そのしばらく前に、消防車と救急車が走り回っていたんで、ぴんと来たんです。二代目が何かしたんじゃないかって。その時です、どうしてか分からないけど、ペットボトルだけを持っていって隠したんです」

やはりそうか……ペットボトル嫌いの渋谷は、実際には犯行にペットボトルを使っていたわけだ。つまり、最初から放火して証拠隠滅するつもりだった。計画的で悪質である。一面識もない渋谷という男が、悪魔に見えてきた。

「渋谷さんの弱みを握ろうとしたんですか」

「そんなつもりじゃ……分かりません。でも、たぶんそうかもしれない。さすがにザックやレインジャケット、金に手をつけるわけにはいきませんでしたけど」

「レインジャケットは今、どうなってるんですか」

「分かりません」有吉がゆっくりと首を振った。「数日後に見た時にはなくなっていました」

「金は？　会社の赤字を補塡しようとしたんじゃないですか」

「それも分かりません。どこへ行ったかは、全然知らないんです」

「それについて、あなたは社長に何も聞かなかったんですか？」

「聞けるわけないじゃないですか。次の日の夕刊を見て、すぐに二代目があの事件をやったんだって分かりましたから。相手は人殺しですよ？　余計なことをしたら、何をされるか分からない」

「警察に言えばよかったでしょう。それは市民の義務でもありますよ」

「悩みました。でも、悩んでいるうちに、二代目が警察に呼ばれるようになって。それから先のことは、あなたの方がよくご存じでしょう」

「分からないのは、その後のことです。散々ニュースで流れているからもう知ってると思いますが、特捜本部は渋谷さんを犯人にでっち上げようとして――実際に犯人だったんですが――物証を求めていました。だから、渋谷さんのすぐ近くにいるあなたに接触してきたんだと思いますが……ここのところは合ってますか？」

「ええ」

「それで、何か決定的な物証を出すように協力を求めた。だけどその時点で、特捜本部はあなたが実際に証拠のペットボトルを持っていることを知らなかった。おそらく、社長の指紋がついたペットボトルはないか、と言ってきたんでしょう」

「ええ」

「あなたはその時、ずっと保管しておいたペットボトルを差し出したんですね。どうしてその時、渋谷さんが犯人だと名指しで言わなかったんですか？　本物の決定的な証拠じゃないですか」

「私が言われたのは、指紋のついたペットボトルが欲しい、ということだけです」

まさに「言われた通りに」だったわけだ。

「ごみの山からでも探して欲しいというお願いでした。だったら余計なことは言わない方がいいでしょう」

「正直に告白すれば、あなたも犯行を知っていた上に証拠を隠していたのがばれてしまうからじゃないんですか？　本当は、そのペットボトルを使って渋谷さんを脅そうとしたんでしょう。だけどタイミングを失ってしまった」

「何が悪いんですか？　私は何も悪いことはしていませんよ」突然有吉が開き直った。「ペットボトルだって、言われたから出しただけです。喜んで提供しましたよ」

「ところがその刑事たちは、証拠の捏造、犯人でっち上げで取り調べを受けているんです。ということは、それに協力したあなたも、当然共犯ということになる。これから、正式な取り調べを受けてもらわないといけませんね」

「まさか……私は……」有吉の顔から血の気が引いた。

「嫌な思いをしているのは私も同じです」大友は彼に一歩詰め寄った。「私は、特捜本部が犯人のでっち上げをやったと証明しました。それは間違いないんです。渋谷さんが犯人であろうがなかろうが、無理な取り調べで追い詰め、その結果渋谷さんが自殺したのは間違いないんですから。しかもその後、証拠をでっち上げてまで渋谷さんを犯人に仕立て上げようとした。だけど結局、真犯人は渋谷さんだったんですよ？　そのこと自体は、もう一度精査して、きちんとまとめなければならない。そのためにも、あなたに協力してもらいます」

「俺は……私は、どうなるんですか」

「今の段階では何とも言えません。でも、長くなると思った方がいい」

有吉がまた電柱に背中を預け、両足を前へわずかにずらした。そのままへたりこんでしまいそうだった。

「パパ！」突然優斗の声が響く。慌てて振り向くと、柴と優斗が道の向こうに立っていた。待ちきれずに追いかけてきたのか……。「パパ！」もう一度叫んで優斗が走り出す。その瞬間、ぐったりしていた有吉が唐突に反応した。突然電柱から離れ、優斗に向かって駆け出す。大友は手を伸ばしたが、指先が服をかすっただけで取り逃がしてしまった。道路の真ん中付近で、有吉が優斗を摑まえる。一度抱え上げ、下ろすと背後から首に手を回す。

「あんたの息子か！」先ほどまでの弱気な態度とは一転して、凶暴な口調になっていた。

「俺は捕まらない。あんたがそれを保証しろ！　そうしないと、息子を殺す」

「おい、落ち着け！」

柴が慌てて言って、正面に回りこむ。大友は背後に回ろうとしたが、有吉は優斗を引きずるようにしてビルの壁に背中を預けた。仕方なく大友は、柴と二人で正面から有吉と向き合った。

「まだ何も決まってないんだ」心臓が口から飛び出しそうになるのを感じながら、大友は説得した。「話はこれからじゃないか。話を聴かないと何も分からないんだ。自分からチャンスを潰すことはない」

「ふざけるな！　何でこんなことになっちまったんだよ。悪いのはあのクソ社長じゃないか！　ヘマした警察の責任じゃないか！」

大友は有吉の言葉を聞き流し、優斗に神経を集中した。前腕で首を絞められる格好になっている。両腕を使って必死に有吉の腕を引き剝がそうとしていたが、さすがに体格が違い過ぎる。次第に苦悶の表情が強くなり、顔が蒼くなってきた。

「おい、いいからその子を離せ」柴が慌てて言った。「そんなことしても何にもならないぞ。怪我しないうちに離すんだ。な？　落ち着いて話し合おうぜ」

「離れろ！」有吉が自棄《やけ》になって叫んだ。「死んでもいいのか！」

大友は爪先に体重をかけ、じりじりと前へ進んだ。まだ人通りもあるこんな時間に……有吉は本当に逃げ切れると思っているのだろうか。あり得ない。本気で優斗を殺そうとしているのか。子どもの首は弱い。ほんの少し捻っただけで、命を奪える。

「とにかく落ち着けよ、な？」焦りを滲ませながら柴が言った。しかし苦しそうにしている優斗を見てしまって、手出しはできない。

その時、突然有吉の横から音もなく人影が近づいた。勢いよく横からぶつかって行く。鈍い音とともに、肘が有吉の後頭部に衝突した。有吉は吹っ飛ばされ、優斗が道路に転がる。肘うちを食らわせた人物――敦美が優斗の上に覆い被さって庇うと同時に、柴が雄たけびを上げて有吉に襲いかかる。すぐに制圧して背中側に腕を捻じ曲げ、ネクタイを外して縛り上げた。その間、大友は一歩も動けなかった。膝から力が抜け、その場に崩れ落ちそうになる。

「しっかりしてよ。だらしない男どもね」敦美の叱責を、大友は素直に受け止めるしかなかった。


優斗は初めて足を踏み入れる警察署の様子に驚き、先ほどの恐怖をすっかり忘れてしまったようだった。夜も更けてきたので事情聴取は簡単に済ませてもらい、九時過ぎ、ひとまず神田署を後にする。さすがに優斗は少し疲れたようだった。柴と敦美を交えた飲み会で始まり、襲われた恐怖、その後の事情聴取と、小学二年生にしてはヘヴィな一夜だったに違いない。

「優斗、ごめんな」

歩き出すとすぐに、大友は謝った。

「何が？」優斗が首を傾げながら大友を見上げる。

「怖い思いをさせて。パパが気をつけておくべきだった」

「大丈夫だよ」

屈託のない笑顔を見て、大友は心底安心した。これが後々トラウマとして残らなければいいのだが、と心配していたのだ。この様子なら問題ないだろう。むしろ週明けに、学校で友だちに自慢しそうだ。

「聖子さんには黙ってような」

「どうして？」

「心配する——怒るからさ」

「いいけど」

優斗が手を伸ばしてきた。温かなその手を握りながら、大友は訊ねた。

「優斗、もう少し大丈夫か？　ちょっと寄りたいところがあるんだ」

「散歩？」

「まあね」

大友は優斗の手を引いて歩き出した。靖国通りを渡り、まず優の自宅へ。灯りは点っていなかった。念のためインタフォンを鳴らしてみたが返事はなし。まだ仕事か……ここから新神田弁護士事務所までは、歩けば結構時間がかかる。優斗が一緒だとなおさらだ。大友はタクシーを奢り、事務所を訪れた。

外から見上げると、事務所の灯りが点いているのが分かった。大友は優斗の手を引いて五階まで上がり、事務所の前に立った。物音はしなかったが、すりガラスから灯りが漏れ出ていて、人の気配は感じられる。

「ここ、何？」

優斗が訊ねる。案外大きな声だったので、大友は唇に人差し指を当てて息子を黙らせ、非常階段のところまで退避した。自分で自分の行動の意味が分からなかった。優に会いに来たつもりなのに、何故か顔を合わせるのが怖い。事実を彼女に告げるのを、今になって恐れた。どうせ誰かが話すのだ。何も今自分が、その義務を果たさなくてもいいではないか。

「覚えてるだろう？　サッカーの試合を見に来てくれた、弁護士のお姉さんの仕事場だよ」

「会うの？」優斗の目が輝いた。どうやらお気に入りになったらしい。もちろん、彼女が巻きこまれた——自分で巻き起こした複雑な事件のことは、優斗には一言も話していなかったが。小学生には理解不能だろう。そして自分自身も理解できているかどうか、大友は自信が持てなかった。

廊下の照明が一つ切れかけ、不安定に明滅している。非常階段の踊り場には冷たい空気が淀んでおり、季節外れのプールに身を浸しているように体が冷えた。

きちんと教えるのは自分の義務ではないか。あれだけ深くかかわってきたのだし、優も僕のことならある程度は信用してくれるだろう。しかもこれは彼女にとっても、極めて大きな問題である。

優は渋谷に騙されていたのだ。

「俺は何もやってないんだよ」

「警察が決めつけて、シナリオを書いてるんだ」

「向こうが言う通りに喋っちまった。逮捕されるかもしれない」

「二人殺したなんてことになったら、絶対死刑だよな」

優にすがって助けを求める渋谷の台詞が、一つ一つ想像できる。警察の圧迫的な取り調べ、捜査のでっち上げを糾弾し、渋谷の無実を証明するのが優の狙いだったはずである。弁護士らしい正義感が彼女を突き動かしていた、と信じたかった──優自身が「クライアントに信頼されること」が大事だと言っていた通りに。

しかしそれだけではないだろう、とつい邪推してしまう。彼女にとっては、名声、評判、そして結果的にそういうものが連れてくる金が大事だったはずだ。虚偽の自首という極端な方法をとってでも、警察内部に入りこんで情報を取ろうとした根性だけは褒められる。しかし動機が正義、あるいは弁護士としての倫理観だけでないとしたら。野心のためにそんなことをしたなら──もっと彼女と深く話し合っておくべきだった。そうすれば本当の狙いが何か、分かったかもしれないのに。

今は、話す気になれない。彼女の中に傷つきやすい、柔らかい部分があるのを知っていたから。事実を知れば必ず彼女は傷つく。もしかしたら、回復不能なほどに。

人は嘘をつくものだ。自分を助けようとしている相手に対してさえ、いざとなったら平気で真実を隠蔽し、陰で舌を出す。もちろんいずれは、「人間なんてそういうものだ」と悟り、彼女自身も平気な顔で嘘をつけるようになるだろう。だがそうなるためには、彼女はまだ経験が浅いはずだ。

あるいは僕も。

警察官として十年の経験を積んできた大友だが、自分の中にまだ柔らかい、傷つきやすい部分があるのを認めざるを得ない。渋谷が犯人だった。特捜本部はやり方を間違っていただけで、あなたは大嘘つきのために自分のキャリアを棒に振りかけたのだ——そう告げた時、優の顔に浮かぶ怒りと悲しみの表情を真っ直ぐ見つめる勇気がない。卑怯なのは分かっていたが、事実を告げる役目は他の誰かに譲ることにした。

「行こうか」

「会わないの？　会いに来たんじゃないの？」優斗がきょとんとした表情で訊ねた。

「仕事中みたいだからさ。邪魔しちゃ悪いから」

「そうなんだ」優斗があからさまにがっかりした表情を浮かべた。「また、会えるかな」

「そうだな……お前がもっとサッカーが上手くなったら、見に来てくれるかもしれない。一生懸命練習しないとな」

「そうだね」素直に納得して優斗がうなずく。

息子にまで嘘をついてしまったわけだ。手を引いて歩き出しながら、大友は深い後悔の念に襲われた。

刑事の人生とは、こういう後悔の積み重ねに過ぎないのかもしれない。

本作品は文春文庫のための書き下ろしです。

文春文庫

敗《はい》 者《しゃ》 の 嘘《うそ》

定価はカバーに
表示してあります

アナザーフェイス2

2011年3月10日　第1刷
2025年3月5日　第17刷

著　者　堂《どう》場《ば》瞬《しゆん》一《いち》
発行者　大沼貴之
発行所　株式会社 文藝春秋

東京都千代田区紀尾井町3-23　〒102-8008
TEL 03・3265・1211㈹
文藝春秋ホームページ　https://www.bunshun.co.jp

落丁、乱丁本は、お手数ですが小社製作部宛お送り下さい。送料小社負担でお取替致します。

印刷製本・TOPPANクロレ

Printed in Japan
ISBN978-4-16-778702-8

（　）内は解説者。品切の節はご容赦下さい。

堂場瞬一
アナザーフェイス
家庭の事情で、捜査一課から閑職へ移り二年が経過した大友だが、誘拐事件が発生。元上司の福原は強引に捜査本部に彼を投入する……。最も刑事らしくない男の活躍を描く警察小説。
と-24-1

堂場瞬一
敗者の嘘
アナザーフェイス2
神保町で強盗放火殺人の容疑者が、任意同行後に自殺、その後真犯人と名乗る容疑者と幼馴染の女性弁護士が現れ、捜査は大混乱。合コン中の大友は、福原の命令でやむなく捜査に加わる。
と-24-2

堂場瞬一
第四の壁
アナザーフェイス3
大友がかつて所属していた劇団「アノニマス」の記念公演で、ワンマンな主宰の笹倉が、上演中に舞台の上で絶命する。その手口は、上演予定のシナリオそのものだった。（仲村トオル）
と-24-3

堂場瞬一
消失者
アナザーフェイス4
町田の駅前、大友鉄は想定外の自殺騒ぎで現行犯の老スリを取り逃がしてしまう。その晩、死体が発見され……警察小説の面白さがすべて詰まった大人気シリーズ第四弾！
と-24-5

堂場瞬一
凍る炎
アナザーフェイス5
「燃える氷」メタンハイドレートをめぐる連続殺人事件。刑事総務課のイクメン大友鉄最大の危機を受けて、「追跡捜査係」シリーズの名コンビが共闘する特別コラボ小説！
と-24-6

堂場瞬一
高速の罠
アナザーフェイス6
父・大友鉄を訪ねて高速バスに乗った優斗は移動中に忽然と姿を消す——誘拐か事故か!?　張り巡らされた罠はあまりに大胆不敵だった。シリーズ最高傑作のノンストップサスペンス。
と-24-8

堂場瞬一
愚者の連鎖
アナザーフェイス7
刑事部参事官・後山の指令で、長く完全黙秘を続ける連続窃盗犯を取り調べることになった大友。めったに現場に顔を出さない後山や担当検事も所轄に現れる。沈黙の背後には何が？
と-24-10

堂場瞬一
潜る女
アナザーフェイス8

結婚詐欺グループの一員とおぼしき元シンクロ選手のインストラクター・荒川美智留。大友は得意の演技力で彼女の懐に飛び込んでいくのだが――。シリーズもいよいよ佳境に！

と-24-11

堂場瞬一
闇の叫び
アナザーフェイス9

同じ中学に子供が通う保護者を狙った連続殺傷事件が発生。刑事総務課のイクメン刑事、大友鉄も捜査に加わるが、容疑者は二転三転。犯人の動機とは？　シリーズ完結。（小橋めぐみ）

と-24-12

堂場瞬一
親子の肖像
アナザーフェイス0

初めて明かされる「アナザーフェイス」シリーズの原点。人質立てこもり事件に巻き込まれる表題作ほか、若き日の大友鉄の活躍を描く、珠玉の6篇！（対談・池田克彦）

と-24-7

堂場瞬一
虚報

有名教授が主宰するサイトとの関連が疑われる連続自殺事件。それを追う新聞記者がはまった思わぬ陥穽。新聞報道の最前線を活写した怒濤のエンターテインメント長編。（青木千恵）

と-24-4

堂場瞬一
ラストライン

定年まで十年の岩倉剛は捜査一課から異動した南大田署で独居老人の殺人事件に遭遇。さらに新聞記者の自殺も発覚し――。行く先々で事件を呼ぶベテラン刑事の新たな警察小説が始動！

と-24-14

堂場瞬一
割れた誇り
ラストライン2

女子大生殺しの容疑者が裁判で無罪となり自宅に戻ったが、近所は不穏な空気に。〝事件を呼ぶ〟ベテラン刑事・岩倉剛らが警戒をしている中、また次々と連続して事件が起きる――。

と-24-15

堂場瞬一
迷路の始まり
ラストライン3

殺された精密機械メーカー勤めの男と、女性経済評論家殺しの被害者とのつながりが判明。意見の相違で捜査から外された岩倉刑事が単独で真相に迫る中、徐々に犯罪組織が姿を現す。

と-24-16

（　）内は解説者。品切の節はご容赦下さい。

堂場瞬一
骨を追え
ラストライン4
岩倉が異動したばかりの立川中央署管内で、十年前に失踪した女子高生の白骨遺体が発見される。犯罪被害者支援課の村野たちと反発し合いながらも協力し、岩倉は真犯人に迫る。
と-24-18

堂場瞬一
悪の包囲
ラストライン5
サイバー犯罪対策課の福沢が殺された。事件の直前、衆人環視の中で福沢ともめた岩倉は容疑者扱いされ捜査本部からはずされる。事件の背後で蠢くのは謎の武器密売組織ＭＥＴＯ！
と-24-20

堂場瞬一
灰色の階段
ラストライン0
刑事として初めての事件から結婚式前夜、追跡捜査係の立ち上げ、東日本大震災に見舞われた火災犯捜査係時代、そして恋人との出会い。刑事岩倉剛の歩みが描かれるシリーズ外伝！
と-24-22

堂場瞬一
ランニング・ワイルド
瀬戸内とびしま海道でのアドベンチャーレースに警視庁チームが参加。開始直前、キャップの和倉の携帯に「家族を預かった。レース中にあるものを回収しろ」と脅迫が。（林田順子）
と-24-17

堂場瞬一
帰還
東日新聞四日市支局長の藤岡裕己が溺死。警察は事故と結論づけたが同期の松浦恭司、高本歩美、本郷太郎の三人は納得がいかず、それぞれの伝手をたどって、事件の真相に迫っていく。
と-24-19

堂場瞬一
空の声
玉音放送やＮＨＫ「話の泉」の司会で国民的人気を博したアナウンサー・和田信賢。日本が戦後はじめて参加する夏季五輪を放送すべく、体調不良も顧みずヘルシンキに乗り込むが――。
と-24-21

堂場瞬一
赤の呪縛
銀座で発生した放火殺人の被害者は、かつての父の愛人だった。若き日に決裂した政治家の父を追い詰める刑事・滝上の執念の捜査。破滅するのは父親か、それとも自分か？（坂嶋　竜）
と-24-23

（　）内は解説者。品切の節はご容赦下さい。

赤川次郎
赤川次郎クラシックス
幽霊列車
山間の温泉町へ向う列車から八人の乗客が蒸発。中年警部・宇野は推理マニアの女子大生・永井夕子と謎を追う——。オール讀物推理小説新人賞受賞作を含む記念碑的作品集。（山前　譲）
あ-1-39

赤川次郎
マリオネットの罠
私はガラスの人形と呼ばれていた——。森の館に幽閉された美少女、都会の空白に起こる連続殺人。複雑に絡み合った人間の欲望を鮮やかに描いた、赤川次郎の処女長篇。（権田萬治）
あ-1-27

麻生　幾
観月　消された「第一容疑者」
大分の城下町で善良な市民が殺された。必死に犯人を追う警察だったが、同時期に東京で起きた殺人との関連が指摘され事態は急変する。「日本警察のタブー」に切り込む圧巻の警察小説。
あ-38-2

有栖川有栖
火村英生に捧げる犯罪
臨床犯罪学者・火村英生のもとに送られてきた犯罪予告めいたファックス。術策の小さな綻びから犯罪が露呈する表題作他、哀切でエレガントな珠玉の作品が並ぶ人気シリーズ。（柄刀　一）
あ-59-1

有栖川有栖
菩提樹荘の殺人
少年犯罪、お笑い芸人の野望、学生時代の火村英生の名推理、アンチエイジングのカリスマの怪事件とアリスの悲恋。「若さ」をモチーフにした人気シリーズ作品集。（円堂都司昭）
あ-59-2

阿部智里
発現
「おかしなものが見える」心の病に苦しむ兄を気遣う大学生のさつき。しかし自分の眼にも、少女と彼岸花が映り始め——「八咫烏シリーズ」著者が放つ戦慄の物語。（対談・中島京子）
あ-65-8

天祢　涼
希望が死んだ夜に
14歳の少女が同級生殺害容疑で緊急逮捕された。少女は犯行を認めたが動機を全く語らない。彼女は何を隠しているのか？捜査を進めると意外な真実が明らかになり……。（細谷正充）
あ-78-1

（　）内は解説者。品切の節はご容赦下さい。

天祢 涼
あの子の殺人計画
母子家庭で育つ小学五年生の椎名きさらには、誰にも言えない「我が家の秘密」があった——。少年事件を得意とする仲田蛍巡査が真相に迫る、社会派ミステリーシリーズ第二弾。
あ-78-3

天祢 涼
葬式組曲
喧嘩別れした父の遺言、火葬を嫌がる遺族、息子の遺体が霊安室で消失……社員4名の北条葬儀社に、故人が遺した様々な〝謎〟が待ち受ける。葬式を題材にしたミステリー連作短編集。
あ-78-2

秋吉理香子
サイレンス
深雪は婚約者の俊亜貴と故郷の島を訪れるが、彼には秘密があった。結婚をして普通の幸せを手に入れたい深雪の運命が狂い始める。一気読み必至のサスペンス小説。（澤村伊智）
あ-80-1

彩坂美月
柘榴パズル
十九歳の美緒、とぼけた祖父、明るい母、冷静な兄、甘えん坊の妹。仲良し家族の和やかな日常に差す不気味な影——。繊細なコージーミステリにして大胆な本格推理連作集。（千街晶之）
あ-87-1

彩坂美月
double～彼岸荘の殺人～
少女の頃念動力で世間を騒がせて以来ひきこもる紗良を、ひなたは見守ってきた。富豪から「幽霊屋敷」の謎を解いて欲しいとの依頼が入る。そこには様々な超能力者と惨劇が待っていた！
あ-87-2

芦沢 央
カインは言わなかった
公演直前に失踪したダンサーと美しい画家の弟。代役として主役「カイン」に選ばれたルームメイト。芸術の神に魅入られた男と、なぶられ続けた魂。心が震える衝撃の結末。（角田光代）
あ-90-1

芦沢 央
汚れた手をそこで拭かない
平穏に夏休みを終えたい小学校教諭、元不倫相手を見返したい料理研究家。きっかけはほんの些細な秘密や欺瞞だった……。第164回直木賞候補作となった「最恐」ミステリ短編集。（彩瀬まる）
あ-90-2

（　）内は解説者。品切の節はご容赦下さい。

秋木　真
助手が予知できると、探偵が忙しい
暇な探偵の貝瀬歩をたずねてきた女子高生の桐野柚葉。彼女は「私は2日後に殺される」と自分には予知能力があることを明かすが……。ちょっと異色で一癖ある探偵×バディ小説の誕生！
あ-97-1

伊集院　静
日傘を差す女
ビルの屋上で銛が刺さった血まみれの老人の遺体がみつかった。「伝説の砲手」と呼ばれたこの男の死の裏に隠された悲しき女たちの記憶。『星月夜』に連なる抒情派推理小説。（池上冬樹）
い-26-27

石田衣良
うつくしい子ども
閑静なニュータウンの裏山で惨殺された9歳の少女。〝犯人〟は、13歳の〈ぼく〉の弟だった。絶望と痛みの先に少年が辿りつく真実とは――。40万部突破の傑作ミステリー。（五十嵐律人）
い-47-37

池井戸　潤
株価暴落
連続爆破事件に襲われた巨大スーパーの緊急追加支援要請を巡って白水銀行審査部の板東は企画部の二戸と対立する。日本経済の闇と向き合うバンカー達を描く傑作金融ミステリー。
い-64-1

池井戸　潤
シャイロックの子供たち
現金紛失事件の後、行員が失踪!?　上がらない成績、叩き上げの誇り、社内恋愛、家族への思い……事件の裏に透ける行員たちの葛藤。圧巻の金融クライム・ノベル！（霜月　蒼）
い-64-3

乾《いぬい》　くるみ
イニシエーション・ラブ
甘美で、ときにほろ苦い青春のひとときを瑞々しい筆致で描いた青春小説――と思いきや、最後の二行で全く違った物語に！「必ず二回読みたくなる」と絶賛の傑作ミステリ。（大矢博子）
い-66-1

乾　くるみ
セカンド・ラブ
一九八三年元旦、春香と出会った。僕たちは幸せだった。春香とそっくりな美奈子が現れるまでは。『イニシエーション・ラブ』の衝撃、ふたたび。究極の恋愛ミステリ第二弾。（円堂都司昭）
い-66-5